HISTÓRIAS CURTAS DE HORROR

HISTÓRIAS CURTAS DE HORROR

Horror Short Stories
Copyright © Arcturus Holdings Limited

Os direitos desta edição pertencem à
Pé da Letra Editora
Rua Coimbra, 255 - Jd. Colibri - Cotia, SP, Brasil
Tel.(11) 3733-0404
vendas@editorapedaletra.com.br / *www.editorapedaletra.com.br*

Esse livro foi elaborado e produzido pelo

☎ (11) 93020-0036

Tradução Fabiano Flaminio
Design e diagramação Adriana Oshiro
Revisão Larissa Bernardi e Thaís Coimbra
Coordenação Fabiano Flaminio

Impresso no Brasil, 2020

Dados Internacionais de Catalogação na Publicação (CIP)
Angélica Ilacqua - Bibliotecária - CRB-8/7057

Histórias curtas de horror / editado por Joanna Blythe ; tradução de Fabiano Flaminio. - - Brasil : Pé da Letra, 2020.
384 p.

ISBN: 978-65-86181-49-4.
Título original : Horror Short Stories

1. Contos de terror - Antologias   I. Blythe, Joanna   II. Flaminio, Fabiano

20-2171   CDD 808.83

Índices para catálogo sistemático:
1. Contos de terror - Antologias

Todos os direitos reservados. Nenhuma parte desta publicação pode ser reproduzida, armazenada em um sistema de recuperação, ou transmitida, de qualquer forma ou por qualquer meio, eletrônico, mecânico, fotocopiador, de gravação ou por outro modo, sem autorização prévia por escrito, de acordo com as disposições da Lei 9.610/98. Qualquer pessoa ou pessoas que pratiquem qualquer ato não autorizado em relação a esta publicação podem ser responsáveis por processos criminais e reclamações cíveis por danos. Esta editora empenhou-se em contatar os responsáveis pelos direitos autorais de todas as imagens e de outros materiais utilizados neste livro. Se, porventura, for constatada a omissão involuntária na identificação de algum deles, dispomo-nos a efetuar, futuramente, os possíveis acertos.

Contents

Introdução 7

EDGAR ALLAN POE
O Poço e o Pêndulo 9
Berenice 27

H. P. LOVECRAFT
Habitante da Escuridão 37
Dagon 65
O Horror no Red Hook 73

FRANCIS MARION CRAWFORD
O Sorriso do Morto 99
O Leito Superior 125

W. W. JACOBS
A Casa de Aluguel 149

GUY DE MAUPASSANT
Foi um Sonho? 161
Carta de um Louco 167

AMBROSE BIERCE
A Coisa Maldita 173
O Segredo da Ravina Macarger 185
Numa Noite de Verão 195

BRAM STOKER
A Índia 199
O Segredo do Ouro Crescente 215

O Gigante Invisível..231

E. F. BENSON
   E Nenhum Pássaro Canta 247
   E o Morto Falou 263

M. R. JAMES
   Um Alerta aos Curiosos.......................................285
   O Freixo..305
   Conde Magnus...321

WILLIAM HOPE HODGSON
   O Pesquisador da Casa Final 337
   A Sala do Assobio..365

Introdução

Durante centenas de anos, os leitores têm ganhado uma dose de adrenalina com as coisas que os aterrorizam. Desde os romances de terror góticos do século XVIII, até as histórias de fantasmas dos dias atuais, os escritores têm estado muito dispostos a isso. Os tropos habituais da ficção - finais felizes e protagonistas racionais - caem por terra aqui. As clássicas histórias de horror recolhidas neste volume são excelentes para subverter as suas expectativas. Estas são as imaginações profundamente perturbadoras dos pioneiros do gênero de horror e são poucos os que podem evocar uma atmosfera tão poderosa de presságio.

Edgar Allan Poe é o mestre do suspense: 'O Poço e o Pêndulo' está firmemente enraizado no mundo real enquanto seu narrador descreve o medo que experimenta nas mãos de torturadores, já 'Berenice' é um conto violento de obsessão e morte. H. P. Lovecraft, por contraste, virou-se para os horrores em escala cósmica, evocando deuses antigos e desconhecidos que brincam, impiedosamente, com seus protagonistas de histórias.

Uma sensação inquietante de estranheza combinada com uma simples e inesquecível imagem de terror permeia as histórias de Francis Marion Crawford. Em 'O Sorriso Morto', o sorriso maligno de um cadáver lembra ao leitor os perigos da noite, já em 'O Berço Superior', enquanto um grupo de cavalheiros se envolve em uma discussão amigável sobre fantasmas, eles são apresentados a provas desconfortáveis de sua existência.

Ambrose Bierce, um veterano da Guerra Civil Americana, recorreu às suas próprias experiências nesse terrível conflito para se inspirar. Em 'A Coisa Maldita', Hugh Morgan está preso em um combate mortal com uma besta invisível; em 'O Segredo da Ravina

Introdução

de Macarger´, o protagonista descobre a desconfortável verdade por detrás do seu medo escondido, e 'Uma Noite de Verão' é a história horripilante de um homem que foi enterrado vivo.

Outras histórias dos mais talentosos escritores de horror vão aterrorizá-lo e deixá-lo aliviado para estar a salvo dos perigos que as personagens desses contos devem suportar. Uma sensação de inquietação permeia todas estas tramas. Invoca a sua coragem para as provações que virão – você vai precisar dela.

O Poço e o Pêndulo
por Edgar Allan Poe

Impia tortorum longas hic turba furores
Sanguinis innocui, non satiata, aluit.
Sospite nunc patria, fracto nunc funeris antro,
Mors ubi dira fuit vita salusque patent.

Quarteto composto para as portas de um mercado a ser erguido
no terreno do Jacobin Club House, em Paris

EU ESTAVA doente - doente até a morte com aquela longa agonia; e quando me desamarraram e me permitiram sentar-me, senti que os meus sentidos haviam me deixado. A sentença - a terrível sentença da morte - foi a última de acentuação distinta que chegou aos meus ouvidos. Depois disso, o som das vozes inquisitoriais parecia fundir-se em um indeterminado zumbido sonhado. Ele transmitia à minha alma a ideia de revolução - talvez da sua associação em fantasia com a rebarba de uma roda de moinho. Isso só por um breve período, pois, atualmente, eu não ouço mais. No entanto, por um tempo, eu vi - mas com um exagero terrível! Eu vi os lábios dos juízes de túnica negra. Eles me pareciam mais brancos do que a folha sobre a qual eu traçava essas palavras - e finos, até caricato; finos com a intensidade da sua expressão de firmeza - de resolução imutável - de severo desprezo pela tortura humana. Eu vi que os decretos do que para mim, era o destino, ainda eram emitidos daqueles lábios. Eu os vi retorcer-se com uma locução mortal.

Eu os vi modelar as sílabas do meu nome; e eu estremeci porque não havia sucedido o som. Eu também vi, por alguns momentos de delírio de horror, a ondulação suave e quase imperceptível da tapeçaria negra que forrava as paredes do apartamento. E, então, a minha visão caiu sobre as sete velas altas sobre a mesa. No início, elas tinham aspecto de caridade e pareciam anjos brancos esbeltos que iriam me salvar, mas então, de repente, veio uma náusea muito mortal sobre o meu espírito e senti cada nervo na minha estrutura emocionada como se eu tivesse tocado no fio de uma bateria galvânica, enquanto as formas de anjo se tornaram espectros sem sentido, com cabeças de fogo, e vi que deles não haveria ajuda alguma. E depois, invadiu minha fantasia, como uma rica nota musical, o pensamento de quão doce o descanso deveria ser no túmulo. O pensamento veio suavemente e furtivamente, e parecia longo antes de atingir a apreciação total; mas, apenas como o meu espírito veio de longe para o sentir e entreter, as figuras dos juízes desapareceram, como que por magia, diante de mim; as altas velas afundaram-se no nada; as suas chamas apagaram-se totalmente; a negritude da escuridão sobrevivente; todas as sensações apareceram numa descida louca e apressada como da alma em Hades. Então, o silêncio, a quietude e a noite eram o universo.

Eu tinha desmaiado, mas ainda não vou dizer que toda a consciência estava perdida. O que restou, não vou tentar definir, ou mesmo descrever, mas nem tudo estava perdido. No mais profundo sono - não! Em delírio - não! Num desmaio - não! Na morte, não! Mesmo no túmulo, nem tudo está perdido. Senão, não há imortalidade para o homem. Despertando do sono mais profundo, rompemos a teia de um sonho. No entanto, um segundo depois (mesmo na mais impressionante das tramas) não nos lembramos de nada do que sonhamos. No regresso à vida a partir do desmaio há duas etapas: a primeira, a do sentido do mental ou espiritual; em segundo lugar, a do sentido físico, existência. Parece provável que se, ao chegar à segunda etapa, pudéssemos recordar das impressões da primeira, deveríamos encontrar estas impressões eloquentes em memórias do abismo do além. E o que é o abismo - o quê? Como devemos, ao menos, distinguir as suas sombras das do túmulo? Mas, se as impressões do que eu tenho chamada primeira etapa não estão à vontade, depois de um longo intervalo, elas não vêm sem ser propostas, enquanto nos maravilhamos, de onde elas vêm? Aquele que nunca desmaiou, não é aquele que encontra estranhos palácios e rostos selvagens e familiares em brasas que brilham; não é aquele que contempla flutuando no meio do ar as tristes visões que muitos podem não ver; não é aquele que pondera sobre o perfume de alguma flor nova; não é aquele cujo cérebro cresce desnorteado com o significado de alguma cadência musical que nunca antes prendeu sua atenção.

Em meio a esforços frequentes e atenciosos para se lembrar; em meio a lutas sérias para reunir algum sinal do estado de aparente vazio em que a minha alma tenha caído, tem havido momentos em que sonhei com o sucesso; houve breves momentos, períodos muito breves, em que conjurei lembranças que a razão lúcida de uma época posterior assegura-me que poderia ter tido referência apenas a essa condição de aparente inconsciência. Estas sombras da memória falam, indistintamente, de figuras altas que me levantaram e me aborreceram em silêncio - mais baixo - ainda mais baixo - tonturas horríveis oprimiram-me com a mera ideia da interminável descida. Falam também de um horror vago no meu coração, por causa da imobilidade artificial desse coração. Então, vem uma sensação repentina de falta de movimento em todas as coisas; como se aqueles que me aborreceram (um trem horrível!) tivessem fugido, em sua descendência, os limites dos sem limites, e pausou a partir do cansaço do seu trabalho. Depois disso, lembro-me da planicidade e umidade e, então, tudo é loucura - a loucura de uma memória que se ocupa entre coisas proibidas.

Muito de repente, voltaram à minha alma o movimento e o som - o movimento tumultuoso do meu coração, e, nos meus ouvidos, o som de sua batida. Depois uma pausa em que tudo fica branco. Depois, novamente, som e movimento, um toque - uma sensação de formigamento que permeia a minha estrutura. Então, a mera consciência da existência, sem pensar – a condição que durou muito tempo. Então, de repente, pensei e tremi de terror, e um esforço sério para compreender meu verdadeiro estado. Depois, um forte desejo de cair na insensibilidade. Depois, um apressado renascimento da alma e um esforço bem sucedido para me mover. E agora, uma completa memória do julgamento, dos juízes, das tapeçarias negras, da sentença, da doença, do desmaio. Então, o esquecimento de tudo o que se seguiu; de tudo o que, um dia posterior e muita seriedade de esforço, permitiram-me lembrar-me vagamente.

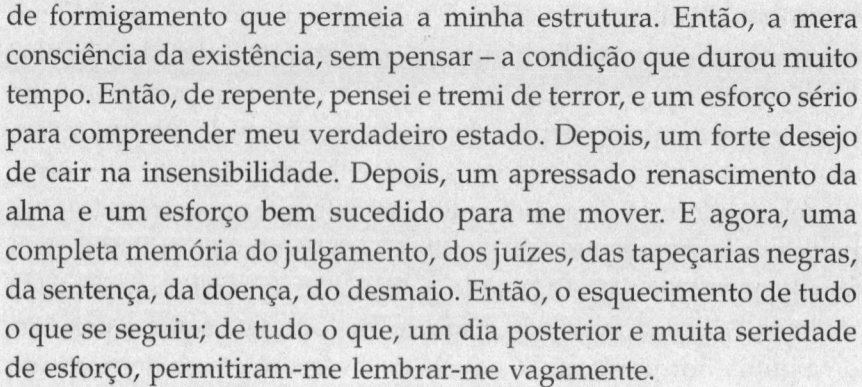

Até agora, eu não tinha aberto os meus olhos. Senti que me deitava sobre minhas costas, sem restrições. Eu tinha estendido a minha mão, e ela caiu fortemente sobre algo úmido e duro. Aí eu sofri para ficar por muitos minutos, enquanto eu me esforçava para imaginar onde e o que poderia ser. Eu ansiava, mas não me atrevi, a usar a minha visão. Eu temia o primeiro olhar para os objetos à minha volta. Não era que eu receasse considerar as coisas horríveis, mas fiquei horrorizado para que não houvesse nada para ver. Com um grande desespero no coração, eu, rapidamente, abri os meus olhos. Os meus piores pensamentos, então, foram confirmados. A escuridão da noite eterna me cobriu. Eu lutei para respirar. A intensidade da escuridão parecia me oprimir e asfixiar. A atmosfera estava intoleravelmente próxima. Eu ainda estava deitado em silêncio e fiz um esforço para exercer a minha razão. Trouxe, para me lembrar dos procedimentos inquisitoriais, a tentativa, a partir disso, de deduzir a minha verdadeira condição. A sentença tinha passado; e pareceu-me que um intervalo muito longo tinha passado. No entanto, nem por um momento supus que estivesse realmente morto. Tal suposição, apesar do que lemos na ficção, é totalmente inconsistente com a existência real; - mas, onde e em que estado eu estava? O condenado à morte, eu sabia, pereceu normalmente no auto-de-fé, e um destes tinha sido realizado na mesma noite do meu julgamento. Se tivesse sido mandado para a minha masmorra, para aguardar o próximo sacrifício, que não aconteceria durante muitos meses? Isto que vi, imediatamente, não podia ser. As vítimas tinham sido solicitadas. Além disso, o meu calabouço, assim como todas as celas condenadas em Toledo, tinha chão de pedra e a luz não era totalmente excluída.

Uma ideia medrosa agora, de repente, levou o sangue em torrentes ao meu coração, e por um breve período recaí, mais uma vez, na insensibilidade. Ao recuperar, comecei, imediatamente, a tremer convulsivamente em cada nervo. Empurro os meus braços para cima e à minha volta, em todas as direções. Eu não senti nada, mas temia mover-me um passo, para que eu não fosse impedido pelas paredes de um túmulo. A transpiração estourou de todos os poros e ficou em grandes gotas frias na minha testa. A agonia do suspense cresceu de forma intolerável e avancei cautelosamente, com os braços estendidos, e os meus olhos esticados das suas tomadas na esperança de apanharem alguns raios de luz ténue. Eu continuei por muitos passos, mas ainda assim, tudo foi negritude e vacância. Eu respirei mais livremente. Parecia evidente que o meu não era, pelo menos, o mais hediondo dos destinos.

E agora, como eu ainda continuava a avançar cautelosamente, lá veio a encher a minha memória de mil rumores vagos dos horrores de Toledo. Das masmorras haviam sido narradas coisas estranhas - fábulas que sempre tinha considerado – mas, ainda assim, estranha e horripilante demais para repetir, salvo em um sussurro. Fui deixado para perecer de fome neste mundo subterrâneo de escuridão; ou que destino, talvez ainda mais temeroso, me esperava? Que o resultado seria a morte e uma morte mais do que a habitual amargura, sabia, demasiadamente bem, o carácter dos meus juízes para duvidar. O método e a hora foi tudo o que me ocupou ou distraiu.

As minhas mãos estendidas encontraram algumas sólidas obstruções. Era um muro, aparentemente de alvenaria, viscoso e frio. Eu o segui; pisando com toda a cuidadosa desconfiança com que certas narrativas antigas tinham inspirado. Este processo, no entanto, não me proporcionou nenhum meio de determinar as dimensões do meu calabouço, pois posso fazer a sua extensão e voltar ao ponto de partida sem estar consciente de fato, tão perfeitamente uniforme parecia a parede. Por isso, procurei a faca que tinha estado no meu bolso quando fui levado para o inquisitorial, mas tinha desaparecido; a minha roupa tinha sido trocada por um trapo de sarja grosseira. Tinha pensado em forçar a lâmina a entrar em uma pequena fenda da alvenaria, de modo a identificar o meu ponto de partida. A dificuldade, no entanto, era apenas trivial; embora, na desordem da minha fantasia, ao princípio, parecia insuperável. Rasguei uma parte da bainha da túnica e coloquei o pedaço na sua totalidade no comprimento e em ângulo reto com a parede. Ao apalpar a prisão, não podia deixar de encontrar este trapo ao completar a extensão. Assim, pelo menos, eu pensava; mas não tinha contado com a extensão do calabouço, ou sobre a minha própria fraqueza. O chão estava úmido e escorregadio. Eu cambaleei para a frente por algum tempo, quando tropecei e caí. O meu cansaço excessivo induziu-me a permanecer prostrado; e o sono logo me ultrapassou enquanto eu estava deitado.

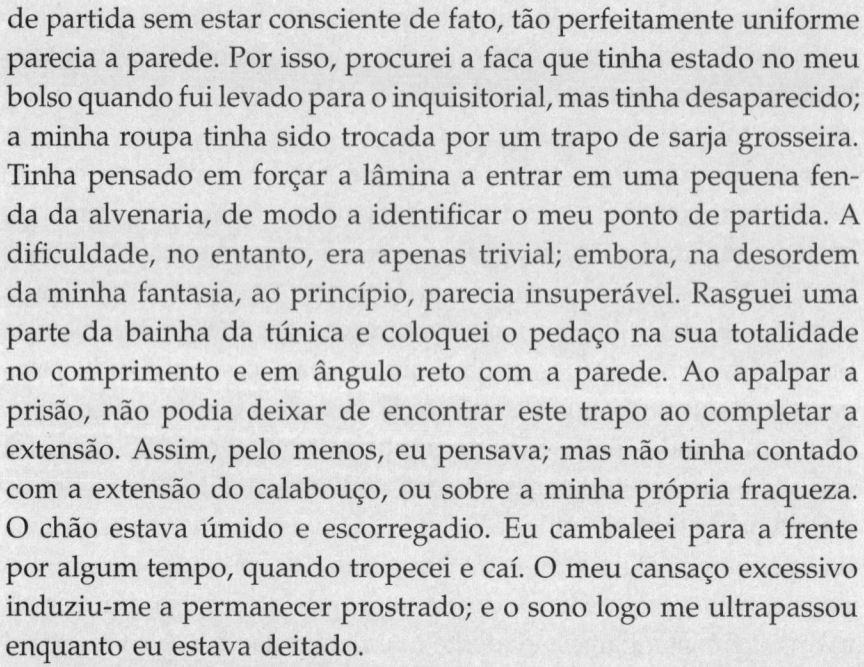

Ao acordar, esticando um braço, encontrei ao meu lado um pão e um jarro com água. Estava exausto demais para refletir sobre esta circunstância, mas comi e bebi com avidez. Pouco tempo depois, retomei o meu passeio pela prisão e, com muito trabalho, alcancei, finalmente, o fragmento de sarja. Até onde havia caído, tinha contado 52 passos, e, após, ao retomar à minha caminhada, tinha contado mais 48 - quando cheguei ao trapo. Havia no total, então, 100 passos; e, admitindo dois passos por jarda, presumi que o calabouço tivesse 50 jardas em extensão. Tinha encontrado, no entanto, muitos ângulos na parede, e assim eu não podia formar nenhum palpite sobre a forma da catacumba, para catacumba que não pude deixar de supor que fosse.

Eu tinha pouco objetivo - certamente nenhuma esperança - nestas pesquisas; mas uma vaga curiosidade levou-me a continuar com elas. Deixando a parede, resolvi atravessar a área do recinto. No início, procedi com extrema cautela, o piso, embora aparentemente de material sólido, era traiçoeiro com lodo. No entanto, em comprimento, tomei coragem e não hesitei em dar um passo firme – esforçando-me para atravessar em uma linha tão direta possível. Tinha avançado cerca de 10 ou 12 passos desta maneira, quando o remanescente do rasgado da bainha do meu roupão ficou enroscado entre as minhas pernas. Eu pisei e cai violentamente sobre o meu rosto.

Na confusão que assistiu à minha queda, não apreendi imediatamente uma circunstância um tanto surpreendente que, ainda assim, poucos segundos depois e enquanto ainda estava prostrado, prendeu minha atenção. Foi o seguinte: o meu queixo descansou no chão da prisão, mas, os meus lábios e a parte superior da minha cabeça, embora aparentemente a uma altura menor que o queixo, não tocaram em nada. Ao mesmo tempo, a minha testa parecia banhada por um vapor pegajoso e o cheiro peculiar de fungos decadentes surgiu nas minhas narinas. Coloquei meus braços à frente e estremeci ao descobrir que tinha caído na própria beira de um poço circular, cuja extensão, é claro, eu não tinha meios de verificar naquele momento. Apalpação sobre a alvenaria logo abaixo da margem, consegui desalojar um pequeno fragmento e deixá-lo cair no abismo. Durante muitos segundos ouvi as suas reverberações enquanto se atirava contra os lados do abismo na sua descida; em profundidade, houve um amuado mergulho na água, conseguiu por ecos altos. No mesmo momento, veio um som parecido com a abertura rápida e o fecho rápido de uma porta, enquanto um leve facho de luz brilhava, repentinamente, através da escuridão, e, de repente, desapareceu.

Vi claramente a desgraça que tinha sido preparada para mim e me parabenizei pelo oportuno acidente do qual havia escapado. Mais um passo antes da minha queda e o mundo não me veria jamais. E a morte que acabou de ser evitada era desse mesmo personagem que tinha sido considerado como fabuloso e frívolo nos contos a respeito da Inquisição. Para as vítimas da sua tirania, havia a escolha da morte com as suas agonias físicas mais sujas, ou a morte com os seus horrores morais mais horrendos. Fui reservado para este último. Por muito tempo, os meus nervos haviam sido relaxados, até tremer ao som da minha própria voz, e tinham se tornado, em todos os aspectos, um tema adequado para as espécies de tortura que me esperavam.

Agitando em cada membro, apalpei o meu caminho de volta à parede resolvendo lá perecer em vez de arriscar os terrores dos poços, do qual a minha imaginação agora retratava muitos em várias posições sobre o calabouço. Em outras condições de espírito, eu poderia ter tido coragem de acabar imediatamente com a minha miséria, através de um mergulho num destes abismos; mas, agora, eu era o mais covarde dos covardes. Nem podia esquecer do que tinha lido sobre estes buracos - que a súbita extinção da vida não fazia parte do seu plano mais horrível.

A agitação do espírito me manteve acordado por muitas e longas horas, mas, ao longo do tempo, adormeci outra vez. Ao despertar, encontrei ao meu lado, como antes, um pão e um jarro de água. Uma sede ardente me consumia e esvaziei a jarra com um só gole. Devo ter sido drogado - pois mal havia bebido, antes de ficar irresistivelmente sonolento. Um sono profundo caiu sobre mim, um sono como o da morte. Como durou muito tempo, claro que não sabia; mas quando, mais uma vez, eu abri meus olhos, os objetos à minha volta eram visíveis. Por um selvagem brilho sulfuroso, cuja origem não pude determinar no início, fui capaz de ver a extensão e o aspecto da prisão.

No seu tamanho, estava muito enganado. Todo a extensão das suas paredes não ultrapassava as 25 jardas. Durante alguns minutos isto me causou um mundo de problemas vãos; vãos mesmo - pelo que poderia ser de menor importância, sob as terríveis circunstâncias que me rodeavam, do que as meras dimensões da minha masmorra? Mas, a minha alma se interessou por ninharias e me ocupei em esforços para contabilizar o erro que havia cometido na minha medida. A verdade passou-me ao lado. Na minha primeira tentativa de exploração eu tinha contado 52 passos até o momento em que caí: devo então ter estado dentro de um ritmo ou dois do fragmento de sarja; na verdade, eu quase tinha realizado a extensão da catacumba. Depois dormi – e, ao acordar, voltei aos meus passos – então a suposta extensão quase duplicou o que realmente era. A minha confusão mental impediu-me de observar que comecei meu passeio com a parede à esquerda e acabou com a parede à direita.

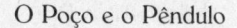

Eu também tinha sido enganado no que diz respeito à forma do recinto. Ao sentir, à minha maneira, tinha encontrado muitos ângulos e, assim, deduzi uma ideia de grande irregularidade; tão potente é o efeito da escuridão total quando alguém desperta da letargia ou do sono! Os ângulos eram simplesmente as de algumas depressões ligeiras ou nichos em intervalos ímpares. A forma geral da prisão era quadrada. O que eu tinha tomado por alvenaria parecia ser agora ferro ou algum outro metal, em grandes placas, cujas suturas ou articulações ocasionaram as depressões. Toda a superfície desse invólucro metálico foi rudemente manchada em todos os dispositivos hediondos e repulsivos aos quais a superstição de ossuários dos monges deu origem. As figuras de demônios em aspectos de ameaça, com formas de esqueleto e outras imagens mais realmente medrosas, espalhavam-se e desfiguravam as paredes. Observei que os contornos destas monstruosidades eram suficientemente distintos, mas que as cores pareciam desbotadas e desfocadas, como se fossem os efeitos de uma atmosfera úmida. Agora, também reparei no chão, que era de pedra. No centro oscitou o poço circular de cujas mandíbulas havia escapado; mas era o único que estava na masmorra.

Tudo isto vi indistintamente e com muito esforço - pois as minhas condições pessoais tinham sido muito alteradas durante o sono. Agora, estava deitado de costas e em toda a largura, sobre uma espécie de estrutura baixa de madeira. A isto estava firmemente preso por uma correia longa parecida com uma barrigueira. Passava sobre os meus membros e corpo, deixando em liberdade apenas a minha cabeça e o meu braço esquerdo, pelo qual poderia, com muito esforço, abastecer-me da comida de um prato de barro que estava ao meu lado no chão. Eu vi, para meu horror, que o jarro tinha sido removido. Digo para o meu horror pois eu estava consumido por uma sede intolerável. Esta sede parecia ser planejada pelos meus perseguidores para ser estimulada – a comida no prato era carne picante e temperada.

Olhando para cima, fiz um levantamento do teto da minha prisão. Eram cerca de 30 ou 40 pés acima da cabeça, construídos tanto como as paredes laterais. Em um de seus painéis, uma figura muito singular chamou toda a minha atenção. Era a figura pintada do Tempo como ele é comumente representado, exceto que, no lugar de uma foice, ele segurava o que, num relance casual, deveria ser a imagem retratada de um enorme pêndulo, como o que vemos nos relógios antigos. Havia algo, no entanto, na aparência desta máquina que fez-me olhar para ela com mais atenção. Enquanto olhava diretamente para cima (pois a sua posição era imediatamente superior à minha) imaginei que o tinha visto em movimento. Num instante depois, a fantasia foi confirmada. O seu movimento foi breve e, claro, lento. Eu observei durante alguns minutos com algum medo, porém, mais com admiração. Desgastado com a observação do seu movimento monótono, eu virei os meus olhos aos outros objetos da cela.

Um leve ruído atraiu a minha atenção, e, olhando para o chão, vi vários ratos enormes a atravessá-lo. Eles tinham surgido do poço que estava mesmo à minha direita. Mesmo assim, enquanto os encarei, eles vieram em tropas, apressados, com olhos esfomeados, atraídos pelo cheiro da carne. A partir daí, foi necessário muito esforço e atenção para afugentá-los.

Pode ter passado meia hora, talvez até uma hora (pois eu não aguentava uma nota imperfeita do tempo), antes de voltar a olhar para cima. O que vi depois, confundiu-me e surpreendeu-me. O balanço do pêndulo tinha aumentado em extensão quase uma jarda. Como consequência natural, a sua velocidade também era muito maior. Mas, o que mais me perturbou foi a ideia de que havia percebido movimentos mais lentos. Agora observei - com o horror que é desnecessário dizer - que a sua extremidade inferior era formada por uma lua crescente de aço brilhante, com cerca de um pé de comprimento de chifre a chifre; os chifres para cima, e a borda inferior evidentemente tão afiada como a de uma navalha. Como uma navalha também, ela parecia maciça e pesada, afunilada na borda, em uma estrutura sólida e ampla acima. Foi anexada a uma haste pesada de latão e o conjunto sibilou enquanto balançava pelo ar.

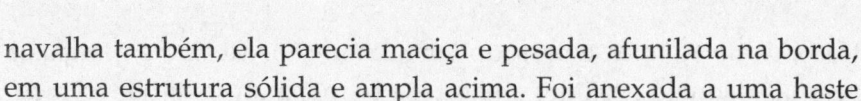

Eu não podia mais duvidar da desgraça preparada para mim por um monge ingenuamente na tortura. O meu reconhecimento do poço tinha se tornado conhecido aos agentes inquisitórios - o poço, cujos horrores tinham sido destinados a um recusante tão ousado como eu - o poço, típico de inferno e considerado por rumores como a *Ultima Thule* de todos os seus castigos. O mergulho nesta cova que havia evitado com o mínimo de acidentes, e sabia que a surpresa, ou aprisionamento em tormento, formava uma parte importante de toda a grotesca vitória dessas mortes nas masmorras. Tendo falhado a queda, não foi parte do plano demoníaco para me atirar ao abismo; e assim (lá não sendo alternativa) uma destruição diferente e mais suave que se esperava. Milder! Eu meio sorri na minha agonia enquanto pensava em tal aplicação de tal termo.

O que vale dizer das longas e longas horas de horror mais do que mortais, durante as quais contei as oscilações do aço! Polegada por polegada - linha por linha - com uma descida apenas apreciável a intervalos que pareciam muito inferiores e ainda mais baixo chegaram! Os dias se passaram - pode ter sido que se passaram muitos dias - antes que ele se aproximasse de mim a ponto de me abanar com sua respiração acre. O cheiro do aço afiado forçou-me as narinas. Eu rezei - cansei o céu com a minha oração por uma descida mais rápida. Fiquei freneticamente louco e lutei para forçar a mim mesmo contra a varredura da terrível cimitarra. E, depois, caí subitamente calmo e deitei-me a sorrir com a morte cintilante, como uma criança num raro enfeite.

Havia outro intervalo de insensibilidade total; era breve; pois, ao cair de novo na vida, não tinha havido nenhuma percepção de descida no pêndulo. Mas, pode ter sido por muito tempo - sabia que havia demônios que tomaram nota do meu desmaio e que poderiam ter prendido a vibração ao seu bel-prazer. Após a minha recuperação, também me senti muito – oh! inexpressivamente - doente e fraco, como se tivesse passado longa inanição. Mesmo em meio às agonias daquele período, a natureza humana ansiava por comida. Com esforço doloroso estiquei o meu braço esquerdo até onde as minhas juntas permitissem e tomei posse dos pequenos pedaços que tinham sido poupados pelos ratos. Enquanto colocava uma porção dentro dos meus lábios, me veio à cabeça uma meia forma de pensamento de alegria - de esperança. Mas, que negócio tinha com a esperança? E foi, como eu digo, um homem de pensamentos meio formados - muitos desses, que nunca são concluídos. Senti que era de alegria - de esperança; mas eu senti, também, que tinha perecido na sua formação. Em vão me esforcei para recuperá-lo. O longo sofrimento tinha quase aniquilado todos os meus poderes mentais normais. Eu era um imbecil - um idiota.

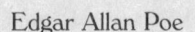

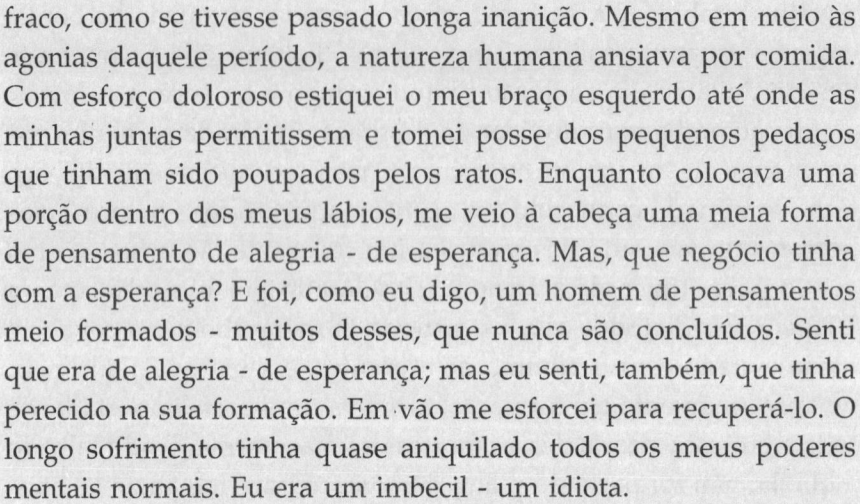

A vibração do pêndulo estava em ângulos retos ao meu comprimento. Eu vi que a lua crescente foi projetada para atravessar a região do coração. Destruiria a sarja do meu roupão - voltaria e repetiria essa operação - de novo - e de novo. Não obstante, a sua varredura terrivelmente ampla (cerca de 30 pés ou mais) e o vigor sibilante de sua descida, suficiente para quebrar essas mesmas paredes de ferro, ainda assim, o desgaste do meu manto seria tudo o que, por vários minutos, ele conseguiria. E, com este pensamento, fiz uma pausa. Não ousei ir mais longe com esta reflexão. Me debrucei sobre ela com muita atenção - como se, em tão debruçado, pudesse prender aqui a descida do aço. Me forcei a refletir sobre o som do crescente, como deveria passar através da roupa - sobre a sensação emocionante peculiar que o atrito do tecido produz nos nervos. Ponderei sobre toda esta frivolidade até os meus dentes estarem no limite.

Para baixo - firmemente abaixo, rastejava. Tive um prazer frenético ao contrastar sua velocidade descendente com a velocidade lateral. À direita - à esquerda - em toda parte - com o grito de um espírito maldito! Para o meu coração, com o ritmo furtivo do tigre! Eu ri e uivei alternadamente, à medida que uma ou outra ideia cresciam predominante.

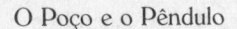

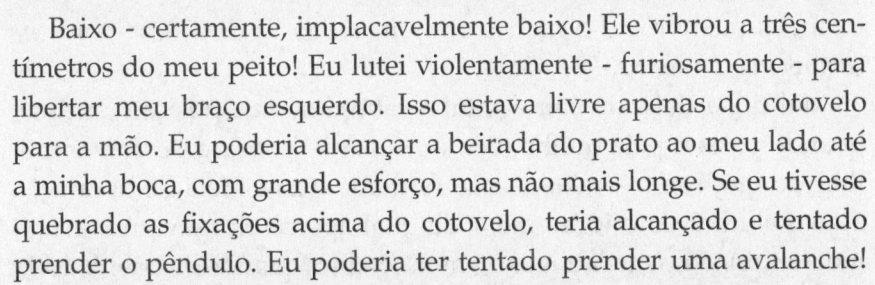

Baixo - certamente, implacavelmente baixo! Ele vibrou a três centímetros do meu peito! Eu lutei violentamente - furiosamente - para libertar meu braço esquerdo. Isso estava livre apenas do cotovelo para a mão. Eu poderia alcançar a beirada do prato ao meu lado até a minha boca, com grande esforço, mas não mais longe. Se eu tivesse quebrado as fixações acima do cotovelo, teria alcançado e tentado prender o pêndulo. Eu poderia ter tentado prender uma avalanche!

Baixo - ainda incessantemente - ainda inevitavelmente baixo!! Eu ofeguei e lutei a cada vibração. Eu encolhi convulsivamente em todos os seus balanços. Os meus olhos seguiram os seus redemoinhos para fora ou para cima com a avidez dos mais desesperados; eles fecharam-se espasmodicamente na descida, embora a morte teria sido um alívio, oh, que indizível! Ainda assim, tremia em todos os nervos em pensar como um ligeiro afundamento da maquinaria precipitaria aquele machado aguçado e reluzente no meu peito. Foi a esperança que fez o nervo tremer – a estrutura encolher. Era a esperança - a esperança que triunfa na prateleira - que sussurra para os condenados à morte mesmo nas masmorras da Inquisição.

Eu vi que cerca de 10 ou 12 vibrações trariam o aço em contato real com o meu roupão - e com esta observação ali, de repente, veio sobre o meu espírito toda a calma apurada e recolhida de desespero. Pela primeira vez durante muitas horas - ou talvez dias - pensei. Ocorreu-me agora, que o curativo, ou a barrigueira, o que me envolvia, era único. Não estava amarrado por nenhuma corda separada. O primeiro golpe da lua crescente em forma de navalha em qualquer parte da banda o destacaria tanto que poderia ser desenrolado da minha pessoa por meio da mão esquerda. Mas que temeroso, nesse caso, a proximidade do aço! O resultado da menor luta, como mortífero! Além disso, era provável que os lacaios do torturador não tivessem imaginado e previsto essa possibilidade? Era provável que a ligadura atravessasse o meu peito na faixa do pêndulo? Temendo encontrar o meu desmaio e, como parecia, a minha última esperança frustrada, até agora levantei a minha cabeça para obter uma visão distinta do meu peito. A barrigueira envolveu os meus membros e o meu corpo em todas as direções - *salvo no caminho do crescente destruidor.*

Mal tinha deixado cair a minha cabeça na sua posição original, quando passou pela minha mente o que não consigo descrever melhor do que como a metade não formada dessa ideia de libertação à qual aludira anteriormente, e da qual apenas flutuava um grupo indeterminadamente através do meu cérebro, quando eu criei comida para os meus lábios ardentes. Todo o pensamento presente estava agora fraco, pouco são, pouco definido - mas ainda assim inteiro. Prossegui em uma vez, com a energia nervosa do desespero, para tentar a sua execução.

Durante muitas horas, a vizinhança imediata abaixo do quadro sobre o qual havia deitado estava literalmente fervilhando com ratos. Eles eram selvagens, ousados, corajosos, vorazes - seus olhos vermelhos me encarando como se eles esperassem, exceto pela imobilidade da minha parte, para me fazer sua presa. "Com que comida," pensei, "eles já estão acostumados no poço?"

Eles haviam devorado, apesar de todos os meus esforços para evitá-lo, todos, exceto um pequeno remanescente do conteúdo do prato. Eu caíra em uma gangorra habitual ou em um aceno de mão sobre o prato; e, por fim, a uniformidade inconsciente do movimento o privou de efeito. Em sua voracidade, os vermes, frequentemente, prendiam suas presas afiadas nos meus dedos. Com as partículas da via oleosa e picante que agora restava, esfreguei completamente o curativo onde quer que pudesse alcançá-lo; então, levantando minha mão do chão, fiquei imóvel, sem fôlego.

No início, os animais esfomeados ficaram assustados e aterrorizados com a mudança - com a cessação do movimento. Eles encolheram de forma alarmante; muitos procuraram o poço. Mas, isto foi apenas por um momento. Eu não tinha contado em vão com a sua voracidade. Observando que permanecia sem movimento, um ou dois dos mais ousados saltaram sobre a estrutura e cheiraram a barrigueira. Este parecia ser o sinal para uma corrida geral. Do poço, eles se apressaram a chegar em tropas. Agarraram-se à madeira -

eles saltaram a centenas para cima da minha pessoa. O movimento medido do pêndulo não os perturbou em nada. Evitando as suas pinceladas, eles se ocuparam com o curativo ungido. Eles pressionaram - eles invadiram-me aos montes, sempre acumulados. Eles se contorciam na minha garganta; seus lábios frios procuravam os meus; estava meio sufocado pela pressão crescente deles; a repulsa, pela qual o mundo não tem nome, inchou meu peito e gelou, com uma pesada umidade, meu coração. Ainda um minuto, e eu senti que a luta terminaria. Percebi claramente o afrouxamento do curativo. Eu sabia que em mais de um lugar já deveria ser cortado. Com uma resolução mais do que humana, fiquei quieto.

Nem tinha errado nos meus cálculos - nem tinha suportado em vaidade. Senti que estava livre. A barrigueira pendurada nas costelas do meu corpo. Mas, o golpe do pêndulo já havia pressionado no meu peito. Tinha dividido a sarja do manto. Tinha cortado através do linho. Mais duas vezes balançou e uma afiada sensação de dor disparou através de cada nervo. Mas, o momento da fuga tinha chegado. Com uma onda da minha mão, os meus libertadores apressaram-se tumultuosamente longe. Com um movimento constante - cauteloso de lado, encolhendo e lentamente - deslizei do abraço da ligadura para além do alcance da cimitarra. Por enquanto, pelo menos, eu estava livre.

Livre! - e ao alcance da Inquisição! Eu mal tinha pisado da minha cama de madeira de horror sobre o chão de pedra da prisão, quando o movimento da máquina infernal cessou, e vi elaborado, por alguma força invisível, através do teto. Isto foi uma lição que levei desesperadamente ao coração. Todos os meus movimentos foram, sem dúvida, vigiados. Livre! - eu só tinha escapado da morte de uma forma de agonia, para ser entregue à morte de uma forma pior. Com esse pensamento, voltei os meus olhos nervosamente sobre as barreiras de ferro que me cercavam. Algo incomum - alguma mudança, o que, no início, não consegui apreciar claramente - era óbvio, tinha acontecido na masmorra. Por muitos minutos de um sonho e tremendo abstração, me agarrei em vão, numa conjectura desconectada. Durante este período, tomei consciência, pela primeira vez, da origem da luz sulfurosa que iluminava a célula. Ela procedia de uma fissura de cerca de meia polegada de largura, estendendo inteiramente ao redor da prisão, na base das paredes, que estavam completamente separadas do chão. Me esforcei, mas claro, em vão, para olhar através da abertura.

Como me levantei da tentativa, o mistério da alteração na câmara quebrou-se imediatamente após o meu entendimento. Observei que, embora os contornos das figuras sobre as paredes fossem suficientemente distintos, as cores pareciam desfocadas e indefinidas. Estas cores tinham agora se revelado e estavam momentaneamente a assumir um brilho assustador e mais intenso, que dava ao espectro e retrato diabólico um aspecto que pode ter entusiasmado até nervos mais firmes do que os meus. Olhos demoníacos, de uma selvagem e horripilante vivacidade, brilharam sobre mim em mil direções, onde nada tinha sido visível antes, e brilhavam com o brilho esplendoroso de um fogo que não consegui forçar a minha imaginação a considerar como irreal.

Irreal! - Mesmo enquanto respirava, chegaram às minhas narinas a respiração do vapor de ferro aquecido! Um odor sufocante permeou a prisão! Um brilho mais profundo se instalou a cada momento nos olhos, que embaraçaram com as minhas agonias! Um tom mais rico de vermelho se difundiu sobre os horrores retratados de sangue. Eu ofeguei! Eu ofeguei por respirar! Lá não poderia haver dúvida da forma dos meus atormentadores - oh! a maioria implacável! ah! mais demoníaco dos homens! Eu encolhi do brilho metal para o centro da célula. Em meio ao pensamento da destruição do fogo iminente, a ideia do frescor do poço veio sobre minha alma como bálsamo. Corri para o seu limite mortal. Eu joguei minha visão cansativa fora. O brilho do telhado incendiado iluminou seus recantos mais íntimos. No entanto, por um momento selvagem, meu espírito se recusava a compreender o significado do que eu vi. No comprimento forçou - abriu caminho na minha alma - queimou-se por minha razão trêmula. Oh! para uma voz falar! horror! – oh!

qualquer horror, mas isso! Com um grito, eu corri da margem e enterrei meu rosto em minhas mãos - chorando amargamente.

O calor aumentou rapidamente e, mais uma vez, olhei para cima, a tremer como se fosse um ataque de febre. Tinha havido uma segunda mudança na cela - e agora a mudança estava obviamente na forma. Como antes, foi em vão que me esforçasse no início para apreciar ou compreender o que estava a acontecer. Mas, não por muito tempo. Fui deixado na dúvida. A vingança inquisitorial tinha sido apressada pela minha dupla fuga e não haveria mais encontros com o Rei dos Terrores. O quarto tinha sido quadrado. Eu vi que dois dos seus ângulos de ferro eram agora agudos - dois, consequentemente, obtusos. A terrível diferença aumentou rapidamente com um baixo ronco ou som de gemido. Num instante, a prisão tinha mudado de forma. Mas, a alteração não parou aqui - nem esperava nem desejava que isso parasse. Poderia ter apertado as paredes vermelhas para o meu peito como uma veste de paz eterna. "Morte", eu disse, "qualquer morte, menos a do poço!" Idiota! Será que eu não sabia que o objeto de ferro em chamas era para me incitar ao poço? Poderia eu resistir ao seu brilho? Ou se mesmo isso, conseguiria resistir a sua pressão? E agora, mais e mais lisonjeava o losango, com uma rapidez que não me deixou tempo para a contemplação. O seu centro e a sua maior largura vieram mesmo por cima do abismo bocejante. Eu me encolhi, mas as paredes fechadas me pressionaram sem resistência. No comprimento para o meu corpo queimado e contorcido, havia não mais uma polegada de apoio no chão firme da prisão. Não lutei mais, mas a agonia da minha alma encontrou desabafo em um alto, longo e final grito de desespero. Senti que me cambaleei sobre a beira – eu evitei os meus olhos.

Havia um zumbido discordante de vozes humanas! Havia uma explosão estrondosa como de muitas trombetas! Havia uma grade dura a partir de mil trovões! As paredes ardentes voltaram a correr! Um estendido braço apanhou o meu quando caí, desmaiando, no abismo. Era do General Lasalle. O exército francês tinha entrado em Toledo. A Inquisição estava nas mãos dos seus inimigos.

Berenice
por Edgar Allan Poe

Dicebant mihi sodales si sepulchrum amicae visitarem
curas meas aliquantulum fore levatas.

Ebn Zaiat

MISÉRIA é múltipla. A miséria da terra é multiforme. Ultrapassando o amplo horizonte como o arco-íris, seus tons são tão variados quanto os tons daquele arco - distinto também, mas intimamente misturado. Atravessando o horizonte como o arco-íris! Como é que da beleza eu derivei um tipo de desilusão? Do pacto de paz, um símile de tristeza? Mas, como na ética, o mal é uma consequência do bem, então, de fato, da alegria nasce a tristeza. Ou a memória da felicidade passada é a angústia de hoje ou as agonias que têm sua origem nos êxtases que poderiam ter sido.

Meu nome de batismo é Egæus; o da minha família não vou mencionar. No entanto, não há torres na terra mais consagradas pelo tempo do que meus corredores sombrios, cinzentos e hereditários. Nossa linhagem foi chamada de uma raça de visionários; e, em muitos detalhes, impressionantes – no caráter da mansão da família - nos afrescos do salão principal - nas tapeçarias dos dormitórios – nas esculturas de alguns pilares no arsenal – mas, mais especialmente, na galeria de pinturas antigas – a moda da câmara da biblioteca - e, por fim, na natureza muito peculiar do conteúdo da biblioteca, há evidência mais que suficientes para justificar a crença.

As lembranças dos meus primeiros anos estão relacionadas à essa câmara e com seus volumes - dos quais não direi mais. Aqui morreu minha mãe. Aqui nasci. Mas, é mera ociosidade dizer que eu não tinha vivido antes - que a alma não tem existência anterior. Você nega? Não vamos discutir o assunto. Convencido a mim mesmo, procuro não convencer. Existe, no entanto, um lembrança de formas aéreas - de olhos espirituais e significativos – de sons musicais ainda tristes - uma lembrança que não será excluída; uma memória como uma sombra, vaga, variável, indefinida, instável; e como uma sombra, também, na impossibilidade de me livrar dela enquanto a luz do meu motivo existir.

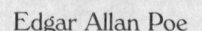

Nessa câmara eu nasci. Assim, despertando da longa noite do que parecia, mas não era, a não-identidade, ao mesmo tempo, regiões da terra das fadas - em um palácio da imaginação - na natureza de domínios do pensamento e erudição monásticos - não é singular que encarei ao meu redor com um olhar assustado e ardente - que perdi tempo na minha infância em livros e dissipei minha juventude em devaneio; mas é singular que, com o passar dos anos e na metade da virilidade ainda me encontrava na mansão de meus pais - é maravilhoso que a estagnação caiu sobre as fontes de minha vida - maravilhoso como ocorreu uma inversão total no caráter do meu pensamento mais comum. As realidades do mundo afetaram minhas visões, apenas as visões, enquanto as ideias selvagens na terra dos sonhos tornaram-se, por sua vez, - não o material da minha existência cotidiana - mas, de fato, essa existência total e unicamente em si.

Berenice e eu éramos primos e crescemos juntos nos meus salões paternos. No entanto, crescemos de maneiras diferentes - eu, com problemas de saúde e enterrado na escuridão – ela, ágil, graciosa e transbordando energia; dela, a caminhada na encosta – minha, os estudos enclausurados - estava vivendo dentro do meu próprio coração, corpo e alma viciados na meditação mais intensa e dolorosa - ela vagava descuidadamente através da vida sem pensar nas sombras em seu caminho ou no voo silencioso de horas nas asas de um corvo. Berenice! - Eu a chamo pelo seu nome - Berenice! - e das ruínas cinzentas da memória, mil lembranças tumultuadas são surpreendidas com o som! Ah! Vividamente, sua imagem diante

Berenice

de mim, como nos primeiros dias de seu coração leve e alegre! Oh! beleza deslumbrante e fantástica! Oh! Silfo entre os arbustos de Arnheim! Oh! Naiad entre suas fontes! - e então – então, tudo é mistério e terror, e um conto que não deve ser dito. A doença - uma doença fatal - caiu como uma tempestade de terra em seu corpo, e, mesmo enquanto a encarava, o espírito de mudança a invadiu, predominantemente em sua mente, seus hábitos e seu caráter, e, de uma maneira mais sutil e terrível, perturbando até a identidade de sua pessoa! Ai! O destruidor veio e foi, e a vítima - onde ela estava? Eu não a reconheci - ou não a conhecia mais como Berenice.

Entre os numerosos tipos de doenças induzidos por essa fatal e primária que efetuou uma revolução tão horrível em uma espécie, no ser moral e físico de minha prima, pode ser mencionado como o mais angustiante e obstinado em sua natureza, uma espécie de epilepsia que não termina com frequência em transe - transe quase se assemelha à dissolução positiva e, a partir de que sua maneira de recuperação era, na maioria dos casos, surpreendentemente abrupta. Enquanto isso, minha própria doença - porque me disseram que eu deveria chamá-la por nenhuma outra denominação - minha própria doença, então, cresceu rapidamente sobre mim e assumiu, finalmente, um monomaníaco caráter de uma forma nova e extraordinária - a cada hora ganhando vigor momentaneamente e, finalmente, obtendo sobre mim a ascensão mais incompreensível. Essa monomania, se devo utilizar esse termo, consistia em uma irritabilidade mórbida dessas propriedades da mente que na ciência metafísica denominou-se o *atencioso*. Isto é mais do que provável que não seja compreendido; mas temo, de fato, que de maneira alguma é possível transmitir à mente do leitor meramente geral, uma ideia adequada dessa nervosa *intensidade de interesse* com a qual, no meu caso, os poderes da meditação (não falando tecnicamente) ocupados e enterrados neles, na contemplação até mesmo dos objetos mais comuns do universo.

Pensar por longas horas sem cansaço, com a minha atenção voltada para algum dispositivo frívolo na margem ou na tipografia de um livro; para se absorver a maior parte do dia de verão, em uma pitoresca sombra caindo sobre a tapeçaria ou sobre a porta; me perder por uma noite inteira assistindo à constante chama de uma lâmpada ou brasas de fogo; sonhar longe, dias inteiros, sobre o perfume de uma flor; repetir monotonamente algumas palavras comuns, até o som, por repetição frequente, deixar de transmitir qualquer ideia à mente; perder todo o sentido do movimento ou da existência física, por meio de procedimentos corporais absolutos de longa quietude e obstinadamente perseverada; dos caprichos mais comuns e menos perniciosos induzidos por uma condição das faculdades mentais, não, de fato, completamente incomparável, mas, certamente, oferecendo desafio a algo como análise ou explicação.

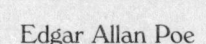

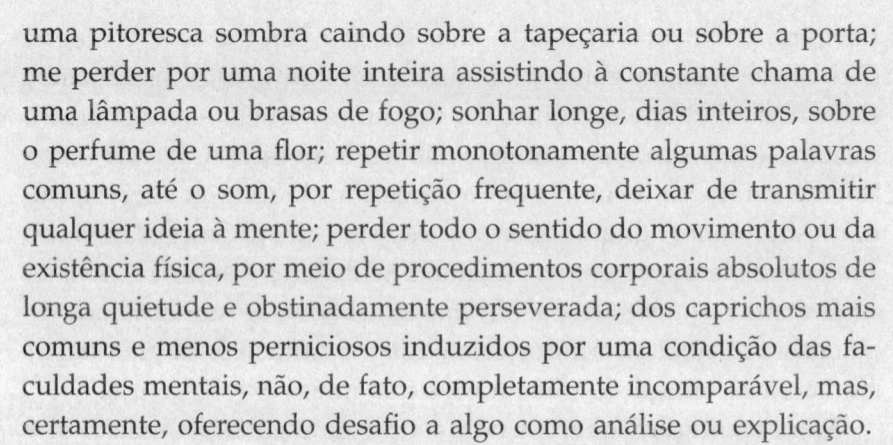

Contudo, não me deixem entender mal. O indevido, sincero e a mórbida atenção assim excitados por objetos de sua própria natureza frívola, não devem ser confundidos em caráter com essa ruminante propensão comum à toda a humanidade, e, mais especialmente, cedida por pessoas de imaginação ardente. Nem mesmo foi, como poderia ser o princípio, uma condição extrema ou exagero de tal propensão, mas, principalmente e, essencialmente, distinta e diferente. Nesse primeiro momento, o sonhador ou entusiasta interessado em um objetivo geralmente *não* frívolo, imperceptivelmente, perde de vista o objetivo em um deserto de deduções e sugestões emitindo daí, até que na conclusão de um devaneio frequentemente *repleto de luxo*, ele encontra o *incitamentum* ou a primeira causa de suas reflexões totalmente desaparecida e esquecida. No meu caso, o objetivo principal era *invariavelmente frívolo*, embora suponha, através do meio da minha visão distorcida, uma importância refratada e irreal. Poucas deduções, se houver, foram feitas; e aqueles poucos pertinazmente retornando ao objetivo original como um centro. As meditações *nunca* foram agradáveis; e, ao término do devaneio, a primeira causa, longe de estar fora de vista, havia alcançado interesse sobrenaturalmente exagerado, o que foi a predominante característica da doença. Em uma palavra, os poderes da mente mais particularmente exercidos foram, comigo, como já disse antes, o *atencioso* e são, para quem sonha acordado, os *especulativos*.

Meus livros, nesta época, se eles não serviram exatamente para irritar a desordem participativa, serão percebidos, em grande parte, em sua imaginativa e inconsequente natureza das qualidades características da própria desordem. Lembro-me bem, entre outros, do tratado do nobre italiano Coelius Secundus Curio, *De Amplitudine Beati Regni Dei*; O grande trabalho de St Austin, *A Cidade de Deus*; e Tertuliano, *De Carne Christi*, na qual a sentença paradoxal *"Mortuus est Dei filius; credibile est quia ineptum est: et sepultus resurrexit; certum est quia impossibile est "*, ocupou meu tempo inteiro, por muitas semanas de investigação trabalhosa e infrutífera.

Assim, parecerá que, sacudida de seu equilíbrio apenas por coisas triviais, minha razão tenha semelhança com o penhasco do oceano falado por Ptolomeu Hefestion, que, resistindo constantemente aos ataques da violência humana e à fúria das águas e dos ventos tremia apenas com o toque da flor chamada Asphodel. E, embora para um pensador descuidado possa parecer uma questão sem dúvida que a alteração produzida por sua infeliz doença, na condição *moral* de Berenice, me daria muitos objetivos para o exercício dessa meditação intensa e anormal cuja natureza tenho tido algum problema em explicar, ainda que não seja, de forma alguma, o caso. Nos intervalos lúcidos da minha enfermidade, a calamidade dela, de fato, me deu dor e, tomando profundamente a sério aquela destruição total de sua vida justa e gentil, não falhei em refletir com frequência e amargamente sobre os significados das maravilhas produzidas pelas quais uma revolução tão estranha fora tão de repente acontecer. Mas, essas reflexões não participavam da idiossincrasia da minha doença e eram tais que teriam ocorrido, em circunstâncias semelhantes, à massa ordinária de humanidade. Fiel ao seu próprio caráter, meu distúrbio se deleitava com a mudanças menos importantes, mas, mais surpreendentes feitas na estrutura física de Berenice - na distorção singular e mais assustadora de sua identidade pessoal.

Durante os dias mais brilhantes de sua beleza incomparável, a maioria, certamente, nunca a amei. Na estranha anomalia da minha existência, sentimentos comigo *nunca foram* do coração e as minhas paixões *sempre foram* da mente. Através do cinza do início da manhã - entre as sombras treliçadas da floresta ao meio-dia - e no silêncio da minha biblioteca à noite, ela esvoaçava ao lado dos meus olhos, e a tinha visto - não como a Berenice viva e respiradora, mas como Berenice de um sonho - não como um ser da terra, terreno, mas como a abstração de tal ser - não como algo para admirar, mas analisar - não como um objeto de amor, mas como o tema da especulação mais obscura, embora, esporádica. E *agora* - agora estremeci em sua presença e empalideci ao me aproximar; ainda lamentando amargamente sua condição caída e desolada, chamei na mente que ela me amou por muito tempo e, em um momento ruim, eu falei para ela de casamento.

E, finalmente, o período de nossas núpcias se aproximava, quando, numa tarde do inverno do ano - num desses dias fora de estação, quente, calmo e enevoado, que são a enfermeira do belo Halcyon - eu sentei (e sentei, como eu pensava, sozinho) no cômodo interno da biblioteca. Mas, elevando meus olhos, eu vi que Berenice estava diante de mim.

Foi minha própria imaginação excitada - ou a influência enevoada da atmosfera - ou o crepúsculo incerto da câmara – ou as cortinas cinza que caíam em torno de sua figura - que causavam um esboço tão vacilante e indistinto? Eu não poderia dizer. Ela não falou uma única palavra, e eu - não por mundos, poderia ter proferido uma sílaba. Um calafrio percorreu meu corpo; uma sensação insuportável de ansiedade me oprimiu; uma curiosidade consumidora invadiu minha alma; e afundando na cadeira, fiquei um tempo sem fôlego e imóvel, com meus olhos fixos na pessoa dela. Ai! Sua emaciação era excessiva e nenhum vestígio da antiga sendo ocultos em qualquer linha do contorno. Meus olhares ardentes finalmente caíram sobre o rosto.

A testa era alta, muito pálida e singularmente plácida; e o cabelo outrora pontudo caiu parcialmente e ofuscou os templos ocos com inúmeras argolinhas agora de um vívido amarelo e estridente discordantemente, em seu caráter fantástico, com a melancolia reinante do semblante. Os olhos estavam sem vida e sem brilho e, aparentemente, sem pupila, encolhi involuntariamente de seu olhar vítreo para a contemplação dos lábios finos e encolhidos. Eles se separaram; e, em um sorriso peculiar, ou seja, *os dentes* da mudança de Berenice se revelaram lentamente na minha opinião. Queria, por Deus, nunca os ter visto, ou que, tendo feito isso, eu teria morrido!

* * *

O fechamento de uma porta me perturbou e, olhando para cima, descobri que minha prima havia partido da câmara. Mas, a partir da desordenada câmara do meu cérebro, não tinha, ai! Partiu e não seria expulsa, o branco e horripilante *espectro* dos dentes. Nem um pontinho na superfície - nem uma sombra no esmalte – nem uma escritura em suas bordas – mas, aquele período de seu sorriso bastava para marcar minha memória. Eu os vi agora mesmo mais inequivocamente do que eu os via *então*. Os dentes! Os dentes! Eles estavam aqui, e ali, e em toda parte, e visivelmente e palpavelmente diante de mim; longos, estreitos e excessivamente brancos, com um lábio pálido retorcendo-se sobre eles, como se fosse o momento terrível de seu desenvolvimento. Então, vieram com total fúria da minha monomania, e lutei em vão contra sua estranha e irresistível influência. Nos objetivos multiplicados do mundo externo não tinha pensamentos, a não ser pelos dentes. Por estes, ansiava por um desejo frenético. Todos os outros assuntos e diferentes interesses foram absorvidos em sua única contemplação. Eles - eles sozinhos estavam presentes no olho mental, e eles, em sua única individualidade, tornaram-se a essência da minha vida mental. Eu os segurei sob todas as luzes. Eu os transformei em todas as atitudes. Eu examinei suas características. Eu me concentrei em suas peculiaridades. Eu ponderei sobre a sua conformação. Eu pensei sobre a alteração de sua natureza. Estremeci quando havia atribuído a eles, na imaginação, um poder sensitivo e sensível, e mesmo sem a ajuda dos lábios, uma capacidade de expressão moral. De Mad'Selle Sallé, foi bem dito, *"que tous ses pas étaient des sentiments"*, e de Berenice eu mais seriamente acredito que *toutes ses dents étaient des idées. Des idées!* Foi o pensamento idiota que me destruiu! *Des idées!* - Ah, portanto foi que os cobicei tão loucamente! Eu senti que só a posse deles poderia me restaurar a paz, devolvendo-me à razão.

E a noite se abateu sobre mim assim – e, então, a escuridão veio, e ficou, e foi - e o dia novamente amanheceu - e as brumas de uma segunda noite estavam agora se reunindo ao redor - e eu ainda estava sentado imóvel naquela sala solitária; e ainda sentei-me enterrado em meditação, e ainda o *fantasma* dos dentes manteve sua terrível ascendência como, com as mais vivas e hediondas distinções, flutuava entre as luzes e sombras que mudavam na câmara. Por fim, invadiu meu sonho como um grito de horror e consternação; e por isso, depois de uma pausa, conseguido o som de vozes perturbadas, misturadas com muitos gemidos baixos de tristeza ou dor. Eu me levantei do meu assento e, abrindo uma das portas da biblioteca, vi em pé, na antecâmara, uma donzela serva, toda em lágrimas, que me disse que Berenice era - não mais. Ela tinha sido tomada com epilepsia no início da manhã e, agora, no cair da noite, o túmulo estava pronto para sua inquilina, e todos os preparativos para o enterro foram concluídos.

* * *

Eu me vi sentado na biblioteca e, novamente, sentado sozinho. Parecia que eu havia despertado recentemente de uma confusão e sonho emocionante. Sabia que era agora meia-noite e estava ciente de que, desde o pôr do sol, Berenice havia sido enterrada. Mas, daquele período sombrio que interveio eu não tinha positivo - pelo menos nenhuma compreensão definida. No entanto, minha memória estava repleta de horror - horror mais horrível por ser vago e terror mais terrível por ambiguidade. Era uma página assustadora no registro da minha existência, toda escrita com escuridão, lembranças hediondas e ininteligíveis. Me esforcei para decifrá-las, em vão; enquanto eternamente, como o espírito de um som de partida, o grito estridente e penetrante de uma voz feminina parecia estar tocando nos meus ouvidos. Eu tinha feito uma ação - o que era isto? Eu me fiz a pergunta em voz alta, e os sussurros que ecoavam da câmara me responderam: "O que foi?"

Em cima da mesa, ao meu lado, acendia uma lâmpada, perto dela estava uma pequena caixa. Não era de caráter notável, eu já tinha visto antes, frequentemente, pois era propriedade do médico de família; mas como chegou lá, na minha mesa, e por que estremeci em relação a isso? Essas coisas não deveriam ser contabilizadas, e meus olhos finalmente caíram para as páginas abertas de um livro, e para uma frase sublinhada nele. As palavras foram as singulares, porém simples, do poeta Ebn Zaiat, *"Dicebant mihi sodales si sepulchrum amicae visitar curas meas aliquantulum levatas"*. Por que, então, ao examiná-la, os cabelos da minha cabeça erigiram-se à ponta, e o sangue do meu corpo se tornara congelado dentro das minhas veias?

Houve um leve toque na porta da biblioteca, pálido como a inquilina de uma tumba, um servo entrou na ponta dos pés. Sua aparência era selvagem, com terror, e ele falou comigo com uma voz trêmula, rouca e muito baixa. O que ele disse? Algumas frases quebradas que ouvi. Ele falou de um grito selvagem perturbando o silêncio da noite - da reunião da família - de uma busca em direção do som; - e, então, seus tons se tornaram emocionantemente distintos quando ele sussurrou-me de um túmulo violado - de um corpo desfigurado, ainda respirando, ainda palpitando, *ainda vivo!*

Ele apontou para minhas roupas; elas estavam lamacentas e coaguladas com sangue. Não falei, e ele me segurou gentilmente pela mão; - foi recuado com a impressão de unhas humanas. Ele dirigiu minha atenção a algum objeto encostado na parede; - olhei este por alguns minutos; era uma pá. Com um grito agudo, fui para a mesa, e agarrei a caixa que estava sobre ela. Mas eu não consegui abri-la; e, no meu tremor, escorregou das minhas mãos e caiu pesadamente, e explodiu em pedaços; com isso, com um som de chocalho, lançou alguns instrumentos de cirurgia dentária misturados com trinta e duas substâncias pequenas, brancas e de aspecto marfim, que estavam espalhadas pelo chão.

Habitante da Escuridão
por H. P. Lovecraft

(Dedicado a Robert Bloch)

**Tenho visto o bocejo do universo negro
Onde os planetas negros rolam sem objetivo
– Onde eles rolam no seu horror sem serem atendidos,
Sem conhecimento, brilho ou nome.**
Nemesis.

INVESTIGADORES atenciosos hesitarão em desafiar a crença comum de que Robert Blake foi morto por um raio ou por algum profundo choque derivado de uma descarga. É verdade que a janela em que ele se encontrava estava intacta, mas a natureza se mostrou capaz de muitas performances esquisitas. A expressão em seu rosto pode ter surgido, facilmente, de alguma fonte muscular obscura não relacionada a nada que ele tenha visto, enquanto as anotações em seu diário são, claramente, o resultado de uma imaginação fantástica despertada por certas superstições locais e por certos assuntos que ele havia descoberto. Quanto às condições anômalas na igreja deserta em Federal Hill - o analista astuto não é lento em atribuí-las a algum charlatanismo, consciente ou inconsciente, com, pelo menos, alguns dos quais Blake estava secretamente conectado.

Afinal, a vítima era um escritor e pintor inteiramente dedicado no campo do mito, sonho, terror e superstição, ávido em sua busca por cenas e efeitos de um tipo bizarro e espectral. Ele havia estado na cidade mais cedo - uma visita a um velho estranho tão profundamente dado à sabedoria oculta e proibida como ele - havia terminado em meio à morte e chama, e deve ter sido algum instinto mórbido que o chamou de volta para sua casa em Milwaukee. Ele pode ter sabido das antigas histórias, apesar de suas declarações contrárias no diário, e sua morte pode ter cortado pela raiz alguns estupendos boatos destinados a ter uma reflexão literária.

Entre aqueles, no entanto, que examinaram e correlacionaram todas essas evidências, ainda existem muitos que se apegam ao menos racional e às teorias comuns. Eles estão inclinados a considerar muito do diário de Blake pelo seu valor nominal e apontam, significativamente, para certos fatos como a indiscutível genuinidade do antigo registro da igreja, a verificação da existência da seita renegada e pouco ortodoxa da Sabedoria Estrelada antes de 1877, o desaparecimento dos registros de um repórter inquisitivo chamado Edwin M. Lillibridge em 1893 e - acima de tudo - a aparência de um medo monstruoso e transfigurador no rosto do jovem escritor quando ele morreu. Foi um desses crentes que se mudou para fanáticos extremos, jogou na baía a pedra curiosamente angulada e sua caixa de metal estranhamente adornada encontrada no antigo campanário da igreja – a torre preta sem janelas, e não na torre onde o diário de Blake disse que essas coisas estariam, originalmente. Embora amplamente censurado oficialmente e não oficialmente, esse homem - um médico respeitável com um gosto por estranhos folclores - afirmou que ele havia livrado a terra de algo perigoso demais para descansar nela.

Entre essas duas escolas de opinião, o leitor deve julgar por ele mesmo. Os documentos forneceram os detalhes tangíveis de um ângulo cético, deixando para outros o desenho da imagem como Robert Blake viu - ou pensou que viu - ou fingiu ter visto. Agora, estudando o diário de perto, desapaixonadamente e no lazer, vamos resumir a cadeia sombria de eventos expressados pelo ponto de vista de seu ator principal.

Habitante da Escuridão

O jovem Blake retornou a Providence no inverno de 1934-5, tomando o andar superior de uma venerável moradia em um gramado na College Street - no topo da grande colina a leste, perto do Campus da Brown University e por trás da Biblioteca John Hay. Era um lugar aconchegante e fascinante, em um pequeno jardim antigo, onde enormes e amigáveis gatos tomavam sol no alto de um galpão conveniente. A casa quadrada da Geórgia tinha um teto de monitor, porta clássica com escultura em leque, janelas de vidros pequenos e todas as outras marcas da mão de obra do início do século XIX. Dentro, havia portas com seis painéis, tábuas largas no piso, uma escadaria colonial curva, mantos brancos do período Adam e um conjunto traseiro de quartos, três degraus abaixo do nível geral.

O escritório de Blake, uma grande câmara sudoeste, dava para a frente do jardim de um lado, enquanto suas janelas a oeste - onde ele tinha sua escrivaninha - encarava a fronte da colina e comandava uma vista esplêndida dos telhados estendidos da cidade baixa e do pôr do sol místico que ardia atrás deles. No extremo horizonte eram as encostas roxas dos campos abertos. Contra estes, a cerca de duas milhas de distância, subia a corcunda espectral de Federal Hill, eriçando-se com telhados e torres amontoados cujos contornos remotos hesitavam misteriosamente, assumindo formas fantásticas como a fumaça da cidade rodopiando e enredando. Blake tinha um senso curioso de que ele estava olhando para um mundo etéreo desconhecido que poderia ou não desaparecer em um mundo de sonho, se alguma vez ele tentasse procurá-lo e invadi-lo, pessoalmente.

Tendo enviado para casa a maioria de seus livros, Blake comprou alguns móveis antigos adequados para seus aposentos e se estabeleceu para escrever e pintar - morando sozinho e cuidando das tarefas domésticas simples ele mesmo. Seu estúdio ficava em um sótão norte, onde os painéis do teto forneciam uma iluminação admirável. Durante aquele primeiro inverno, ele produziu cinco de seus contos mais conhecidos -"O Entocado Beneath", "As Escadas na Cripta", "Shaggai", "No Vale de Pnath" e "O Festim das Estrelas"

– e pintou sete telas; estudos de monstros sem nome e desumanos e paisagens não-terrestres profundamente alienígenas.

Ao pôr do sol, ele costumava sentar-se em sua mesa e encarar sonhadoramente o oeste aberto - as torres escuras do Memorial Hall logo abaixo, o campanário da corte da Geórgia, os altos pináculos do centro da cidade e o cintilante monte coroado de pináculos ao longe, cujas ruas desconhecidas e frontões labirínticos provocaram sua fantasia tão poderosamente. Com seus poucos conhecidos locais, ele aprendeu que a encosta distante era um vasto bairro italiano, embora a maior parte das casas fossem remanescentes dos velhos tempos ianques e irlandeses. Agora e então ele treinava seus binóculos naquele espectro inacessível do mundo além da fumaça ondulante; escolhendo telhados individuais, chaminés e torres, e especulando sobre os bizarros e curiosos mistérios que eles poderiam abrigar. Mesmo com auxílio ótico, Federal Hill parecia, de alguma forma, estranha, meio fabulosa e ligada ao irreal, às maravilhas intangíveis dos próprios contos e fotos de Blake. O sentimento persistiria muito depois que a colina desbotava no violeta, estrelada por uma lâmpada crepuscular, e depois que os holofotes do tribunal e o farol vermelho da Industrial Trust se acendiam para tornar a noite grotesca.

De todos os objetos distantes em Federal Hill, uma enorme e escura igreja fascinava Blake. Destacava-se com especial distinção em certas horas do dia e, ao pôr do sol, as grandes e afiladas torres pairavam sombriamente contra o céu flamejante. Isto parecia descansar em um terreno especialmente alto; para a fachada suja, e o lado norte obliquamente visto com telhado inclinado e os topos grandes de janelas pontiagudas, erguiam-se corajosamente acima do emaranhado de paus de cumeeira e chaminés. Peculiarmente sombrio e austero, parecia ser construído em pedra, manchado e desgastado com a fumaça e as tempestades de um século e mais. O estilo, então até onde o vidro podia mostrar, era a forma experimental mais antiga do renascimento gótico que precedeu o imponente período Upjohn e realizada sobre alguns dos contornos e proporções da era georgiana. Talvez tenha sido criada por volta de 1810 ou 1815.

Com o passar dos meses, Blake observou a estrutura distante e proibida com um interesse estranhamente crescente. Desde as vastas janelas nunca iluminadas, ele sabia que deviam estar vazias. Quanto mais tempo ele assistia, mais sua imaginação funcionava, até que, finalmente, começou a gostar de coisas curiosas. Ele acreditava que uma vaga e singular aura de desolação pairava sobre o lugar, de modo que até os pombos e as andorinhas evitavam seus beirais esfumaçados. Em torno de outras torres, seus vidros escondidos revelariam grandes bandos de pássaros, mas aqui eles nunca descansavam. Pelo menos, foi o que ele pensou e estabeleceu em seu diário. Ele descreveu o local para vários amigos, mas nenhum deles tinha estado em Federal Hill ou possuía a mais ligeira noção do que a igreja era ou tinha sido.

Na primavera, uma profunda inquietação tomou conta de Blake. Ele começou seu romance planejado há muito tempo - baseado em uma suposta sobrevivente de um culto de bruxas no Maine – mas, era estranhamente incapaz de progredir com isso. Cada vez mais ele se sentava à sua janela para o oeste e encarava a colina distante e o campanário preto e franzido, evitado pelos pássaros. Quando as folhas delicadas caíram dos galhos no jardim, o mundo estava cheio de uma nova beleza, mas a inquietação de Blake foi simplesmente aumentada. Foi, então, que ele, primeiro, pensou em atravessar a cidade e escalar aquela encosta fabulosa no mundo envolto em(de?) fumaça dos sonhos.

No final de abril, pouco antes da época sombria de Walpurgis, Blake fez sua primeira viagem ao desconhecido. Atravessando as ruas intermináveis do centro da cidade e as praças sombrias e decadentes do além, ele chegou, finalmente, à avenida ascendente dos degraus seculares desgastados, das varandas dóricas e das cúpulas de vidro claro, que ele sentiu que deveria levar até o mundo conhecido e inalcançável para além das névoas. Havia placas de rua em azul e branco sujas que nada significavam para ele e, atualmente, ele notou os rostos estranhos e escuros das multidões à deriva, e as placas estrangeiras sobre lojas curiosas em edifícios marrons, de décadas. Em nenhum lugar ele poderia encontrar qualquer um dos objetos que ele vira de longe; sendo que, mais uma vez, ele meio que imaginava que o Federal Hill daquela visão distante era um mundo de sonhos nunca percorrido por pés humanos vivos.

De vez em quando, uma fachada de igreja agredida ou uma torre em ruínas aparecia à vista, mas nunca a torre enegrecida que ele procurava. Quando ele perguntou a um lojista sobre uma grande igreja de pedra, o homem sorriu e balançou a cabeça, embora falasse inglês livremente. Como Blake subiu mais, a região parecia cada vez mais estranha, com labirintos desconcertantes de becos marrons pensativos levando eternamente para o sul. Ele atravessou duas ou três avenidas largas e, uma vez, pensou ter vislumbrado uma torre familiar. Mais uma vez, ele perguntou a um comerciante sobre a enorme igreja de pedra, e desta vez ele poderia ter jurado que o apelo da ignorância era fingido. O rosto escuro do homem tinha uma expressão de medo que ele tentava esconder e Blake o viu fazendo um sinal curioso com a mão direita.

De repente, uma torre negra se destacou contra o céu nublado à esquerda, acima das camadas de telhados marrons que revestem o emaranhado de vielas do sul. Blake soube, imediatamente, o que era e mergulhou em direção a ela através das pistas esquálidas e não pavimentadas que subiam da avenida. Por duas vezes ele se perdeu, mas de alguma maneira não ousou perguntar a qualquer um dos patriarcas ou donas de casa que estavam sentados à sua porta, ou a qualquer uma das crianças que gritou e brincou na lama das pistas sombrias.

Por fim, ele viu a torre plana contra o sudoeste e um enorme volume de pedra subia sombriamente no final de um beco. Atualmente, ele estava em uma praça aberta varrida pelo vento, singularmente de paralelepípedos, com uma parede alta do lado oposto. Este foi o fim de sua busca; sobre o largo planalto de erva daninha, sustentado por um muro de ferros - um mundo separado e menor erguido a seis pés de altura sobre as ruas circundantes - havia uma massa de titãs, cuja identidade, apesar da nova perspectiva de Blake, era incontestável.

A igreja vaga estava em um estado de grande decrepitude. Alguns dos altos contrafortes de pedra haviam caído e várias delicadas ponteiras estavam meio perdidas no marrom, formado por ervas daninhas e gramas negligenciadas. As janelas góticas sujas estavam praticamente intactas, embora muitos dos batentes de pedra estivessem faltando. Blake se perguntou como os painéis obscuramente pintados poderiam ter sobrevivido tão bem, tendo em vista os hábitos conhecidos dos meninos de todo o mundo. As portas enormes estavam intactas e bem fechadas. Ao redor do topo da parede do banco, cercando completamente o terreno, havia uma cerca de ferro enferrujada cujo portão - no topo de um lance de degraus da praça - estava visivelmente trancado. O caminho do portão até o prédio foi completamente coberto de vegetação. Desolação e decadência pairavam como uma cortina acima do local, nos beirais sem pássaros e nas paredes negras e sem trepadeiras, Blake sentiu um toque vagamente sinistro além de seu poder de definir.

Havia poucas pessoas na praça, mas Blake viu um policial no extremo norte e se aproximou dele com perguntas sobre a igreja. Ele era um grande irlandês saudável e parecia estranho que ele faria pouco mais do que o sinal da cruz e murmuraria que as pessoas nunca falavam dessa construção. Quando Blake o pressionou, ele disse muito apressadamente que os padres italianos alertaram a todos contra isso, jurando que o mal monstruoso havia habitado ali e deixado sua marca. Ele mesmo tinha ouvido sussurros sombrios de seu pai, que se lembrava de certos sons e rumores de sua infância.

Havia uma seita ruim lá nos tempos antigos – uma seita fora da lei que evocava coisas terríveis de algum fosso desconhecido da noite. Foi preciso um bom padre para exorcizar o que havia acontecido, embora houve quem dissesse que apenas a luz poderia fazê-lo. E se o padre O"Malley estivesse vivo, haveria muitas coisas que ele poderia dizer. Mas, agora, não havia nada a fazer senão deixar em paz. Isto agora não machucava ninguém, e os que o conheciam estavam mortos ou distantes. Eles fugiram como ratos depois de ameaçadoras conversas no ano de 77, quando as pessoas começaram a se importar com a maneira como as pessoas desapareciam de vez em quando na vizinhança. Algum dia, a cidade entraria e levaria a propriedade por falta de herdeiros, mas pouco de bom viria de alguém tocando nela. Melhor deixar em paz durante os anos, para que não se mexa em coisas que deveriam descansar para sempre em seu abismo negro.

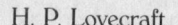

    Depois que o policial se foi, Blake ficou encarando a sombria torre. Ela o empolgou ao descobrir que a estrutura parecia tão sinistra para os outros quanto a ele, e ele se perguntava que grande verdade poderia estar por trás dos velhos contos que o casaco azul repetira. Provavelmente, eram meras lendas evocadas pela aparência maligna do lugar, mesmo assim, elas eram como uma estranha volta à vida de uma das suas próprias histórias.

    O sol da tarde apareceu por trás das nuvens dispersas, mas parecia incapaz de iluminar as paredes manchadas e sujas do templo antigo que se erguia no seu planalto. Era estranho que o verde da primavera não havia tocado os galhos marrons e secos no quintal elevado e cercado de ferro. Blake se viu aproximando-se da área elevada, examinando a parede do banco e a cerca enferrujada para possíveis passagens de entrada. Havia um terrível engodo sobre a fumaça negra, ao qual não se podia resistir. A cerca não tinha abertura perto da escadaria, mas pelo lado norte faltavam algumas barras. Ele poderia subir os degraus e caminhar em torno da estreita cobertura fora da cerca até que ele alcançasse a brecha. Se as pessoas temiam o lugar tão descontroladamente, ele não encontraria interferência.

    Ele estava no aterro e quase dentro da cerca antes que alguém o notasse. Depois, olhando para baixo, viu as poucas pessoas na praça afastarem-se e fazerem o mesmo sinal com as mãos direitas que o lojista da avenida tinha feito. Várias janelas foram fechadas e uma mulher disparou na rua e puxou algumas crianças pequenas para dentro de uma casa raquítica e sem pintura. A brecha na cerca era muito fácil de atravessar e logo Blake se viu vadeando em meio à podridão, nos galhos crescidos e emaranhados do quintal deserto. Aqui e ali o desgastado toco de uma lápide dizendo que havia sepultamentos nesta área; mas isso, ele viu, deve ter sido há muito tempo. A maior parte da igreja era opressiva agora quando ele estava perto, mas ele retomou a coragem e se aproximou para experimentar as três grandes portas na fachada. Todas estavam bem trancadas, então, ele começou um circuito no edifício ciclópico em busca de algumas pequenas e penetráveis aberturas. Mesmo assim, ele não podia ter certeza de que desejava entrar naquele local de deserção e sombra, mas a atração à sua estranheza o arrastou automaticamente.

Uma enorme e desprotegida janela do porão na parte traseira era a abertura necessária. Espiando, Blake viu um fosso subterrâneo de teias de aranha e poeira levemente cobertas pelos raios filtrados do sol ocidental. Detritos, barris velhos, caixas e variados móveis arruinados encontraram seus olhos, embora, sobretudo, houvesse uma mortalha de poeira que suavizava todos os contornos afiados. Os restos enferrujados de uma fornalha de calor mostraram que o prédio havia sido usado e mantido em forma até o mais tardar, em meados da época vitoriana.

Agindo quase sem iniciativa consciente, Blake rastejou pela janela e se deixou levar pelo pó acarpetado e detritos espalhados pelo piso de concreto. O porão abobadado era bem vasto, sem partições; e em um canto à direita, em meio a sombras densas, ele viu um arco preto que, evidentemente, levava para o andar de cima. Ele teve uma sensação peculiar de opressão por estar realmente dentro do grande edifício espectral, mas se manteve sob controle observando com cautela - encontrou um barril ainda intacto em meio à poeira e o rolou para a janela aberta para fornecer por sua saída. Então, preparando-se, ele atravessou o largo espaço enfeitado com teias de aranha em direção ao arco. Meio engasgado com a poeira onipresente e coberto com fibras fantasmagóricas, ele alcançou e começou a subir os degraus de pedra gastos em direção à escuridão. Ele não tinha luz, mas tateou cuidadosamente com as mãos. Depois de uma curva acentuada, ele sentiu uma porta fechada à frente e, um pouco desajeitado, revelou sua antiga trava. Que a abriu por dentro, além dela, ele viu um corredor mal iluminado alinhado com painéis comidos por minhocas.

Uma vez no térreo, Blake começou a explorar de forma rápida. Todas as portas internas estavam destrancadas, dessa forma ele passava livremente de sala em sala. A nave central da igreja era colossal, quase um lugar maluco com seus montes e montanhas de poeira sobre as caixa nos bancos, altar, púlpito de ampulheta e caixa de ressonância, e suas titânicas cordas de teia de aranha que se estendem entre os arcos pontiagudos da galeria e entrelaçando as colunas góticas agrupadas. Sobre tudo isso, uma abafada desolação jogou uma luz de chumbo horrível como a tarde declinando em sol, enviou seus raios através dos estranhos painéis meio enegrecidos das grandes janelas apsidais.

As pinturas nas janelas eram tão obscurecidas pela fuligem que Blake mal conseguia decifrar o que elas representavam, mas, do pouco que conseguia entender, não gostava delas. Os desenhos eram amplamente convencionais e seu conhecimento do simbolismo obscuro dizia-lhe muito sobre alguns dos padrões antigos. Os poucos santos retratados apresentavam expressões claramente abertas a críticas, enquanto uma das janelas parecia mostrar apenas um espaço escuro com espirais de curiosa luminosidade espalhando-se nele. Afastando-se pelas janelas, Blake notou que a cruz de teias de aranha acima do altar não era do tipo comum, mas lembrava o primordial *ankh* ou ponto crucial do sombrio Egito.

Em uma sala da sacristia traseira, ao lado da abside, Blake encontrou uma mesa apodrecida e prateleiras até o teto de livros mofados e desintegrados. Aqui, pela primeira vez, ele recebeu um choque positivo de objetivo horror, pois os títulos desses livros lhe diziam muito. Eles eram as coisas negras e proibidas que a maioria das pessoas sãs nunca ouviu falar, ou ouviu falar apenas em sussurros furtivos e tímidos; os repositórios proibidos e temidos de segredos equívocos e fórmulas imemoriais que escorreram pelo fluxo de tempo desde os dias da juventude do homem e os dias escuros e fabulosos antes que o homem estivesse. Ele próprio havia lido muitos deles - em latim - a versão do abominável *Necronomicon*, o sinistro *Liber Ivonis*, o infame *Cultes des Goules* do Conde d'Erlette, o *Unaussprechlichen Kulten* de von Junzt e o infernal *De Vermis Mysteriis* do velho Ludvig Prinn Mysteriis. Mas, havia outros que ele conhecia apenas por reputação ou não - os Manuscritos Pnakotic, o *Book of Dzyan*, e um volume em ruínas com caracteres totalmente não identificáveis ainda com certos símbolos e diagramas tremendamente reconhecíveis por um estudante do oculto. Claramente, os rumores locais persistentes não haviam mentido. Este lugar já havia sido sede de um mal mais velho do que a humanidade e mais amplo que o universo conhecido.

Na mesa arruinada, havia um pequeno livro encadernado em couro cheio com registros em algum meio criptográfico ímpar. O manuscrito consistia nos símbolos tradicionais comuns usados hoje em astronomia e, antigamente, em alquimia, astrologia e outras artes duvidosas - os dispositivos do sol, lua, planetas, aspectos e signos zodiacais - aqui reunidos em páginas sólidas de texto, com divisões e parágrafos sugerindo que cada símbolo respondia a alguma letra alfabética.

Na esperança de resolver, mais tarde, o criptograma, Blake guardou o volume no bolso do casaco. Muitos dos grandes volumes nas prateleiras fascinaram-no indescritivelmente, e ele se sentiu tentado a emprestá-los mais tarde. Ele se perguntou como eles poderiam ter permanecido imperturbados por tanto tempo. Ele foi o primeiro a conquistar as ninhadas, o medo generalizado durante quase 60 anos protegera esse lugar deserto dos visitantes?

Tendo agora explorado minuciosamente o térreo, Blake lavrou novamente através do pó da nave espectral para a frente do vestíbulo, onde ele tinha visto uma porta e escada, presumivelmente levando a torres enegrecidas e aos beirais - objetos por tanto tempo familiar a ele à distância. A subida foi uma experiência sufocante, pois a poeira era espessa, enquanto as aranhas haviam feito o pior naquele local restrito. A escada era em espiral, alta e estreita, degraus de madeira e, de vez em quando, Blake passava por uma janela nublada olhando vertiginosamente a cidade. Embora ele não tivesse visto cordas abaixo, ele esperava encontrar um sino ou o badalar dos sinos na torre cujas janelas estreitas, com persianas, os seus binóculos tinham estudado tão frequentemente. Aqui, ele estava fadado ao desapontamento pois quando ele alcançou o topo da escada, encontrou a câmara da torre vazia de sinos e, claramente dedicada a propósitos muito diferentes.

A sala, com cerca de quinze pés quadrados, era fracamente iluminada por quatro lancetas de janelas, uma de cada lado, envidraçadas dentro de suas triagens de placas de persianas deterioradas. Estas foram adaptados com telas apertadas e opacas, mas, que agora, estavam em grande parte há muito tempo apodrecidas. No centro do chão carregado de poeira, erguia-se um curioso pilar de pedra angulado com cerca de quatro pés de altura e dois de diâmetro médio, coberto de cada lado com bizarros, rachados e totalmente irreconhecíveis hieróglifos. Sobre este pilar havia uma caixa de metal de forma peculiarmente assimétrica; sua tampa articulada jogada para trás e seu interior segurando o que parecia abaixo de décadas de poeira profunda ser um objeto em forma de ovo ou esférico irregular, com cerca de quatro polegadas. Em volta do pilar, em um círculo próximo, havia sete cadeiras góticas com espaldares altos que ainda estavam praticamente intactas, enquanto atrás delas havia uma parede com painéis escuros sendo sete imagens colossais de ruínas, gesso pintado de preto, parecendo mais do que qualquer outra coisa os megalitos esculpidos da misteriosa Ilha de Páscoa. Em um canto da câmara de teia de aranha, uma escada foi construída na parede, levando até o alçapão fechado da torre sem janelas acima.

Quando Blake se acostumou à luz fraca, ele notou estranhas entranhas de baixo-relevo na caixa aberta de metal amarelado. Aproximando-se, ele tentou limpar a poeira com as mãos e um lenço, viu que as figuras eram de um monstro e do tipo totalmente alienígena; retratando entidades que, embora aparentemente vivas, não se pareciam com alguma forma de vida conhecida neste planeta. A aparente esfera de quatro polegadas acabou por ser quase negra, com estriado vermelho de poliedro em muitas superfícies planas irregulares; ou um muito notável tipo de algum cristal ou um objeto artificial de matéria mineral altamente talhada e polida. Não tocou o fundo da caixa, mas foi mantido suspenso por meio de uma banda de metal em torno de seu centro, com sete suportes projetados de forma que se estendiam horizontalmente em ângulos da parede interna da caixa perto do topo. Esta pedra, uma vez exposta, exerceu sobre Blake um fascínio quase alarmante. Ele mal podia tirar os olhos dela e quando ele olhou para suas superfícies brilhantes, quase imaginava que fossem transparentes, com mundos meio maravilhados dentro. Em sua mente flutuavam imagens de orbes alienígenas com grandes torres de pedra e outros orbes com montanhas de titãs e nenhuma marca de vida e, ainda, espaços mais remotos, onde apenas uma agitação na vaga escuridão falava da presença de consciência e vontade.

Quando ele desviou o olhar, foi para notar um monte singular de poeira no canto mais distante, perto da escada até o campanário. Somente porque chamou sua atenção, ele não sabia dizer, mas algo em seus contornos transmitiam uma mensagem inconsciente à sua mente. Arando na direção dele e afastando as teias de aranha penduradas enquanto ele passava, começou a discernir algo sombrio sobre isso. Mãos e lenço logo revelaram a verdade, e Blake ofegou com uma mistura desconcertante de emoções. Era um esqueleto humano e devia estar lá por um longo tempo. A roupa estava em pedaços, mas havia alguns botões e fragmentos de pano que mostravam ser um terno cinza de um homem. Havia outras pequenas evidências - sapatos, fechos de metal, botões enormes para punhos redondos, um alfinete de padrão antigo, um crachá de um repórter com o nome do antigo *Telegrama de Providence* e uma carteira de couro em ruínas. Blake examinou o último com cuidado, encontrando nele várias contas antigas, um calendário de publicidade de celuloide de 1893, alguns cartões com o nome "Edwin M. Lillibridge" e um papel coberto com memorandos a lápis.

Este papel tinha uma natureza intrigante e Blake o leu com cuidado na janela escura para o oeste. Seu texto separado incluía frases como as seguintes:

"Prof. Enoch Bowen, do Egito, em maio de 1844 - compra antiquados da Igreja do Livre-arbítrio em julho - seu trabalho e estudos arqueológicos em ocultismo bem conhecido".

"Dr. Drowne da 4º Batista alerta contra a Sabedoria Estrelada em sermão 29 de dezembro de 1844".

"Congregação 97 até o final de 45".

"1846—3 desaparecimentos - primeira menção a Shining Trapezohedro".

"7 desaparecimentos em 1848 - histórias de sacrifício de sangue começam".

"A investigação de 1853 não dá em nada - histórias de sons".

"Pe. O'Malley fala da adoração ao diabo com uma caixa encontrada em ruínas egípcias - dizem que chamam algo que não pode existir na Luz. Fuga de um pouco de luz e banido pela luz forte. Então, tem que ser convocado novamente. Provavelmente, conseguiu isso no leito de morte da confissão de Francisco X. Feeney, que havia se juntado a Starry Wisdow em "49. Essas pessoas dizem que Trapézio Brilhante mostra-lhes o céu & outros mundos, & que o Atormentado das Trevas lhes conta segredos de alguma maneira".

"História de Orrin B. Eddy, 1857. Eles chamam isso encarando o cristal, & têm uma linguagem secreta própria".

"200 ou mais em cong. 1863, excluindo os homens da frente".

"Meninos irlandeses invadiram a igreja em 1869, depois do desaparecimento de Patrick Regan".

"Artigo velado em J. 14 de março de 72, mas as pessoas não falam sobre isto".

"6 desaparecimentos em 1876 - comitê secreto chama o prefeito Doyle".

"Ação prometida em fevereiro de 1877 - a igreja fecha em abril".

"As gangues - Federal Hill Boys - ameaçam o Dr. – e o sacristão em maio".

"181 pessoas deixam a cidade antes do final de 77 - não mencionam nomes".

"As histórias de fantasmas começam por volta de 1880 - tente verificar a verdade, relatam que nenhum ser humano entrou na igreja desde 1877".

"Peça a Lanigan uma fotografia do local tirado em 1851."

Retornando o papel na bolsa e colocando-a no bolso do casaco, Blake voltou a olhar para o esqueleto na poeira. As implicações das notas eram claras e não havia como duvidar, este homem tinha chegado ao edifício deserto 42 anos antes, em busca de um furo no jornal que ninguém mais tinha sido ousado o suficiente para tentar. Talvez ninguém mais soubesse de seu plano - quem poderia dizer? Mas, ele nunca voltou ao seu papel. Será que algum medo corajosamente reprimido se levantou para o ultrapassar e provocar uma súbita insuficiência cardíaca? Blake se inclinou sobre os ossos brilhantes e notou seu estado peculiar. Alguns deles estavam muito dispersos e alguns pareciam estranhamente dissolvidos nas extremidades. Outros estavam estranhamente amarelados, com vagas sugestões de carbonização. Essa carbonização se estendeu a alguns dos fragmentos de roupas. O crânio estava em um estado muito peculiar - manchado de amarelo e com uma abertura carbonizada no topo como se algum ácido poderoso tivesse comido através do osso sólido. O que acontecera aqui com o esqueleto, durante suas quatro décadas de sepultamento silencioso, Blake não conseguia imaginar.

Antes que ele percebesse, estava olhando para a pedra novamente, deixando sua curiosa influência invocar um desfile nebuloso em sua mente. Ele viu processões de figuras vestidas e encapuzadas cujos contornos não eram humanos, e olhavam para intermináveis léguas do deserto com monólitos esculpidos que alcançavam o céu. Ele viu torres e muros em profundidades noturnas no fundo do mar e vórtices de espaço onde mechas de névoa negra flutuavam diante de finas cintilações de frio, neblina roxa. E além de tudo o mais, vislumbrou um infinito abismo de escuridão, onde formas sólidas e semissólidas eram conhecidas apenas por seu vento de agitações e padrões de força nublados que pareciam se sobrepor à ordem no caos e mantinha uma chave para todos os paradoxos e arcanos dos mundos que conhecemos.

Então, de repente, o feitiço foi quebrado por uma rachadura corroída de medo e pânico indeterminado. Blake engasgou e se afastou da pedra, consciente de alguma presença alienígena sem forma perto dele e observando-o com uma intenção horrível. Ele se sentiu enredado com algo - algo que não estava na pedra, mas que olhava através dela - algo que o teria seguido incessantemente com uma cognição que não era vista fisicamente. Claramente, o lugar estava lhe dando nos nervos – tendo em vista sua terrível descoberta. A luz também estava diminuindo e como ele não tinha nenhum iluminante, ele sabia que teria que sair em breve.

Foi então, no crepúsculo crescente, que ele pensou ter visto um leve traço de luminosidade na pedra loucamente angulada. Ele tinha tentou desviar o olhar, mas alguma compulsão obscura atraiu os olhos dele de volta. Houve uma fosforescência sutil de radioatividade sobre a coisa? O que as anotações do morto haviam dito sobre um *Trapézio Brilhante*? De qualquer forma, o que foi esse covil abandonado de mal cósmico? O que tinha sido feito aqui e o que ainda pode estar escondido nas sombras evitadas pelos pássaros? Isto parecia, agora, como se um toque indescritível de fedor tivesse surgido em algum lugar por perto, embora sua fonte não fosse aparente. Blake pegou a tampa da longa caixa aberta e a encaixou. Ela moveu-se facilmente em suas dobradiças alienígenas e fechou-se completamente sobre a inconfundível pedra brilhante.

Com o clique agudo daquele fechamento, um som suave e agitado pareceu vir da eterna escuridão do campanário, além do alçapão. Ratos, sem dúvida - os únicos seres vivos a revelar sua presença nesta pilha amaldiçoada desde que ele entrou nisto. E ainda assim, a agitação no campanário o assustou terrivelmente, de modo que ele desceu quase descontroladamente as escadas em espiral, do outro lado, a nave macabra, no porão abobadado, em meio ao crepúsculo da praça deserta e descendo pelas vielas e avenidas cheias de medo de Federal Hill, em direção às ruas sãs do centro e às calçadas caseiras de tijolos do distrito da faculdade.

Habitante da Escuridão

Durante os dias que se seguiram, Blake não contou a ninguém sobre a expedição. Em vez disso, ele leu muito em certos livros, examinou longos anos de arquivos de jornais no centro da cidade e trabalhou febrilmente no criptograma, no volume de couro da teia de aranha da sala da sacristia. A cifra, ele logo viu, não era simples; e depois de um longo período de esforço, ele teve certeza de que sua linguagem não poderia ser inglês, latim, grego, francês, espanhol, italiano ou alemão. Evidentemente, ele teria que recorrer aos poços mais profundos de sua erudição estranha.

Toda noite, o velho impulso de olhar para o oeste voltava e ele viu o campanário preto de outrora entre os arrepiados telhados de um mundo distante e meio fabuloso. Mas, agora ele realizou uma nova nota de terror para ele. Ele conhecia a herança do mal mascarado e, com o conhecimento de sua visão, se revoltou em novos caminhos estranhos. Os pássaros da primavera estavam voltando e, enquanto ele observava seus voos ao pôr-do-sol, ele imaginou que eles evitassem como nunca a torre magra e solitária. Quando um bando deles se aproximou, ele pensou: eles girariam e se dispersariam em confusão de pânico - e ele poderia adivinhar o gorjear selvagem que não conseguiu alcançá-lo através das milhas intermediárias.

Foi em junho que o diário de Blake contou sobre sua vitória sobre o criptograma. O texto estava, ele descobriu, no idioma escuro de Aklo, usado por certos cultos da antiguidade do mal, e conhecido por ele em um hesitante caminho nas pesquisas anteriores. O diário é estranhamente reticente sobre o que Blake decifrou, mas ele estava impressionado e desconcertado com seus resultados. Há referências a um atormentador do escuro acordado olhando para o trapézio brilhante, e conjecturas insanas sobre os fossos negros do caos dos quais era chamado. Diz-se que o ser possui todo conhecimento e exigia sacrifícios monstruosos. Alguns dos registros de Blake mostram medo de que a coisa, que ele parecia considerar como um chamado, o perseguisse no exterior; embora ele acrescente que as luzes da rua formavam um baluarte que não poderia ser cruzado.

Do Trapézio Brilhante, ele fala muitas vezes, chamando-o de janela em todo tempo e espaço, e traçando sua história desde os dias em que foi formado no escuro *Yuggoth*, antes dos Antigos trazerem-no para a terra. Foi estimado e colocado em sua curiosa caixa pelas coisas crinoides da Antártica, resgatadas de suas ruínas pelos homens serpentes de Valusia, e espiou eras mais tarde na Lemúria pelos primeiros seres humanos. Atravessou terras, mares estranhos e afundou-se com o Atlantis, antes que um pescador minoico o incorporasse a sua rede e vendesse para comerciantes morenos de Khem. O faraó Nephren-Ka construiu em torno dele um templo com uma cripta sem janelas e fez com que seu nome fosse eliminado de todos os monumentos e registros. Então, dormiu nas ruínas daquele templo maléfico que os sacerdotes e o novo faraó destruíram, até que a pá de um cavador, mais uma vez, o trouxe para amaldiçoar a humanidade.

No início de julho, os jornais, estranhamente, complementam os registros de Blake, embora de uma maneira tão breve e casual que apenas o diário chamou atenção geral à sua contribuição. Parece que um novo medo vinha crescendo em Federal Hill desde que um estranho havia entrado na temida igreja. Os italianos sussurravam de insólitas agitações, batidas e raspagens no escuro dos beirais sem janelas e convidaram seus padres a banir uma entidade que assombrava seus sonhos. Eles disseram que algo estava constantemente observando em uma porta para ver se estava escuro o suficiente para se aventurar. Os artigos da imprensa mencionavam as superstições locais de longa data, mas falhavam em lançar muita luz sobre os antecedentes de horror. Era óbvio que os jovens repórteres não são antiquários. Ao escrever essas coisas em seu diário, Blake expressa um tipo curioso de remorso e fala do dever de enterrar o Trapézio Brilhante e de banir o que ele tinha evocado, deixando a luz do dia entrar no hediondo pináculo saliente. Ao mesmo tempo, porém, ele mostra a extensão perigosa de sua fascinação e admite um desejo mórbido - permeando até mesmo seus sonhos – de visitar a maldita torre e contemplar novamente os segredos cósmicos da pedra brilhante.

Então, algo no *Jornal*, na manhã de 17 de julho, lançou o diarista em uma verdadeira febre de horror. Era apenas uma variante dos outros itens meio humorísticos sobre a inquietação de Federal Hill, mas para Blake, de alguma forma, era realmente terrível. À noite, uma tempestade colocou o sistema de iluminação da cidade fora de serviço por uma hora inteira e, nesse intervalo escuro, os italianos tinham quase enlouquecido de medo. Aqueles que viviam perto da temível igreja juraram que a coisa no campanário tinha aproveitado a ausência dos candeeiros de rua e havia descido para o corpo da igreja, pulando e chocando de forma viscosa e totalmente horrível. Até a última, tinha chocado com a torre, onde se ouvia o som dos estilhaços de vidro. Podia ir para onde a escuridão alcançava, mas a luz mandava-a sempre fugir.

Quando a corrente voltou a brilhar, houve um choque de comoção na torre, até mesmo a luz fraca gotejando através da sujeira escurecida, as janelas com persianas eram demais para a coisa. Ela esbarrou e deslizou em seus tenebrosos campanários bem a tempo - pois uma longa dose de luz a teria enviado de volta ao abismo de onde esse estranho louco o havia chamado. Durante a hora da escuridão, multidões de orações se aglomeravam em volta da igreja na chuva, com velas acesas e lâmpadas de alguma forma protegidas com papel dobrado e guarda-chuvas - uma guarda de luz para salvar a cidade do pesadelo que a persegue na escuridão. Uma vez, os mais próximos à igreja declararam que a porta externa havia se abalado horrivelmente.

Mas, mesmo isso não foi o pior. Naquela noite no *Boletim*, Blake leu o que os repórteres haviam encontrado. Despertos, finalmente, ao valor caprichoso das notícias do susto, um par deles desafiou as multidões frenéticas de italianos e se arrastou para dentro da igreja através da janela da adega, depois de tentar as portas em vão. Eles encontraram a poeira do vestíbulo e da nave espectral arados de maneira singular, com pedaços de almofadas podres e forros de bancos de cetim espalhados curiosamente. Havia um odor ruim em todos os lugares, aqui e ali havia pedaços de manchas amarelas que pareciam ter sido carbonizadas. Abrindo a porta da torre e parando um momento com a suspeita de um som de raspagem acima, eles encontraram as escadas em espiral estreitas e parcialmente limpas.

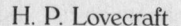

Na torre em si, existia uma condição similarmente meio varrida. Eles falaram do pilar de pedra heptagonal, das cadeiras góticas viradas e das imagens bizarras de gesso; embora, estranhamente, a caixa de metal e o velho esqueleto mutilado não tenham sido mencionados. O que mais perturbava Blake - exceto pelas dicas de manchas, a carbonização e maus odores - era o detalhe final que explicava a vidro batendo. Cada uma das janelas da torre estava partida e duas delas tinham sido escurecidas de forma grosseira e apressada pelo recheio de forros de banco de cetim e almofadas de crina de cavalo nos espaços entre as tábuas das persianas exteriores inclinadas. Mais fragmentos de cetim e cachos de crina de cavalo estavam espalhados pelo chão recém-varrido, como se alguém tivesse sido interrompido no ato de restaurar a torre para a escuridão absoluta dos seus dias apertados.

Manchas amareladas e manchas carbonizadas foram encontradas na escada para o pináculo sem janelas, mas, quando um repórter subiu, abriu o alçapão deslizante horizontalmente e disparou um feixe de lanterna fraco no espaço preto e estranhamente fétido, ele não viu nada além de escuridão e uma ninhada heterogênea de fragmentos sem forma próximos à abertura. O veredicto, é claro, foi charlatanismo. Alguém tinha brincado com os supersticiosos moradores das colinas ou, então, algum fanático tinha se esforçado por reforçar os seus receios para o seu próprio suposto bem. Ou, talvez, alguns dos mais jovens e mais sofisticados moradores houvessem feito uma brincadeira elaborada com o mundo exterior. Houve um resultado divertido quando a polícia enviou um oficial para verificar os relatórios. Três homens, sucessivamente, encontraram maneiras de fugir da tarefa e um quarto foi, com muita relutância e retornou muito em breve, sem adicionar nada ao relatório fornecido pelos repórteres.

A partir daí, o diário de Blake mostrou uma maré crescente de horror traiçoeiro e apreensão nervosa. Ele se repreende por não fazer algo e especula, descontroladamente, consequências de outra falha elétrica. Foi verificado que em três ocasiões - durante as tempestades - ele telefonou para a empresa de luz elétrica em um estado de espírito frenético e pediu precauções desesperadas contra um lapso de energia. Agora, e então, seus registros mostram preocupação com o fracasso dos repórteres para encontrar a caixa de metal, a pedra e o velho esqueleto estranhamente manchado, quando exploraram a sala sombria da torre. Ele assumiu que essas coisas haviam sido removidas - para onde e por quem ou o quê, ele só podia adivinhar. Mas seus piores medos o preocupavam e o tipo de relacionamento profano que sentia existir entre sua mente e esse horror à espreita no campanário distante – que coisa monstruosa da noite que sua imprudência chamou de os melhores espaços negros. Ele parecia sentir um puxão constante por sua vontade e os chamadores daquele período lembravam-no como se sentia abstrato em sua mesa e olhava pela janela oeste para aquele monte distante, eriçado de pináculos, além da fumaça rodopiante da cidade. Seus registros residem monotonamente em certos sonhos terríveis e numa fortalecida relação profana em seu sono. Há menção de uma noite em que ele acordou para se encontrar completamente vestido, ao ar livre, e desceu automaticamente para o College Hill, em direção ao oeste. Repetidas vezes, ele se concentra no fato de que a coisa no campanário sabe onde encontrá-lo.

A semana seguinte a 30 de julho é lembrada como tempo do colapso parcial de Blake. Ele não se vestiu e pediu toda a sua comida por telefone. Os visitantes comentaram as cordas que ele mantinha perto de sua cama, ele disse que quando ia dormir, todas as noites, amarrava os tornozelos com nós que, provavelmente, aguentariam ou o acordariam com o trabalho de desatar.

Em seu diário, ele contou sobre a experiência hedionda que trouxe o colapso. Depois de se retirar na noite do dia 30, de repente se viu tateando algo no espaço negro. Tudo o que ele podia ver eram faixas horizontais curtas, fracas e de luz azulada, mas podia sentir o cheiro de um inimigo avassalador e ouvir uma mistura curiosa de sons suaves e furtivos acima dele. Sempre que se movia, ele tropeçava em alguma coisa e a cada barulho vinha uma espécie de som de resposta acima - uma vaga agitação, misturada com um sutil deslizamento de madeira sobre madeira.

Uma vez que suas mãos, tateando, encontraram um pilar de pedra com um topo vago, enquanto mais tarde ele se viu segurando os degraus da uma escada embutida na parede e atrapalhando seu caminho incerto para cima em direção a uma região de cheiro mais intenso, onde um calor, uma explosão abrasadora bateu contra ele. Diante de seus olhos, um caleidoscópico, imagens fantasmagóricas reproduzidas, todas elas dissolvendo-se em intervalos na imagem de um vasto abismo da noite no qual sóis e mundos giravam em uma escuridão ainda mais profunda. Ele pensou nas lendas antigas do *Ultimate Chaos*, em cujo centro espalha o deus idiota cego Azathoth, senhor de todas as coisas, cercado por sua horda fracassada de estúpidos e amorfos dançarinos e embalados pela fina tubulação monótona de uma demoníaca flauta realizada em patas sem nome.

Então, um anúncio estrondoso do mundo exterior rompeu seu estupor e despertou-o para o horror indizível de sua posição. O que era, ele nunca soube - talvez fosse algum repique tardio dos fogos de artifício ouvidos durante todo o verão em Federal Hill como os moradores saúdam seus vários santos padroeiros, ou os santos de suas aldeias nativas da Itália. De qualquer forma, ele gritou alto, caiu freneticamente da escada e tropeçou cegamente num piso obstruído da câmara quase sem luz que o englobava.

Ele soube, instantaneamente, onde estava e mergulhou de forma imprudente na escada em espiral estreita, tropeçando e machucando-se a cada curva. Houve um voo de pesadelo através de uma vasta teia de aranha na nave cujos arcos fantasmagóricos alcançavam reinos de sombra de soslaio, uma corrida sem visão através de um porão cheio de lixo, uma subida para regiões com ar e de rua iluminadas lá fora, e uma corrida louca a uma colina espectral de arestas algaraviadas, através de uma cidade sombria e silenciosa da altura das torres negras e subindo o precipício íngreme para o leste até sua própria porta antiga.

Habitante da Escuridão

Ao recuperar a consciência pela manhã, ele se viu deitado no chão do escritório, completamente vestido. Sujeira e teias de aranha cobriam-no, e cada polegada de seu corpo parecia dolorida e machucada. Quando encarou o espelho, viu que seu cabelo estava muito chamuscado, enquanto um traço de odor estranho e maligno parecia agarrar-se à parte externa superior de sua roupa. Foi, então, que seus nervos colapsaram. Depois disso, descansando exausto em um roupão, ele pouco fez, mas olhou para sua janela oeste, tremeu com a ameaça de trovões e fez anotações malucas em seu diário.

A grande tempestade começou pouco antes da meia-noite de 8 de agosto. Relâmpagos atingiram repetidamente em todas as partes da cidade e duas bolas de fogo notáveis foram relatadas. A chuva foi torrencial, enquanto uma constante rajada de trovão trouxe insônia para milhares. Blake estava totalmente frenético em relação ao seu medo pelo sistema de iluminação e tentou telefonar para a empresa por volta da 1h da manhã, embora, nesse horário, o serviço tivesse sido temporariamente interrompido no interesse de segurança. Ele gravou tudo em seu diário - os grandes, nervosos e muitas vezes indecifráveis hieróglifos da história do crescente frenesi e desespero, e de registros rabiscados cegamente no escuro.

Ele teve que manter a casa escura para ver pela janela e parece que a maior parte do tempo foi passada em sua mesa, olhando ansiosamente através da chuva através das milhas de telhados cintilantes do centro da constelação de luzes distantes marcando Federal Hill. De vez em quando, ele tentava fazer uma anotação em seu diário, de modo que frases destacadas como "As luzes não devem ir"; "Ele sabe onde estou"; "Preciso destruí-lo"; e "Isto está me chamando, mas, talvez, não signifique ferimento dessa vez "; encontravam-se espalhadas por duas páginas.

Então, as luzes se apagaram por toda a cidade. Aconteceu às 2:12 da manhã, de acordo com os registros da empresa de iluminação, mas o diário de Blake não dá indicação da hora. A anotação é meramente: "Luzes apagadas - Deus me ajude." Em Federal Hill, havia observadores tão ansiosos quanto ele, homens encharcados de chuva desfilavam pela praça e becos ao redor da igreja do mal com velas sombreadas por guarda-chuva, lanternas elétricas, lanternas a óleo, crucifixos e encantos obscuros de vários tipos comum ao sul da Itália. Eles abençoavam cada relâmpago e fizeram sinais enigmáticos de medo com a mão direita quando a tempestade fez com que os flashes diminuíssem e, finalmente, parassem completamente. Um vento crescente soprou a maioria das velas, de modo que a cena ficou ameaçadoramente escura. Alguém despertou o padre Merluzzo, da Igreja Espírito Santo e apressou-se ao sombrio quadrado para pronunciar quaisquer sílabas úteis que conseguisse. Dos sons inquietos e curiosos na torre enegrecida, não havia dúvidas do que era.

Pelo que aconteceu às 2:35, temos o testemunho do padre, uma pessoa jovem, inteligente e bem-educada; do patrulheiro William J. Monahan, da Estação Central, oficial da mais alta confiabilidade que parou nessa parte de sua batida para inspecionar a multidão; e da maioria dos 78 homens que se reuniram ao redor do muro alto da igreja - especialmente aqueles na praça onde a fachada leste era visível. Claro que não havia nada que pudesse ser provado como algo estando fora da ordem da natureza. As possíveis causas de um evento como esse são muitas. Ninguém pode falar, com certeza, dos processos químicos obscuros que surgem num vasto, antigo, mal iluminado e longo deserto construído em conteúdos heterogêneos. Vapores mefíticos – combustões espontâneas - pressão de gases nascidos de um longo decaimento - qualquer um desses inúmeros fenômenos pode ser responsável. E então, é claro, o fator da charlatania consciente não pode, de maneira alguma, ser excluído. A coisa era realmente bastante simples em si mesma e cobria menos de três minutos de tempo real. Padre Merluzzo, sempre um preciso homem, olhou para o relógio repetidamente.

Tudo começou com uma dilatação definitiva dos sons surrados dentro da torre negra. Por algum tempo, houve uma vaga exalação de estranhos e maus odores da igreja e isso, agora, se torna enfático e ofensivo. Então, finalmente, houve um som de madeira lascada e um objeto grande e pesado caiu no quintal, sob a fachada oriental carrancuda. A torre era invisível agora que as velas não ardiam, mas, como o objeto se aproximou do chão, as pessoas sabiam que era uma fumaça estranha da persiana da janela leste da torre.

Imediatamente a seguir, um fedor absolutamente insuportável brotou das alturas invisíveis, sufocando e enjoando os observadores trêmulos e quase prostrando os da praça. Ao mesmo tempo que o ar tremia com a vibração das asas batendo, e um vento soprando leste, repentinamente mais violento do que qualquer explosão anterior, arrancando os chapéus e os guarda-chuvas molhados da multidão. Nada definitivo podia ser visto na noite sem velas, embora alguns espectadores de aparência ascendente pensassem ter vislumbrado um grande borrão de escuridão mais densa contra o céu escuro - algo como uma nuvem sem forma de fumaça que disparou com velocidade semelhante a um meteoro em direção ao leste.

Isso foi tudo. Os observadores estavam meio entorpecidos de medo, temor e desconforto e mal sabiam o que fazer, ou se não deveriam fazer nada mesmo. Sem saber o que tinha acontecido, eles não relaxaram a vigília; e um momento depois, eles enviaram uma oração como um flash afiado de um raio tardio, seguido de um estridente estrondo de som, inundando os céus. Meia hora depois, a chuva parou e, em quinze minutos mais, as luzes da rua acenderam-se novamente, enviando os observadores cansados e enlameados de volta e aliviados para suas casas.

Os jornais do dia seguinte mencionaram esses assuntos em menor conexão com os relatórios gerais da tempestade. Parece que o grande relâmpago e explosão ensurdecedora que se seguiu na ocorrência de Federal Hill foi ainda mais tremenda no leste, onde uma explosão de fedor singular também foi notada. O fenômeno foi mais acentuado em College Hill, onde o acidente acordou todos os habitantes adormecidos e levou a uma rodada de perplexidade e especulações. Daqueles que já estavam acordados, apenas alguns viram o brilho anômalo da luz perto do topo da colina ou notaram a inexplicável corrente ascendente de ar que arrancou as folhas das árvores e explodiu as plantas nos jardins. Foi acordado que o relâmpago solitário e repentino deve ter atingido algum lugar neste bairro, embora nenhum traço depois disso pudesse ser encontrado. Um jovem da casa da fraternidade Tau Omega pensou ter visto uma grotesca e hedionda massa de fumaça no ar assim que o flash preliminar estourou, mas sua observação não foi verificada. Todos os poucos observadores, no entanto, concordaram com a rajada violenta do oeste e com o dilúvio de mau cheiro intolerável que precedeu a explosão tardia; enquanto as evidências relativas ao odor momentâneo de queimado após o acidente são igualmente gerais.

Esses pontos foram discutidos com muito cuidado devido à sua provável conexão com a morte de Robert Blake. Alunos da casa Psi Delta, cujas janelas traseiras superiores davam ao escritório de Blake, notaram um rosto branco e desfocado no oeste da janela, na manhã do dia 9, e se perguntaram o que estava errado com a expressão. Quando eles viram o mesmo rosto, na mesma posição naquela noite, eles se sentiram preocupados e observaram as luzes acesas em seu apartamento. Mais tarde, eles tocaram a campainha do apartamento escuro e, finalmente, mandaram um policial forçar a porta.

O corpo rígido estava sentado na vertical, junto à janela, e quando os invasores viram os olhos vidrados e esbugalhados e as marcas de medo forte e convulsivo sobre os traços distorcidos, eles se voltaram longe em desgosto enojado. Logo depois, o médico legista fez um exame e, apesar da janela intacta, relatou choque elétrico ou tensão nervosa induzida por descarga elétrica como causa da morte. A expressão hedionda ele ignorou por completo, considerando-a um resultado improvável do choque profundo como experimentado por uma pessoa de tal anormal imaginação e emoções desequilibradas. Ele deduziu estes últimos das qualidades dos livros, pinturas e manuscritos encontrados no apartamento e nos registros rabiscados cegamente no diário da mesa. Blake havia prolongado suas anotações frenéticas até o fim, e o lápis pontudo quebrado foi encontrado agarrado em sua mão direita espasmodicamente contraída.

Habitante da Escuridão

Os registros após a falha das luzes foram altamente desarticulados e legíveis apenas em parte. Deles, certos investigadores têm conclusões tiradas que diferem muito do veredicto oficial materialista, mas essas especulações têm poucas chances de crença entre os conservadores. O caso desses teóricos imaginativos foi prejudicado pela ação do supersticioso Dr. Dexter, que jogou fora a caixa curiosa e a pedra angular - um objeto certamente autoluminoso que foi visto no campanário preto sem janelas onde estava localizado - no canal mais profundo da baía de Narragansett. Excessiva imaginação e desequilíbrio neurótico por parte de Blake, agravado pelo conhecimento do culto maldoso que havia passado, cujos traços surpreendentes ele descobriu, formam a interpretação dominante, dadas as anotações frenéticas finais. Essas são as anotações - ou tudo o que pode ser feito delas.

"As luzes ainda estão apagadas - devem demorar cinco minutos agora. Tudo depende de um raio. Yaddith concede que continuará! . . . Algumas influências parecem ultrapassá-la. . . Chuva e trovão e vento surdo. . . A coisa está tomando conta da minha mente. . .

"Problemas com a memória. Vejo coisas que nunca soube antes. De outros mundos e outras galáxias. . . Sombrio . . . O relâmpago parece escuro e a escuridão parece clara. . .

"Não pode ser a verdadeira colina e igreja que eu vejo no campo das trevas. A impressão da retina deve ser deixada pelos flashes. Concessão do céu, os italianos estão com suas velas apagadas, se o raio parar!

"Do que eu tenho medo? Não é um avatar de Nyarlathotep, que no antigo e sombrio Khem tomou a forma de homem? Eu me lembro de Yuggoth e, mais distante, de Shaggai, e o último vazio dos planetas pretos. . .

"O longo voo através do vazio. . . não pode atravessar o universo da luz. . . recriada pelos pensamentos capturados no Trapézio Brilhante. . . enviá-lo através dos abismos horríveis de brilho. . .

"Meu nome é Blake - Robert Harrison Blake, 620, East Knapp Street, Milwaukee, Wisconsin. . . Eu estou neste planeta. . .

"Azathoth tem piedade! - o raio não pisca mais - horrível - eu posso ver tudo com um senso monstruoso que não é visão - a luz é escura e a escuridão é luz... aquelas pessoas na colina... guarda... velas e encantos... seus padres...

"A sensação de distância se foi - longe está perto e perto está longe. Sem luz— nenhum vidro - veja aquele campanário - aquela torre - janela – posso ouvir - Roderick Usher - estou louco ou enlouquecendo - a coisa está se mexendo e remexendo na torre - eu sou isso e isso sou eu - quero que saia... deve sair e unificar as forças... Isso sabe onde estou...

"Sou Robert Blake, mas vejo a torre no escuro. Existe um odor monstruoso... sentidos transfigurados... embarcando naquela torre de janela rachando e cedendo... Iä... ngai... ygg...

"Eu vejo - vindo aqui - vento do inferno - borrão de titã - asas negras -Yog-Sothoth me salva - o olho ardente de três lóbulos..."

Dagon
por H. P. Lovecraft

EU ESTOU escrevendo isso sob uma tensão mental apreciável, já que hoje à noite não estarei mais por aqui. Sem dinheiro e no final do meu suprimento de medicamentos que, por si só, torna a vida durável, não posso mais suportar a tortura; e me lançarei desta janela do sótão na esquálida rua abaixo. Não pense sobre minha escravidão por morfina que sou um fraco ou um degenerado. Quando você ler estas páginas rabiscadas às pressas, você poderá adivinhar, embora nunca perceber plenamente, por que devo ter esquecimento ou morte.

Estava em uma das partes mais abertas e menos frequentadas do amplo Pacífico onde o pacote do qual eu era encarregado caiu vítima de ataque alemão. A Grande Guerra estava, então, bem no começo e as forças oceânicas de Hun não haviam afundado completamente à sua degradação posterior; então, nosso navio tornou-se um legítimo prêmio, enquanto nós, sua tripulação, fomos tratados com toda a justiça e consideração devidas aos prisioneiros navais. Assim, liberal, de fato, foi a disciplina de nossos captores, que cinco dias depois que fomos levados, consegui escapar sozinho em um pequeno barco com água e provisões por um bom período.

Quando, finalmente, me vi à deriva e livre, eu tinha pouca ideia do meu entorno. Nunca fui um navegador competente, poderia só me achar vagamente pelo sol e estrelas que estava um pouco ao sul do equador. Da longitude, não sabia nada, e nenhuma ilha ou litoral estava à vista. O tempo manteve-se calmo e, por dias incontáveis vaguei sem rumo sob o sol escaldante; esperando por algum navio que passasse ou para ser lançado nas margens de alguma terra habitável. Mas, nem navio nem terra apareceram e comecei a me desesperar na minha solidão sobre as vastidões imensas de azul ininterrupto.

A mudança aconteceu enquanto eu dormia. Seus detalhes nunca irei conhecer; porque meu sono, embora perturbado e infestado de sonhos, foi contínuo. Quando, finalmente acordei, me descobri sugado pela metade em uma extensão viscosa de lamaçal infernal que estendeu-se sobre mim em ondulações monótonas, tanto quanto poderia ver, e na qual meu barco estava ancorado a alguma distância.

Embora se possa imaginar que minha primeira sensação se surpreendesse com uma transformação tão prodigiosa e inesperada de cenário, fiquei realmente mais horrorizado do que atônito; havia no ar e no solo podre uma sensação sinistra que me arrepiou completamente. A região estava podre com carcaças de peixes em decomposição e de outras coisas menos descritíveis que vi saindo da lama desagradável da interminável planície. Talvez, não deva transmitir apenas palavras hediondas indizíveis que possam habitar em silêncio absoluto e imensidão estéril. Não havia nada para se escutar e nada à vista, salvo uma vasta quantidade de lodo preto; ainda a própria completude da quietude e da homogeneidade da paisagem oprimida me causava um medo nauseabundo.

O sol brilhava no céu, o que me pareceu quase preto em sua crueldade sem nuvens; como se refletisse a tinta do pântano sob meus pés. Quando me arrastei para o barco encalhado, percebi que apenas uma teoria poderia explicar minha posição. Através de alguma agitação vulcânica sem precedentes, uma parte do fundo do oceano deve ter sido jogado para a superfície, expondo regiões que, por inúmeros milhões de anos, se esconderam sob profundidades aquáticas insondáveis. Tão grande foi a extensão da nova terra que se erguia debaixo de mim, que eu não conseguia detectar o mais fraco ruído do oceano em movimento, forçando meus ouvidos como eu poderia. Nem havia aves marinhas para atacar as coisas mortas.

Por várias horas, fiquei pensando ou meditando no barco, que deitado de lado, me proporcionou uma leve sombra enquanto o sol se movia através dos céus. À medida que o dia avançava, o terreno perdeu aderência e parecia secar o suficiente para finalidades de viagem em pouco tempo. Naquela noite, dormi pouco e no próximo dia, fiz para mim um pacote contendo comida e água, preparatório para uma viagem terrestre em busca do mar desaparecido e possível resgate.

Na terceira manhã, encontrei o solo seco o suficiente para andar sobre ele com facilidade. O odor de peixe era enlouquecedor; mas eu também estava muito preocupado com coisas mais graves para me lembrar de um mal tão leve, e parti corajosamente para um objetivo desconhecido. Durante todo o dia me estabeleci constantemente para o oeste, guiado por um morro distante que subiu mais do que qualquer outra elevação no deserto ondulado. Naquela noite acampei e, no dia seguinte, ainda viajava em direção ao morro, embora esse objeto parecesse pouco mais próximo de quando eu o observei pela primeira vez. Na quarta noite, cheguei à base do morro, que acabou sendo muito maior do que parecia à distância; um vale interveniente estabelecendo-o em relevo mais nítido da superfície geral. Muito cansado para subir, eu dormi na sombra da colina.

Eu não sei por que meus sonhos foram tão selvagens naquela noite; mas aqui a lua minguante e fantasticamente gibosa havia se erguido muito acima da planície oriental, estava acordado em uma transpiração fria, determinado a não dormir mais. As visões que havia experimentado eram muitas para suportar novamente. E no brilho da lua, vi quão imprudente tinha sido viajar de dia. Sem o brilho do sol seco, minha jornada me custaria menos energia; de fato, agora me sentia bastante capaz de realizar a subida que evitei ao pôr do sol. Pegando minha mochila, comecei em direção ao cume da eminência.

Eu disse que a monotonia ininterrupta da planície era uma fonte de horror vago para mim; mas acho que meu horror foi maior quando ganhei ao cume do monte e olhei para baixo, do outro lado, em um poço ou cânion imensurável, cujos recessos de preto, a lua ainda não havia subido o suficiente para iluminar. Me senti na extremidade do mundo; espiando por cima do aro em um caos insondável da noite eterna. Através do meu terror correram curiosas reminiscências de *Paradise Lost* e da escalada hedionda de Satanás através dos reinos antiquados das trevas.

Quando a lua subiu mais alta no céu, comecei a ver que as encostas do vale não eram tão perpendiculares quanto havia imaginado. Bordas e afloramentos de rocha proporcionavam apoios para uma descida, enquanto, depois de uma queda de algumas centenas de pés, a declividade se tornava mais gradual. Instado por um impulso que definitivamente não conseguia analisar, escalei com dificuldade pelas rochas e fiquei na encosta mais suave abaixo, olhando para as profundezas sombrias onde ainda não havia penetrado a luz.

De repente, minha atenção foi capturada por um vasto e singular objeto na encosta oposta, que subiu acentuadamente cerca de cem jardas à minha frente; um objeto que brilhava palidamente nos recém-nascidos raios concedidos pela lua ascendente. Era apenas um pedra gigantesca, logo me assegurei; mas estava consciente de uma impressão distinta que seu contorno e posição não eram completamente o trabalho da natureza. Um exame mais minucioso me encheu de sensações que não posso expressar; pois, apesar de sua enorme magnitude e sua posição em um abismo que oscitava na parte inferior do mar desde que o mundo era jovem, percebi além de qualquer dúvida que o estranho objeto era um monólito bem moldado, cuja maioria do volume tinha conhecido a obra e talvez a adoração de criaturas vivas e pensantes.

Atordoado e assustado, mas não sem uma certa emoção do deleite de cientista ou arqueólogo, examinei meu entorno mais perto. A lua, agora perto do zênite, brilhava estranhamente e vividamente acima das íngremes alturas que cercavam o abismo, e revelou o fato de que um corpo distante de água fluía no fundo, fora da vista em ambas as direções e quase lambendo meus pés enquanto estava na encosta. Do outro lado do abismo, as marolas lavavam a base do monólito ciclópico; no qual na superfície, agora podia verificar inscrições e esculturas rudes. A escrita estava em um sistema de hieróglifos desconhecido para mim e diferente de tudo que havia visto nos livros; consistindo em grande parte de símbolos aquáticos convencionalizados, como peixes, enguias, polvos, crustáceos, moluscos, baleias e similares. Os vários personagens, obviamente, representavam coisas marinhas que são desconhecidas para o mundo moderno, mas, cujas formas em decomposição havia observado na planície emergida do oceano.

Foi a escultura pictórica, no entanto, que mais me deixou encantado. Claramente visível através da água intermediária devido ao seu enorme tamanho, havia uma série de baixos-relevos cujos sujeitos teriam excitado a inveja de um Doré. Eu acho que essas coisas deveriam representar homens - pelo menos, um certo tipo de homens; embora as criaturas tenham sido mostradas se portando como peixes em águas de uma gruta marinha, ou prestando homenagem a algum santuário monolítico que parecia estar sob as ondas também. De seus rostos e formas, não ouso falar em detalhes; a mera lembrança me faz desmaiar. Grotesco além da imaginação de um Poe ou um Bulwer, eles eram terrivelmente humanos em geral, apesar das mãos e pés palmados, lábios chocantemente largos e flácidos, olhos vidrados e esbugalhados e outros recursos menos agradáveis de se lembrar. Curiosamente, eles pareciam ter sido esculpidos fora de proporção com o fundo cênico; porque uma das criaturas mostrada no ato de matar uma baleia era representada como pouco maior que ela. Eu comentei, como eu digo, seu tamanho grotesco e estranho; mas em um momento decidi que eles eram apenas os deuses imaginários de algumas tribos primitivas de pesca ou marítimas; alguma tribo cujo último descendente teve eras perecíveis antes do primeiro ancestral do Piltdown ou o nascimento do homem neandertal. Surpreendendo-me com esse vislumbre inesperado, em um passado além da concepção do antropólogo mais ousado, fiquei pensando enquanto a lua lançava reflexões esquisitas no silencioso canal diante de mim.

Então, de repente eu vi. Com apenas uma ligeira agitação para marcar sua ascensão à superfície, a coisa deslizou para a vista, acima das águas escuras. Vasto, semelhante a um polífemo, e repugnante, disparou como um monstro estupendo de pesadelos para o monólito, sobre o qual jogou seus braços escamosos gigantescos, enquanto curvava sua hedionda cabeça e deu vazão a certos sons calculados. Acho que fiquei louco então.

Da minha frenética subida da encosta e do penhasco, e do meu delírio na viagem de volta ao barco encalhado, lembro-me de pouco. Acredito que cantava bastante e ria estranhamente quando não conseguia cantar. Tenho lembranças indistintas de uma grande tempestade algum momento depois de alcançar o barco; de qualquer forma, sei que ouvi trovões e outros sons que a natureza pronuncia apenas em seus humores mais selvagens.

Quando saí das sombras, estava em um hospital de San Francisco; levado para lá pelo capitão do navio americano que pegou meu barco no meio do oceano. Em meu delírio havia falado muito, mas descobri que minhas palavras tinham sido escassas de atenção. De qualquer agitação de terra no Pacífico, meus socorristas não sabiam nada; nem julguei necessário insistir em algo que sabia que eles não podiam acreditar. Uma vez, procurei um célebre etnólogo e o diverti com perguntas peculiares sobre a antiga lenda do filisteu de Dagon, o Deus dos peixes; mas, logo percebendo que era irremediavelmente convencional, não pressionei minhas perguntas.

É à noite, especialmente quando a lua está gibosa e minguante, que vejo a coisa. Eu tentei morfina; mas a droga deu apenas uma transitória cessação e me atraiu para suas garras como um escravo sem esperança. Por isso, agora vou terminar tudo isto, depois de ter escrito um relato completo sobre a informação ou o desprezo pelos meus semelhantes. Muitas vezes, me pergunto se não poderia ter sido tudo um fantasma puro - uma mera aberração de febre enquanto estava deitado ao sol e delirando no barco aberto depois da minha fuga dos homens de guerra alemães. Isso me pergunto, mas nunca chega antes de uma visão terrivelmente vívida em resposta. Não consigo pensar no fundo mar sem estremecer com as coisas sem nome que podem, nesse exato momento, estar rastejando e se debatendo em sua cama viscosa, adorando seus antigos ídolos de pedra e esculpindo seus próprios semelhanças detestáveis em obeliscos submarinos de granito. Eu sonho com um dia em que eles possam subir acima das ondas, arrastar em suas garras fedorentas os restos da insignificante humanidade exaurida pela guerra - de um dia em que a terra afundará e o fundo escuro do oceano ascenderá em meio ao pandemônio universal.

    O fim está próximo. Ouço um barulho na porta, como de um imenso corpo escorregadio pesando contra ela. Não me encontrará. Deus, essa mão! A janela! A janela!

O Horror no Red Hook

por H.P. Lovecraft

> Existem sacramentos do mal e do bem sobre nós, vivemos e mudamos para a minha crença em um mundo desconhecido, um lugar onde existem cavernas, sombras e moradores no crepúsculo. É possível que o homem, às vezes, retorne ao caminho da evolução, acredito que um conhecimento terrível ainda não esteja morto.
>
> *Arthur Machen*

I

NÃO faz muitas semanas, em uma esquina da vila de Pascoag, Rhode Island, um pedestre alto, forte e de aparência saudável criou muita especulação por um lapso singular de comportamento. Ele tinha, ao que parece, descido a colina pela estrada de Chepachet e, encontrando a seção compacta, virou à esquerda na principal via onde vários modestos blocos de negócios dão um toque urbano. Neste ponto, sem provocação visível, cometeu seu lapso surpreendente; olhando estranhamente por um segundo, no mais alto dos edifícios à sua frente, e então, com uma série de gritos aterrorizados e histéricos, iniciou uma corrida frenética que terminou em um tropeço, caindo no próximo cruzamento. Pego e espanado por mãos prontas, foi encontrado consciente, organicamente ileso e evidentemente curado de seu repentino ataque. Ele murmurou algumas explicações envergonhadas envolvendo uma tensão que havia sofrido e, com um olhar abatido, voltou pela estrada Chepachet, fugindo da vista sem olhar uma vez para trás. Foi um incidente estranho de acontecer com um homem tão grande, robusto, de aparência normal e capaz, e a estranheza não foi diminuída pelas observações de um espectador que o reconheceu como hóspede de um conhecido pensionato nos subúrbios de Chepachet.

Ele era um detetive da polícia de Nova York chamado Thomas F. Malone, agora em uma longa licença médica por motivo de tratamento após algum trabalho desproporcionalmente árduo em um caso local horrível, cujo acidente tornara dramático. Lá, houve um colapso de vários prédios de tijolos antigos durante um ataque em que havia compartilhado, algo sobre uma grande perda de vidas, tanto de prisioneiros como de seus companheiros, tinha chocado-lhe peculiarmente. Como resultado, ele adquiriu um quadro agudo e anômalo de horror de quaisquer edifícios, mesmo remotamente sugerindo os que haviam caído, de modo que, no final, os especialistas mentais o proibiram da visão de tais coisas por um período indeterminado. Um cirurgião da polícia com parentes em Chepachet havia apresentado aquela aldeia pitoresca de casas coloniais de madeira como um local ideal para a convalescência psicológica; e para lá o sofredor tinha ido, prometendo nunca aventurar-se entre as ruas cheias de tijolos de grandes vilas até ser aconselhado pelo especialista de Woonsocket, com quem foi colocado em contato. Essa caminhada até Pascoag fora um erro e o paciente pagou em susto, contusões e humilhação por sua desobediência.

Tanto os fofoqueiros de Chepachet quanto os de Pascoag sabiam; então, muitos também acreditavam nos especialistas mais instruídos. Mas, Malone tinha, a princípio, contado muito mais aos especialistas, cessando apenas quando viu aquela parcela absoluta de incredulidade. Depois disso, ele manteve a paz, não protestando de forma alguma quando era geralmente acordado com o colapso das certas casas de tijolo esquálidas na seção Red Hook, do Brooklyn, e a consequente morte de muitos oficiais corajosos, o que havia alterado seu equilíbrio nervoso. Ele havia trabalhado demais, todos disseram, tentando limpar esses ninhos de desordem e violência; determinadas cenas foram chocantes o suficiente em toda a consciência e a inesperada tragédia foi a gota d"água. Esta foi uma explicação simples que todo mundo podia entender e, porque Malone não era uma simples pessoa, perceberam que era melhor deixá-lo satisfeito. Para sugerir às pessoas sem imaginação um horror além de toda concepção humana – um horror de casas, quarteirões e cidades leprosas e cancerosas com mal sugado dos mundos mais antigos - seria apenas convidá-las a uma cela acolchoada em vez de uma rústica repousante, e Malone era um homem de sentido, apesar de seu misticismo. Ele tinha a visão distante dos celtas do estranho e das coisas ocultas, mas o olhar rápido e lógico para o exterior não convincente; um amálgama que o levara para muito longe nos 42 anos de sua vida, colocando em lugares estranhos, em uma Universidade de Dublin, um homem nascido em uma vila georgiana perto de Phoenix Park.

E agora, ao rever as coisas que tinha visto, sentido e apreendido, Malone contentava-se em manter em segredo o que poderia reduzir um destemido lutador a um neurótico trêmulo; o que poderia fazer dos velhos bairros de lata de tijolos e dos mares de rostos sombrios e sutis em uma coisa de pesadelo e de porte sobrenatural. Não seria a primeira vez, suas sensações foram forçadas a esperar sem serem interpretadas - pois não foi seu próprio ato de mergulhar no abismo poliglota do submundo de Nova York ser uma aberração além da explicação sensata? O que ele poderia dizer sobre o prosaico das bruxas antigas e maravilhas grotescas discerníveis aos olhos sensíveis em meio ao caldeirão de veneno, onde todos os resíduos variados de prejudiciais idades misturam seu veneno e perpetuam seus terrores obscenos? Ele tinha visto a chama infernal da maravilha secreta neste flagrante, confusão evasiva de ganância externa e blasfêmia interna, e sorriu, gentilmente, quando todos os nova-iorquinos que conhecia zombaram de seu experimento no trabalho policial. Eles foram muito espirituosos e cínicos, ridicularizando sua busca fantástica de incognoscíveis mistérios e assegurando-lhe que nestes dias, em Nova

York, não tinha nada além de pobreza e vulgaridade. Um deles havia apostado uma quantia pesada que ele não podia - apesar de muitas coisas pungentes para seu crédito no *Dublin Review* - escrever uma história interessante da vida pobre de Nova York; e agora, olhando para trás, percebeu que a ironia cósmica justificara as palavras do profeta enquanto, secretamente, confundiu seu significado irreverente. O horror, como vislumbrado, finalmente, não poderia fazer uma história - pois, como o livro citado pela autoridade do alemão Poe, *"es lässt sich nicht lesen* – isso não se permite ler. "

II

Para Malone, o senso de mistério latente na existência sempre foi presente. Na juventude, sentiu a beleza oculta e o êxtase das coisas e se tornou poeta; mas, a pobreza, a tristeza e o exílio viraram seu olhar em direções mais sombrias, e ele empolgou-se com as imputações do mal ao redor do mundo. A vida cotidiana tinha se tornado um estudo fantasmagórico das sombras macabras; agora, brilhando e olhando a podridão escondida como na melhor maneira de Beardsley, sugerindo terrores por trás das formas e objetos mais comuns, como os mais sutis e menos óbvios trabalhos de Gustave Doré. Ele costumava considerar misericordioso que a maioria das pessoas de alta inteligência zombasse dos mais íntimos mistérios; pois, argumentou, se mentes superiores fossem colocadas em contato máximo com os segredos preservados por cultos antigos e humildes, o resultado das anormalidades iriam, em breve, não apenas destruir o mundo, mas, também, ameaçariam a própria integridade do universo. Toda essa reflexão foi, sem dúvida, uma lógica mórbida, mas uma lógica aguda e um senso profundo de humor habilmente a compensam. Malone ficou satisfeito ao deixar suas noções como meio espionadas e visões proibidas para serem levemente praticadas; e a histeria veio somente quando o dever o jogou em um inferno de revelações repentino demais e insidioso para escapar.

O Horror no Red Hook

Por algum tempo, ele foi específico na estação da Butler Street, no Brooklyn, quando o assunto Red Hook chegou ao seu conhecimento. Red Hook é um labirinto de miséria híbrida perto da antiga orla, em frente à Ilha do Governador, com estradas sujas subindo a colina do cais até o terreno mais alto, onde os deteriorados trechos das ruas Clinton e Court levam em direção ao bairro Borough. Suas casas são, em sua maioria, de tijolos, datando do começo até meados do século XIX, e alguns dos becos e passagens obscurecidas têm aquele sabor antigo sedutor que a leitura convencional nos leva a chamar de "dickensiano". A população é um emaranhado e enigma sem esperança; sírios, espanhóis, italianos e elementos negros colidindo uns com os outros, e fragmentos de cinturões de escandinavos e americanos não estavam muito distantes. Era uma babel de som e sujeira, enviava longe gritos estranhos para responder ao bater das ondas oleosas em seus cais sujos e nas monstruosas ladainhas de órgãos dos assobios do porto. Aqui, há muito tempo, habitou uma brilhante fotografia, com marinheiros de olhos claros nas ruas mais baixas e casas de bom gosto e conteúdo, onde as casas maiores se alinhavam com a colina. Pode-se traçar as relíquias dessa antiga felicidade nas guarnições das formas dos edifícios, as ocasionais igrejas graciosas e as evidências da arte original e detalhes aqui e ali - um lance de escadas gasto, uma porta maltratada, um par de colunas ou pilastras decorativas ou um fragmento de um espaço verde com trilhos de ferro dobrado e enferrujado. As casas são, geralmente, em blocos sólidos e, de vez em quando, uma janela com muitas cúpulas surge para contar os dias em que as famílias de capitães e os armadores observavam o mar.

Desse emaranhado de putrescência material e espiritual, as blasfêmias de cem dialetos assaltam o céu. Hordas de ladrões cambaleiam, gritando e cantando pelas ruas e vias, ocasionais mãos furtivas, extinguem, repentinamente, as luzes e puxam as cortinas, rostos morenos e marcados desaparecem das janelas quando os visitantes passam. Os policiais perdem a esperança de ordem ou reforma, buscam erguer barreiras que protejam o mundo exterior do contágio. O tinido da patrulha é respondido por uma espécie de silêncio espectral e os prisioneiros que são capturados nunca são comunicativos. As visíveis ofensas são tão variadas quanto os dialetos locais, e variam do contrabando de rum e estrangeiros ilegais através de diversos estágios e vícios obscuros de assassinatos e mutilações em seus disfarces mais abomináveis. Esses assuntos visíveis não são mais frequentes não por crédito do bairro, a menos que o poder da ocultação seja um crédito que exige arte. Mais pessoas entram em Red Hook do que saem – ou, pelo menos, do que deixam pelo lado terrestre - e aqueles que não são loquazes são os que mais saem.

Malone encontrou neste estado de coisas, um fraco fedor de segredos mais terrível do que qualquer um dos pecados denunciados pelos cidadãos e lamentados por padres e filantropos. Ele estava consciente, como alguém que uniu a imaginação ao conhecimento científico, que pessoas modernas em condições sem lei tendem a repetir padrões estranhamente instintivos mais sombrios do que a selvageria primitiva dos semimacacos na vida cotidiana e nas observâncias rituais; e costumava enxergar como um estremecido antropólogo as murmuradas e amaldiçoadas processões de jovens com olhos cansados e avermelhados que tomavam seus caminhos nas poucas horas escuras da manhã. Viu-se grupos destes jovens incessantemente; às vezes, em vigílias sarcásticas nas esquinas, às vezes, nas portas tocando assustadoramente uns instrumentos baratos de música, às vezes, em cochilos estupefatos ou diálogos indecentes ao redor das mesas de refeitório perto da Borough Hall e, às vezes, em sussurros de conversas em torno de táxis sombrios estacionados perto das antigas casas altas em ruínas e fechadas. Eles o assustavam e o fascinavam cada vez mais, pois parecia ver neles algum fio monstruoso de segredo contínuo; algum padrão diabólico, enigmático e antigo, completamente além e abaixo da massa sórdida de fatos, hábitos e assombrações listados com um cuidado técnico pela consciente polícia. Eles devem ser, sentiu interiormente, os herdeiros de algumas chocantes e primordiais tradições; os compartilhadores de restos degradados e quebrados de cultos e cerimônias mais antigas que a humanidade. Sua coerência e definição sugeriu e mostrou a singular suspeita de ordem que espreitava sob sua desordem esquálida. Não tinha lido em vão tratados como o *Culto às Bruxas na Europa Ocidental*, de Miss Murray; e sabia que até os últimos anos, certamente, havia sobrevivido entre camponeses e povos furtivos um sistema assustador e clandestino de assembleias e orgias descendentes de religiões das trevas do mundo ariano, e aparecendo em lendas populares como Massas Negras e Sabbaths das Bruxas. Que esses vestígios infernais dos velhos cultos de magia e fertilidade turaniano-asiáticos estavam, agora, totalmente mortos, não podia, nem por um momento, supor e, frequentemente, se perguntava quão antigo e mais escuro do que o pior dos contos murmurados, alguns deles poderiam realmente estar.

III

Foi o caso de Robert Suydam que levou Malone ao coração das coisas em Red Hook. Suydam era um recluso letrado das antigas famílias holandesas, possuidor, originalmente, de meios pouco independentes e habitando a mansão espaçosa, mas mal preservada que sua avô havia construído em Flatbush quando aquela vila era pequena, um agradável grupo de casas coloniais que cercam a Igreja Reformada, coberta de hera e com seu pátio cercado por ferro de lápides holandesas. Em sua casa solitária, afastada da Rua Martense, em meio a um quintal de árvores veneráveis, Suydam havia lido e meditado por cerca de seis décadas, exceto por um período anterior, quando navegou para o velho mundo e permaneceu lá, fora de vista, por oito anos. Ele não podia pagar servos e admitiria apenas poucos visitantes a sua absoluta solidão, evitando amizades íntimas e recebendo seus raros conhecidos em um dos três cômodos do térreo que eram mantidos em ordem - uma vasta biblioteca de teto alto cujas paredes eram solidamente repletas de livros esfarrapados, de aspecto pesado, arcaico e vagamente repulsivo. O crescimento da cidade e sua absorção final no distrito do Brooklyn não significavam nada para Suydam e ele passou a significar, cada vez menos, para a cidade. Pessoas idosas ainda o cumprimentavam nas ruas, mas para a maioria da população recente, era apenas um sujeito velho, corpulento, esquisito, cabelos brancos descuidados, barba grisalha, roupas pretas brilhantes e uma bengala dourada lhe valia um olhar divertido e nada mais. Malone não o conhecia de vista, até que o dever o chamou para o caso, mas tinha ouvido falar dele indiretamente como uma autoridade realmente profunda sobre superstição medieval e, uma vez, pretendera procurar um folheto seu esgotado sobre a Cabala e a lenda do Fausto, que um amigo citou de memória.

Suydam se tornou um "caso" quando seus parentes distantes e únicos procuraram pronunciamentos judiciais sobre sua sanidade. A ação deles parecia repentina para o mundo exterior, mas só foi realmente realizada após observações prolongadas e tristes debates. Foi baseada em certas estranhas mudanças em seus discursos e hábitos; referências selvagens a maravilhas iminentes e assombrações irresponsáveis nas vizinhanças do Brooklyn. Ele estava ficando cada vez mais pobre e agora rondava como um verdadeiro mendicante; visto ocasionalmente por amigos, humilhado nas estações de metrô ou vagando nos bancos ao redor do Borough Hall em conversa com grupos de estranhos morenos e de aparência maligna. Quando falava, era balbuciar sobre poderes ilimitados quase ao seu alcance e repetir com conhecimento e olhar malicioso tão místicas palavras ou nomes como "Sephiroth", "Ashmodai" e "Samaël'. A ação judicial revelou que estava gastando sua renda e a desperdiçando, principalmente, na compra de curiosos volumes importados de Londres e Paris e na manutenção de um porão esquálido no distrito de Red Hook, onde passava quase todas as noites recebendo delegações ímpares, mistas, de arruaceiros e estrangeiros, aparentemente, conduzindo algum tipo de serviço cerimonial por trás das cortinas verdes das janelas secretas. Detetives designados a segui-lo relataram estranhos gritos, cânticos e empenamento dos pés filtrando esses ritos noturnos e estremecendo com a êxtase e abandono peculiar, apesar da semelhança de estranhas orgias nessa seção encharcada. Quando, porém, o assunto veio para uma audiência, Suydam conseguiu preservar sua liberdade. Antes de julgar que seus modos se tornaram urbanos e razoáveis, ele livremente admitiu a estranheza de comportamento e extravagante elenco de linguagem na qual caíra por excessiva devoção a estudo e pesquisa. Ele estava, disse, envolvido na investigação de certos detalhes da tradição europeia que exigiam o mais próximo contato com grupos estrangeiros, suas músicas e danças folclóricas. A noção de que qualquer sociedade secreta baixa pregada por ele, como sugerido por seus parentes, era obviamente absurdo; e mostrou quão tristemente limitado era o entendimento deles sobre Suydam e seu trabalho. Triunfando com suas explicações calmas, foi obrigado a partir sem obstrução; e os detetives pagos dos Suydams, Corlears e Van Brunts foram retirados com desgosto resignado.

Foi aqui que uma aliança de inspetores federais e policiais, Malone com eles, entrou no caso. A lei tinha assistido à ação de Suydam com interesse e, em muitos casos, havia sido chamada a ajudar os detetives particulares. Neste trabalho, levantou-se que os novos associados de Suydam estavam entre os mais bárbaros e cruéis criminosos das vias tortuosas de Red Hook e que, pelo menos um terço deles, eram conhecidos e reincidentes nos assuntos de roubo, desordem e importação de imigrantes ilegais. De fato, não seria demais dizer que o velho círculo particular do estudioso coincidiu quase perfeitamente com a pior das panelinhas organizadas que contrabandeavam certos desconhecidos e desclassificados asiáticos sabiamente devolvidos pela Ellis Island. Nas fervilhantes adegas de Parker Place - desde então renomeadas - Suydam tinha no seu porão uma colônia muito incomum de povos de olhos inclinados, desclassificados que usavam o alfabeto árabe mas foram eloquentemente repudiados pela grande massa de sírios ao redor da Avenida Atlantic. Todos eles poderiam ter sido deportados por falta de credenciais, mas o legalismo é lento e isso faz que não perturbe o Red Hook, a menos que a publicidade o force.

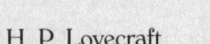

Essas criaturas frequentavam uma igreja de pedra tombada, usada às quartas-feiras como um salão de dança, que era sustentado com seus pilares góticos perto da parte mais vil da orla. Era nominalmente católico; mas padres em todo o Brooklyn negaram o lugar tanto em permanência e autenticidade, e os policiais concordaram com eles quando ouviram os ruídos emitidos à noite. Malone gostava de ouvir terríveis notas graves rachadas de um órgão escondido no subsolo quando a igreja ficava vazia e não iluminada, enquanto todos os observadores temiam os gritos e batidas que acompanhavam os serviços visíveis. Suydam, quando questionado, disse que achava que o ritual era algum remanescente do cristianismo nestoriano misturado com o xamanismo do Tibete. A maioria das pessoas, ele conjeturou, era mongoloide, originária de algum lugar do Curdistão ou próximo a ele — e Malone não pôde deixar de lembrar que o Curdistão é a terra dos yezidis, últimos sobreviventes dos adoradores de demônios persas. Contudo, isso pode ter sido a agitação da investigação que Suydam fez com alguns desses recém-chegados não autorizados que estavam inundando o Red Hook em números crescentes; entrando através de alguma inspeção marítima não realizada pelos oficiais da receita e pela polícia do porto, invadindo a Parker Place e, rapidamente, se espalhando pela colina, sendo recebida com curioso fraternalismo por outros habitantes variados da região. Suas figuras de agachamento e a fisionomia de estrabismo característico, grotescamente combinadas com ostentosas roupas americanas, apareciam cada vez mais entre os vadios e bandidos nômades da seção de Borough Hall; até foi considerado necessário calcular seus números, verificar suas fontes, ocupações e encontrar, se possível, uma maneira de cercá-los e entregá-los às autoridades competentes de imigração. Era essa a tarefa para a qual Malone foi designado pelo acordo das forças federais e da cidade e, quando começou sua investigação em Red Hook, sentiu-se preparado à beira de terrores sem nome, com a figura surrada e desleixada de Robert Suydam como arqui-inimigo e adversário.

IV

Os métodos policiais são variados e engenhosos. Malone, através de divagações sem ostentação, conversas cuidadosamente casuais, ofertas de bebidas alcoólicas e diálogos criteriosos com prisioneiros assustados, colheu muitos fatos isolados sobre o movimento cujo aspecto se tornou tão ameaçador. Os recém-chegados eram, de fato, curdos, mas de um dialeto obscuro e intrigante para filologia. Os que trabalhavam viviam, principalmente, como ajudantes de doca e vendedores ambulantes não licenciados embora, frequentemente, estivessem servindo em restaurantes gregos e bancas de jornais de esquina. A maioria deles, no entanto, não tinham meios visíveis de renda; e estavam, obviamente, relacionados com atividades do submundo, das quais tráfico e contrabando eram as menos indescritíveis. Eles entraram em navios a vapor, aparentemente cargueiros vagabundos, que haviam sido descarregados furtivamente em noites sem lua, em barcos a remos que roubavam sob um certo cais e seguiam em um canal escondido para uma piscina subterrânea secreta debaixo de uma casa. Este cais, canal e casa, Malone poderia não localizar, pois as memórias de seus informantes eram extremamente confusas, enquanto o discurso deles era, em grande parte, além dos intérpretes mais capazes; nem poderia obter dados reais sobre as razões para a sua importação sistemática. Eles eram reticentes sobre o local exato de onde vieram e nunca foram desprevenidos o suficiente para revelar as agências que procuraram na direção de seu curso. De fato, eles desenvolveram algo como um medo agudo quando perguntados os motivos de sua presença. Gângsteres de outras raças eram igualmente taciturnos e o máximo que se podia colher era que algum deus ou grande sacerdócio lhes prometera poderes inéditos e glórias sobrenaturais, governantes em uma terra estranha.

A participação de novatos e gângsteres idosos nas reuniões noturnas vigiadas de Suydam era muito regular e a polícia logo descobriu que o antigo recluso havia arrendado andares adicionais para acomodar hóspedes que sabiam sua senha; finalmente ocupando três casas inteiras e abrigando, permanentemente, muitos de seus companheiros esquisitos. Agora, ele passava pouco tempo em sua casa em Flatbush, aparentemente indo e vindo apenas para pegar e devolver livros; e seu rosto e modos alcançaram um campo assustador da natureza selvagem. Malone o entrevistou duas vezes, mas era cada vez mais bruscamente repelido. Não sabia nada, disse ele, de quaisquer planos ou conspirações misteriosas; e não tinha ideia de como os curdos poderiam ter entrado ou o que queriam. O negócio dele era estudar o folclore de todos os imigrantes do distrito; um negócio com o qual os policiais não tinham legítimas preocupações. Malone mencionou sua admiração pela velha brochura de Suydam sobre a Cabala e outros mitos, mas o velho foi amolecido apenas momentaneamente. Ele sentiu uma intrusão e rejeitou seu visitante de maneira incerta; até Malone se retirar enojado e voltar-se para outros canais de informação.

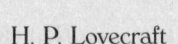

O que Malone teria desenterrado poderia ser trabalhado continuamente no caso, nunca saberemos. Como era um estúpido conflito entre cidade e autoridades federais, as investigações foram suspensas por vários meses, durante os quais o detetive ficou ocupado com outras tarefas. Mas, em nenhum momento perdeu o interesse ou deixou de se surpreender com o que começou a acontecer com Robert Suydam. Apenas no momento em que uma onda de sequestros e desaparecimentos espalharam sua emoção sobre Nova York, o despenteado estudioso embarcou em uma metamorfose tão surpreendente quanto absurda. Um dia, ele foi visto perto do Borough Hall com a barba feita, cabelos bem aparados e trajes imaculados de bom gosto e, depois, todos os dias, notava-se uma melhoria obscura nele. Ele manteve sua nova meticulosidade sem interrupção, acrescentou um brilho nos olhos e nitidez de fala e começou, aos poucos, endireitar sua corpulência que tanto havia-o deformado por muito tempo. Agora, frequentemente confundido por ter menos idade, adquiriu uma elasticidade de passo e flutuabilidade de comportamento para coincidir com a nova tradição e mostrou um curioso escurecimento nos cabelos que de alguma forma não sugeria corante. Com o passar dos meses, começou a se vestir de maneira cada vez menos conservadora e, finalmente, surpreendeu seus novos amigos, renovando e redecorando sua mansão em Flatbush, onde realizou uma série de recepções, convocando todos os conhecidos de que conseguia se lembrar e os parentes, num especial gesto de perdão àqueles que buscavam sua contenção. Alguns compareceram por curiosidade, outros pelo dever; mas todos, de repente, ficaram encantados com a graça e urbanidade do ex-eremita. Ele afirmou ter realizado a maior parte de seu trabalho; e tendo apenas herdado algumas propriedades de um amigo europeu meio esquecido, estava prestes a passar seus anos restantes em uma segunda juventude mais brilhante com naturalidade, cuidado e dieta tornando isso possível para ele. Menos e menos foi visto em Red Hook e mais e mais moveu-se para a sociedade em que nasceu. Os policiais notaram uma tendência dos bandidos de se reunir na antiga igreja de pedra e salão de dança, em vez de no porão em Parker Place, embora este último e seus anexos recentes ainda estivessem transbordado de vida nociva.

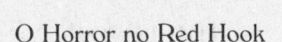

Então, dois incidentes ocorreram - suficientemente afastados, mas ambos de intenso interesse para o caso, como Malone o previa. Um era um anúncio silencioso no envolvimento da *Eagle* de Robert Suydam, a Miss Cornelia Gerritsen de Bayside, uma jovem de excelente posição e distante relacionamento ao idoso noivo eleito; enquanto o outro, foi uma invasão na igreja do salão de dança pela polícia da cidade, depois de uma denúncia de que o rosto de uma criança sequestrada tinha sido visto, por um segundo, em uma das janelas do porão. Malone tinha participado desta busca e estudou o local com muito cuidado quando adentrou. Nada foi encontrado - na verdade, o prédio foi totalmente limpo quando visitado - mas o sensível celta estava vagamente perturbado por muitas coisas sobre o interior. Havia painéis grosseiramente pintados de que não gostava - painéis que mostravam expressões peculiarmente mundanas e sardônicas e que, às vezes, tomavam liberdades que até o senso de decoro de um leigo mal podia encarar. Então, também, não gostou da inscrição grega na parede acima do púlpito; um encantamento antigo que ele já encontrou nos dias de faculdade de Dublin e em que se lê, traduzido literalmente,

Ó amigo e companheiro da noite, tu que se alegra em latidos de cães e sangue derramado, que vagueia no meio das sombras entre os túmulos, que anseia por sangue e por trazer terror aos mortais, Gorgo, Mormo, mil faces da lua, olhe favoravelmente nossos sacrifícios!

Quando leu isso, estremeceu e pensou, vagamente, nas notas de órgão que imaginou que tinha ouvido debaixo da igreja, em certas noites. Ele estremeceu novamente com a ferrugem ao redor da borda de uma bacia de metal que ficava no altar e fez, nervosamente, uma pausa quando suas narinas pareciam detectar um curioso e medonho fedor de algum lugar do bairro. Essa memória do órgão assombrou-o e ele explorou o porão com particular assiduidade antes de sair. O lugar era muito odioso para ele; ainda afinal, os painéis e inscrições tinham sido blasfêmias mais do que meras cruezas perpetradas pelos ignorantes?

Na época do casamento de Suydam, a epidemia de sequestros tornou-se um escândalo popular nos jornais. A maioria das vítimas eram crianças pequenas das classes mais baixas, mas o crescente número de desaparecimentos gerou um sentimento de fúria mais forte. Os jornais clamavam por ação da polícia e, mais uma vez, a estação Butler Street enviou seus homens para Red Hook para encontrar pistas, descobertas e criminosos. Malone estava feliz por estar nessas vias novamente e se orgulhou de um ataque a uma das casas do Parker Place de Suydam. Ali, de fato, nenhuma criança roubada foi encontrada, apesar dos contos de gritos e da faixa vermelha apanhada na área; mas, as pinturas e inscrições grosseiras nas paredes descascadas da maioria dos cômodos e o laboratório químico primitivo no sótão, tudo, ajudou a convencer o detetive de que estava na pista de algo tremendo. As pinturas eram assustadoras – hediondos monstros de todas as formas e tamanhos e paródias de contornos humanos que não podem ser descritos. A escrita estava em vermelho e variava do árabe para as letras gregas, romanas e hebraicas. Malone não conseguia ler muito, mas o que decifrou foi bastante portentoso e cabalístico. Um lema frequentemente repetido estava em um tipo de grego helenístico hebraizado e sugeriu as mais terríveis evocações de demônios da decadência alexandrina:

HEL • HELOYM • SOTHER • EMMANVEL • SABAOTH • AGLA • TETRAGRAMMATON • AGYROS • OTHEOS • ISCHYROS • ATHANATOS • IEHOVA • VA • ADONAI • SADAY • HOMOVSION • MESSIAS • ESCHEREHEYE.

Círculos e pentagramas pairavam em todas as mãos e diziam, indubitavelmente, das estranhas crenças e aspirações daqueles que moravam tão esqualidamente ali. No porão, no entanto, a coisa mais estranha foi encontrada - uma pilha de lingotes de ouro genuínos cobertos, descuidadamente, por pedaços de serapilheira e tendo sobre suas superfícies brilhantes os mesmos hieróglifos estranhos que também adornavam as paredes. Durante o ataque, a polícia encontrou apenas uma resistência passiva dos estrabistas orientais que pululavam de todas as portas. Não encontrando nada relevante, eles tiveram que deixar tudo como estava; mas o capitão da delegacia escreveu a Suydam uma nota aconselhando-o a olhar atentamente para o caráter de seus inquilinos e protegidos em vista do crescente clamor público.

V

Então, veio o casamento de junho e a grande sensação. Por volta do meio dia, Flatbush estava alegre e veículos lotavam as ruas perto da antiga igreja holandesa, onde havia um toldo esticado da porta à estrada. Nenhum evento local jamais superou as núpcias de Suydam-Gerritsen em tom e escala, e a festa que a noiva e o noivo foram escoltados até o Cunard Pier foi, se não exatamente a mais elegante, pelo menos uma página sólida do *Social Register*. Às cinco horas, adeus foram acenados e o pesadíssimo transatlântico afastou-se do longo cais, virou lentamente o nariz para o mar, descartou o rebocador e dirigiu-se para os amplos espaços de água que levavam às maravilhas do velho mundo. À noite, o porto exterior estava livre e os passageiros tardios observavam as estrelas brilhando sobre um oceano não poluído.

Se o navio a vapor ou o grito foram os primeiros a ganhar atenção, ninguém pode dizer. Provavelmente, eles eram simultâneos, mas é inútil calcular. O grito veio da cabine de Suydam e o marinheiro que arrombou a porta, talvez, pudesse disser coisas assustadoras se ele não tivesse saído imediatamente louco – exatamente isso, ele gritou mais alto que as primeiras vítimas e, depois, correu sorrindo afetadamente através do navio até ser pego e colocado nas algemas. O médico do navio que entrou na cabine e um momento depois, ligou as luzes, não enlouqueceu, mas não disse a ninguém o que havia visto até mais tarde, quando se correspondia com Malone em Chepachet. Foi assassinato - estrangulamento - mas não é preciso dizer que a marca de garra na garganta da Sra. Suydam não poderia ter vindo do marido ou de qualquer outra mão humana, ou que a parede branca lá piscou por um instante em vermelho odioso de uma lenda que, mais tarde resgatada da memória, parece não ter sido nada menos do que as temíveis letras de Chaldee da palavra "LILITH". Não preciso mencionar essas coisas porque elas desapareceram tão rapidamente - quanto a Suydam, podia-se, pelo menos, excluir outros da sala até que se soubesse o que pensar. O médico garantiu a Malone que ele não viu. A portinhola aberta, pouco antes de acender as luzes, ficou nublada, por um segundo, com uma certa fosforescência e, por um momento, pareceu ecoar na noite, fora de contexto, uma risada fraca e infernal; mas, nenhum esboço real foi encontrado com os olhos. Como prova, o médico aponta para a sua sanidade continuada.

Então, um navio a vapor reivindicou toda a atenção. Um barco adiado e uma horda de rufiões insolentes e vestidos de oficiais enxamearam a bordo do Cunarder, temporariamente desligado. Eles queriam Suydam ou seu corpo - eles sabiam de sua viagem, e por certas razões, tinham certeza de que iria morrer. O convés do capitão era quase um pandemônio; no momento entre o relatório do médico da cabine e as exigências dos homens do navio a vapor, nem mesmo o marinheiro mais sábio e mais sério conseguia pensar no que fazer. De repente, o líder dos marinheiros visitantes, um árabe com uma boca odiosamente negroide, puxou um papel sujo e amassado e entregou ao capitão. Foi assinado por Robert Suydam e exibiu a seguinte estranha mensagem:

Em caso de acidente súbito ou inexplicável, ou morte da minha parte, entregue-me ou meu corpo, inquestionavelmente, nas mãos desse portador e seus associados. Tudo para mim e, talvez, para você, depende da conformidade absoluta. As explicações podem vir depois - não me falhe agora.

ROBERT SUYDAM.

Capitão e médico se entreolharam e este sussurrou algo para o primeiro. Finalmente, eles assentiram, impotentes, e liberaram o caminho para a cabine de Suydam. O médico dirigiu ao capitão um olhar desviado quando ele abriu a porta e admitiu os marinheiros estranhos, nem respirou com facilidade até que saíram com seu fardo após um período inexplicavelmente longo de preparação. Estava embrulhado em roupas de cama e o médico ficou satisfeito que os ferimentos não estavam muito reveladores. De alguma forma, os homens pegaram a coisa de lado e se afastaram para o navio a vapor sem descobri-la. O Cunarder ligou novamente e o médico e o agente funerário do navio procuraram a cabine de Suydam para realizar os últimos serviços que puderam. Mais uma vez, o médico foi forçado à reticência e até à mentira por uma coisa infernal que havia acontecido. Quando o agente funerário perguntou a ele por que havia drenado todo o sangue da sra. Suydam, ele negligenciou afirmar que não o fez; nem apontou para os vagos espaços de garrafas na prateleira ou ao odor na pia que mostrava a disposição apressada do conteúdo original das garrafas. Os bolsos daqueles homens - se eles fossem homens - tinham aumentado muito quando eles deixaram o navio. Duas horas depois e o mundo sabia pelo rádio tudo o que deveria saber sobre o terrível caso.

VI

Na mesma noite de junho, sem ter ouvido uma palavra do oceano, Malone estava desesperadamente ocupado entre os becos de Red Hook. Uma agitação repentina pareceu permear o local e, como se pelo "telégrafo de videira" de algo singular, os habitantes se agruparam com expectativas em torno da igreja do salão de dança e das casas em Parker Place. Três crianças haviam desaparecido - noruegueses de olhos azuis das ruas em torno da Gowanus - e havia rumores de uma multidão se formando entre os vikings robustos daquela região.

Malone havia insistido há semanas com seus colegas para tentar uma limpeza geral; e, finalmente, movido por condições mais óbvias ao seu senso comum do que as conjecturas de um sonhador de Dublin, eles haviam concordado com um golpe final. A inquietação e a ameaça daquela noite tinham sido o fator decisivo e, por volta da meia-noite, um grupo de ataque recrutado de três estações desceu sobre Parker Place e seus arredores. Portas foram arrombadas, pessoas presas e à luz de velas, forçadas a desprezar inacreditáveis multidões de estrangeiros misturados em mantos, mitras e outros dispositivos inexplicáveis. Muito se perdeu na confusão, pois os objetos eram jogados às pressas para baixo em lugares inesperados e traindo odores amortecidos pelo súbito acendimento do incenso pungente. Mas, sangue respingado estava por toda parte e Malone estremecia sempre que via um braseiro ou altar do qual a fumaça ainda subia.

Ele queria estar em vários lugares ao mesmo tempo e decidiu ir ao porão de Suydam somente depois que um mensageiro relatou o vazio completo do salão de dança da igreja dilapidada. O andar, ele pensou, deve ter alguma pista de um culto do qual o estudioso de ocultismo obviamente se tornara o centro e o líder; e foi com expectativa real que revistou os aposentos mofados, notou seu odor vagamente encharcado e examinou os livros curiosos, instrumentos, lingotes de ouro e garrafas com rolha de vidro espalhadas, descuidadamente, aqui e ali. Uma vez que um gato magro preto e branco afiou as unhas entre seus pés, ele tropeçou nele, virando ao mesmo tempo um copo meio cheio de um líquido vermelho. O choque foi grave e, até hoje, Malone não tem certeza do que viu; mas, nos sonhos, ainda tem imagens do gato que fugiu com certas alterações e peculiaridades monstruosas. Então, veio a porta trancada da adega e a busca de algo para derrubá-la. Um banquinho pesado estava próximo e seu assento duro era mais que suficiente para os antigos painéis. Uma rachadura se formou, aumentou e toda a porta cedeu - mas do *outro* lado; de onde surgiu um uivo tumultuado de vento gelado com todas as fendas do fundo do poço e onde alcançou uma força sugadora não da terra ou do céu, que, enrolando-se com sensibilidade no detetive paralisado, arrastou-o através da abertura e por espaços não medidos, preenchidos com sussurros, lamentos e rajadas de risos zombeteiros.

Claro que foi um sonho. Todos os especialistas disseram isso a ele, e não tinha nada para provar o contrário. Na verdade, ele preferiria deixar assim; para que, então, a visão dos rostos das favelas de tijolos velhos e estrangeiros não comessem tão profundamente a sua alma. Mas, na época era tudo terrivelmente real e nada poderia se apagar da memória daquelas criptas noturnas, aquelas arcadas de titã e aquelas formas semiformadas do inferno que caminhavam gigantescamente em silêncio segurando coisas meio comidas, cujas porções de sobreviventes gritavam piedade ou riam com loucura.

Odores de incenso e corrupção juntaram-se num concerto de doenças e o ar negro estava vivo com o nublado, semivisível massa de coisas elementares disformes aos olhos. Em algum lugar escuro, uma água pegajosa batia no cais de ônix e, uma vez que o tremor tilintava de sininhos estridentes, tocava para cumprimentar o riso insano de uma coisa fosforescente nua que nadava à vista, embaralhada em terra, e subiu para agachar-se de forma leprosa em um pedestal de escultura dourada em segundo plano.

Avenidas de noite ilimitada pareciam irradiar em todas as direções, até que alguém possa imaginar que aqui está a raiz de um contágio destinado a adoecer e engolir cidades, e tragar nações no fedor de pestilência híbrida. Aqui, o pecado cósmico havia entrado e purificado por ritos não consagrados, havia começado a marcha sorridente da morte que era apodrecer todos nós para anormalidades fúngicas muito hediondas para a sepultura segura. Satanás, aqui, realizou sua corte babilônica e, no sangue da infância inoxidável, os membros leprosos da fosforescente Lilith foram lavados. Incubi e succubae uivam elogios a Hecate e os bezerros lunares sem cabeça sangraram para a Magna Mater. Cabras saltavam ao som de finas flautas amaldiçoadas e os aegipans perseguiram, infinitamente, depois de faunos deformados sobre rochas torcidas como sapos inchados. Moloch e Ashtaroth não estavam ausentes; para esta quintessência de toda a condenação, os limites da consciência eram decepcionar e a fantasia do homem se abrir para vistas de todos os domínios do horror, e toda dimensão proibida que o mal tinha poder de mofar. O mundo e a natureza estavam impotentes contra tais ataques de poços não lacrados da noite, nem poderiam qualquer sinal ou oração checar o Walpurgis-riot de horror que surgira quando um sábio com a chave detestável tropeçara em uma horda com as chaves trancadas e baú transbordante do conhecimento demoníaco transmitido.

De repente, um raio de luz física disparou através desses fantasmas e Malone ouviu o som de remos em meio às blasfêmias de coisas que deveriam estar mortas. Um barco com uma lanterna na proa disparou à vista, indo rápido a um anel de ferro na pedra viscosa do cais e despejou vários homens escuros carregando um fardo longo envolto em roupa de cama. Eles levaram para coisa fosforescente nua no pedestal de ouro esculpido e a coisa riu e apalpou a roupa de cama. Então, eles envolveram e sustentaram na vertical, diante do pedestal, o cadáver gangrenoso de um corpulento velho com barba grisalha e cabelos brancos despenteados. A coisa fosforescente riu novamente e os homens retiraram garrafas dos bolsos e ungiram os pés com vermelho, enquanto eles depois, deram as garrafas para a coisa para beber.

De uma só vez, a partir de uma avenida com arcadas que leva infinitamente para longe, veio o chocalho demoníaco e chiado de um órgão blasfêmio, sufocando e estrondando as zombarias do inferno de uma forma rachada, baixo sardônico. Em um instante, toda entidade em movimento foi eletrificada, transformando-se, imediatamente, em uma procissão cerimonial, o pesadelo da horda deslizou para longe em busca do som - cabra, satyr, eaegipan, incubus, succuba e lemur, sapo torcido e sem formato elementar, de cara de cachorro uivador e silêncio na escuridão – tudo liderado pela coisa fosforescente, nua, abominável que tinha agachado no trono de ouro esculpido e que, agora, caminhava insolentemente carregando em seus braços o cadáver de olhos vidrados do corpulento velho. Os estranhos homens escuros dançavam na retaguarda e a coluna inteira se agitava e pulava com fúria dionisíaca. Malone cambaleou atrás deles alguns passos, delirante e nebuloso, duvidoso de seu lugar neste ou em qualquer mundo. Então, se virou, vacilou e afundou na pedra úmida e fria, ofegando e tremendo enquanto o órgão demoníaco resmungava e os uivos, tambores e o tilintar da procissão louca ficaram cada vez mais fracos.

Vagamente, ele estava consciente dos horrores cantados e das garras chocantes à distância. De vez em quando, um gemido ou um choramingo de devoção cerimonial flutuava para ele através da arcada negra, enquanto, eventualmente, subia o horrível encantamento grego cujo texto havia lido acima do púlpito daquela igreja de salão de dança.

"Ó amigo e companheiro da noite, tu que se alegra com latidos de cães (aqui um uivo horrendo irrompeu) e sangue derramado (aqui sons sem nome competem com gritos mórbidos), que vagueia no meio de sombras entre os túmulos (aqui um assobio ocorreu), que anseia por sangue e leva terror aos mortais (gritos curtos e agudos de inúmeras gargantas), Gorgo (repetido como resposta), Mormo (repetido com êxtase), lua de mil faces (suspiros e notas de flauta), olhe favoravelmente nossos sacrifícios! "

Quando o canto terminou, um grito geral subiu e, sibilando sons, quase afogou o coaxar do órgão baixo quebrado. Então, um suspiro como em muitas gargantas e uma babel de latidos e palavras balidas - "Lilith, Grande Lilith, eis o Noivo!". Mais gritos, um clamor de tumulto, passos altos e agudos de uma figura em execução. Os passos se aproximaram e Malone se levantou ao cotovelo para olhar.

A luminosidade da cripta, ultimamente diminuída, agora ligeiramente aumentada; e naquela luz do diabo apareceu a forma fugitiva daquilo que não deve fugir, sentir ou respirar – o cadáver gangrenoso de olhos vidrados do corpulento velho, agora não precisando de apoio, mas animado por alguma feitiçaria infernal do ritual aproximou-se. Depois de correr nua, rindo, a coisa fosforescente que pertencia ao pedestal esculpido e ainda mais atrás ofegavam os homens das trevas, e toda a tripulação pavorosa de repugnância senciente. O cadáver estava ganhando terrenos através de seus seguidores e parecia inclinado a um objeto definido, esforçando-se com cada músculo apodrecido em direção ao pedestal dourado esculpido, cuja importância necromântica era, evidentemente, enorme. Outro momento e alcançou seu objetivo, enquanto a multidão que seguia trabalhava com velocidade mais frenética. Mas, eles foram tarde demais, pois em um impulso final de força que rasgou tendão por tendão e enviou seu volume barulhento tropeçando no chão em um estado de geleia em dissolução, o cadáver que tinha sido Robert Suydam alcançou seu objetivo e triunfo. O empurrão tinha sido tremendo, mas a força resistiu; e como o empurrador desmoronou a uma mancha enlameada de corrupção, o pedestal que tinha empurrado cambaleou, tombou e, finalmente, se afastou de sua base de ônix nas águas espessas abaixo, enviando um vislumbre de entalhe dourado enquanto afundava pesadamente em golfos irreais do baixo Tártaro. Naquele instante, também, toda a cena de horror se transformou em nada diante dos olhos de Malone; e ele desmaiou em meio a um estrondo que parecia apagar todo o universo do mal.

VII

O sonho de Malone, vivido na íntegra antes de conhecer a morte de Suydam e a transferência no mar, foi curiosamente complementado por algumas estranhas realidades do caso; embora isso não seja motivo que alguém deva acreditar. As três casas antigas em Parker Place, sem dúvida há muito podre de decadência em sua forma mais insidiosa, entraram em colapso sem causa visível, enquanto metade dos assaltantes e a maioria dos prisioneiros estavam dentro; e, em ambos, o maior número foi morto instantaneamente. Somente nos porões e na adega havia muita vida salva e Malone teve a sorte de estar bem abaixo da casa de Robert Suydam. Pois ele, realmente, estava lá como ninguém está disposto a negar.

Eles o acharam inconsciente à beira de uma piscina negra, com uma mistura grotescamente horrível de decomposição e osso, identificável através de trabalhos odontológicos como o corpo de Suydam, a poucos metros de distância. O caso era claro, pois era aqui que os contrabandistas subterrâneos do canal vinham; e os homens que levaram Suydam do navio o trouxeram para casa. Eles mesmos nunca foram encontrados ou, pelo menos, nunca identificados; e o médico do navio ainda não está satisfeito com as simples certezas da polícia.

Suydam era, evidentemente, líder em uma extensa operação de contrabando de homens, o canal de sua casa era apenas um dos vários canais e túneis subterrâneos na vizinhança. Havia um túnel desta casa para uma cripta embaixo do salão de dança da igreja;

uma cripta acessível a partir da igreja apenas através de uma estreita passagem secreta na parede norte e em cujas câmaras, algumas coisas singulares e terríveis foram descobertas. O órgão coaxante estava lá, bem como uma vasta capela arqueada com bancos de madeira e um altar estranhamente figurado. As paredes estavam alinhadas com pequenas celas, das quais eram dezessete - detestáveis de se relacionar - prisioneiros solitários em estado de completa idiotice foram acorrentados, incluindo quatro mães com bebês de aparência estranhamente perturbadora. Estes bebês morreram logo após a exposição à luz; uma circunstância que os médicos pensaram ser bastante misericordiosa. Ninguém além de Malone, entre quem os inspecionaram, lembrou-se da sombria questão antiga de Delrio: *"An sint unquam daemones incubi et succubae, et an ex tali congressu proles nasci queat?"*.

Antes dos canais serem enchidos, eles foram completamente dragados e produziram um conjunto sensacional de ossos serrados e partidos de todos os tamanhos. A epidemia de sequestros, muito claramente, havia sido rastreada para a casa; embora, apenas dois dos prisioneiros sobreviventes pudessem, por qualquer trâmite legal, ser conectados a ela. Estes homens estão agora na prisão, uma vez que não foram condenados como cúmplices dos assassínios propriamente ditos. O pedestal ou trono de ouro esculpido tão frequentemente mencionado por Malone como de importância oculta primária nunca foi trazido à luz, embora em um lugar embaixo da casa de Suydam foi observado no canal um poço fundo demais para a dragagem. Isso foi selado na boca e cimentado quando as adegas das novas casas foram construídas, mas Malone, frequentemente, especula sobre o que se encontra abaixo. A polícia, satisfeita por ter desmontado uma gangue perigosa de maníacos e contrabandistas, entregou às autoridades federais os curdos não condenados, que antes de sua deportação foram, conclusivamente, pertencentes ao clã Yezidi de adoradores do diabo. O navio a vapor e sua tripulação continuam sendo uma ilusão misteriosa, embora os detetives céticos estejam, mais uma vez, prontos para combater seus empreendimentos de contrabando e corrida de rum. Malone acha que esses detetives mostram uma perspectiva tristemente limitada em sua falta de admiração nas miríades de detalhes inexplicáveis e na obscuridade sugestiva de todo o caso; embora seja tão crítico com os jornais, que viu apenas uma sensação mórbida e se vangloriou de um pequeno culto sádico que eles poderiam ter proclamado um horror no coração do universo. Mas, está contente em ficar calado em Chepachet, acalmando seu sistema nervoso e orando para que o tempo possa, gradualmente, transferir sua terrível experiência do reino da realidade presente àquele do afastamento pitoresco e semimístico.

Robert Suydam dorme ao lado de sua noiva no cemitério Greenwood. Nenhum funeral foi realizado sobre os ossos estranhamente liberados e parentes são gratos pelo rápido esquecimento que sobrepôs o caso como um todo. A conexão do estudioso com os horrores de Red Hook nunca foi estampada em provas legais; desde que sua morte impediu a investigação que teria enfrentado. Seu próprio fim não é muito mencionado e os Suydams esperam que a posteridade possa lembrá-lo apenas como um recluso gentil que se envolveu em magia e folclore inofensivos.

Quanto ao Red Hook - é sempre o mesmo. Suydam veio e foi; um terror se acumulou e desapareceu; mas o espírito maligno das trevas e ninhadas de miséria entre os vira-latas nos tijolos velhos das casas e bandas vagas ainda desfilam em recados desconhecidos nas janelas onde as luzes e os rostos retorcidos aparecem e desaparecerem inexplicavelmente. O horror milenar é uma hidra com mil cabeças e os cultos das trevas estão enraizados em blasfêmias mais profundas do que o poço de Demócrito. A alma da besta é onipresente e triunfante e as legiões de Red Hook de olhos turvos, os jovens ainda cantam, amaldiçoam e uivam quando saem do abismo para abismo, ninguém sabe de onde ou para onde, empurradas por leis cegas da biologia que eles podem nunca entender. Desde a antiguidade, as pessoas entram mais no Red Hook do que no lado terrestre e já existem rumores de novos canais correndo no subsolo para certos centros de tráfego de bebidas e coisas menos mencionáveis.

A igreja do salão de dança agora é, principalmente, um salão de dança e rostos apareceram à noite nas janelas. Ultimamente, um policial expressou a crença de que a cripta preenchida foi desenterrada novamente, sem um propósito simplesmente explicável. Quem somos nós para combater venenos mais antigos que a história e a humanidade? Macacos dançaram na Ásia a esses horrores e o câncer se esconde seguro, espalhando-se onde furtividade se esconde em fileiras de tijolos em decomposição.

Malone não estremece sem justa causa - apenas outro dia em que um oficial ouviu uma bruxa de estrabismo ensinando a uma pequena criança algumas gírias sussurradas à sombra de uma área central. Ele ouviu e achou muito estranho quando a ouviu repetir e repetir novamente,

> Ó amigo e companheiro da noite, tu que se alegra em latidos de cães e sangue derramado, que vagueia no meio das sombras entre os túmulos, que anseia por sangue e trazer terror aos mortais, Gorgo, Mormo, mil faces lua, olhe favoravelmente nossos sacrifícios!

O Sorriso do Morto
por Francis Marion Crawford

I

O SENHOR Hugh Ockram sorriu ao se sentar junto à janela aberta de seu escritório, no final da tarde de agosto; e, só então, uma nuvem curiosamente amarela obscureceu o sol baixo e a luz clara do verão ficou sombria, como se tivesse sido repentinamente envenenada e poluída pelos vapores sujos de uma praga. O rosto de Sir Hugh parecia, na melhor das hipóteses, ser feito de pergaminho fino desenhado sobre uma máscara de madeira, na qual os dois olhos foram afundados e espiavam de dentro através de fendas sob as tampas inclinadas e enrugadas, vivas e vigilantes como dois sapos em seus buracos, lado a lado e, exatamente iguais. Mas como a luz mudou, então, um pouco de brilho amarelo refletiu em cada um deles. Enfermeira Macdonald disse uma vez que, quando Sir Hugh sorria via os rostos de duas mulheres no inferno - duas mulheres mortas as quais ele traiu. (A enfermeira Macdonald tinha 100 anos.) E o sorriso alargado, esticando os lábios pálidos através dos dentes descoloridos, uma expressão de profunda satisfação pessoal, combinada com ódio e desprezo implacáveis de um boneco humano. A doença hedionda da qual estava morrendo havia tocado seu cérebro. Seu filho estava ao lado dele, alto, branco e delicado como um anjo em uma imagem primitiva; embora houvesse profunda angústia em seus olhos violetas enquanto olhava o rosto de seu pai, sentiu a sombra daquele sorriso doentio roubando seus próprios lábios e se separando deles e desenhando-os contra sua vontade. E foi como um sonho ruim, pois ele tentou não sorrir e sorriu mais. Ao lado dele, estranhamente como ele, em sua beleza angelical pálida, com o mesmo cabelo dourado sombrio, os mesmos olhos violetas tristes, o mesmo rosto luminosamente pálido, Evelyn Warburton descansou uma mão sobre o seu braço. E, quando ela olhou nos olhos de seu tio e não pôde afastar-se, sabia que o sorriso mortal estava pairando em seus próprios lábios vermelhos, desenhando- os firmemente através de seus dentes pequenos, enquanto duas lágrimas brilhantes escorriam por suas bochechas até sua boca e caíam do lábio superior para o inferior enquanto ela sorria - o sorriso era como a sombra da morte e o selo de condenação em seu rosto puro e jovem.

"É claro", disse Sir Hugh muito lentamente, ainda olhando para fora as árvores, "se você decidiu se casar, eu não posso impedi-lo, e não suponho que você anexe a menor importância para o meu consentimento".

"Pai!", exclamou Gabriel, repreensivamente.

"Não; não me iludo", continuou o velho, sorrindo terrivelmente. "Você se casará quando eu morrer, embora exista uma boa razão para você não fazer isso - por que você não deveria", ele repetiu enfaticamente e, lentamente, virou os olhos de sapo aos amantes.

"Que razão?", perguntou Evelyn com uma voz assustada.

"Não importa o motivo, minha querida. Você vai se casar como se isso não existisse." Houve uma longa pausa. "Dois se foram", disse ele, sua voz abaixando estranhamente, "e mais dois serão quatro – todos juntos - para todo o sempre, ardendo, ardendo, ardendo brilhante".

Nas últimas palavras, sua cabeça afundou lentamente para trás e o pequeno brilho dos olhos de sapos desapareceram sob as pálpebras inchadas; a lúgubre nuvem passou ao sol do oeste, de modo que a terra estava verde novamente e a luz pura. Sir Hugh adormeceu, como era de costume em sua última doença, mesmo enquanto falava.

Gabriel Ockram afastou Evelyn do escritório e eles saíram para o corredor escuro, fechando suavemente a porta atrás deles, e cada um respirava audivelmente, como se algum perigo repentino tivesse acontecido. Eles colocaram as mãos uma na outra e seus olhos, estranhamente, se encontraram em um olhar longo, em que o amor e o entendimento perfeito tivessem sido obscurecidos pelo terror secreto de uma coisa desconhecida. Seus rostos pálidos refletiam medo um ao outro.

"É o segredo dele", disse Evelyn, finalmente. "Ele nunca vai nos dizer o que é isto."

"Se ele morrer com isso", respondeu Gabriel, "que seja por conta de sua própria cabeça!".

"Na cabeça dele!", ecoou o corredor sombrio. Foi um eco estranho e alguns ficaram assustados com isso, pois disseram que se fosse um eco real deveria repetir tudo e não devolver uma frase aqui e ali, agora falando, agora silencioso. Mas, a enfermeira Macdonald disse que o grande salão nunca ecoaria uma oração quando um Ockram estava para morrer, apesar de devolver dez maldições por uma.

"Na cabeça dele!", repetiu baixinho, e Evelyn começou a olhar em volta.

"É apenas o eco", disse Gabriel, levando-a para longe.

Saíram para a luz do fim da tarde e sentaram-se no assento de pedra atrás da capela, que foi construída no final da ala leste. Estava muito quieto, sem som de suspiro e não havia som perto deles. Apenas ao longe, no parque, um pássaro-canção estava assobiando o prelúdio alto para o coro da noite.

"É muito solitário aqui", disse Evelyn, pegando a mão de Gabriel nervosamente e falando como se ela temesse o perturbador silêncio. "Se estivesse escuro, teria medo."

"De que? De mim?", os olhos tristes de Gabriel se voltaram para ela.

"Ah não! Como eu poderia ter medo de você? Mas, dos antigos Ockrams - eles dizem que estão bem debaixo dos nossos pés, aqui no cofre norte, fora da capela, todos em suas mortalhas, sem caixões, pois costumava enterrá-los assim".

"Como sempre - como enterrarão meu pai e a mim. Dizem que um Ockram não se deita em um caixão."

"Mas, pode não ser verdade - estes são contos de fadas - histórias de fantasmas!" Evelyn aninhou-se mais perto de seu companheiro, segurando sua mão mais firmemente e o sol começou a se pôr.

"Claro. Mas há a história do velho Sir Vernon que foi decapitado por traição sob James II. A família trouxe seu corpo de volta da guilhotina em um caixão de ferro, com fechaduras pesadas, e eles colocaram-no no cofre do norte. Mas, depois, sempre que o cofre era aberto para enterrar outro membro da família eles encontravam o caixão bem aberto e o corpo em pé contra a parede, a cabeça rolada para um canto, sorrindo para ele."

"Como o tio Hugh sorri?" Evelyn estremeceu.

"Sim, suponho que sim", respondeu Gabriel, pensativo. "Claro, nunca vi isso e o cofre não tem sido aberto há 30 anos - nenhum de nós morreu desde então."

"E se - se o tio Hugh morrer - você deve..." Evelyn parou, e seu lindo rosto magro estava bastante branco.

"Sim. Vou vê-lo ali também - com seu segredo, seja o que for." Gabriel suspirou e apertou a mãozinha da garota.

"Eu não gosto de pensar nisso", disse ela, instável. "Ó Gabriel, qual pode ser o segredo? Ele disse que é melhor não nos casarmos – não que ele proibisse – mas, disse tão estranhamente e ele sorriu - ugh!" Seus pequenos dentes brancos batiam de medo e ela olhou por cima do ombro enquanto se aproximava ainda mais de Gabriel. "E, de alguma forma, eu senti isso no meu rosto..."

"Eu também", respondeu Gabriel em voz baixa e nervosa. "Enfermeira Macdonald ..." Ele parou abruptamente.

"O que? O que ela disse?"

"Oh nada. Ela me contou coisas - elas assustariam você, minha querida. Venha, está ficando frio." Ele se levantou, mas Evelyn segurou a mão dele, ainda sentada e olhando em seu rosto.

"Mesmo assim devemos nos casar, Gabriel! Diga que devemos!"

"Claro, querida - é claro. Mas, enquanto meu pai estiver muito doente, é impossível ..."

"Ó Gabriel, Gabriel, querido! Gostaria que estivéssemos casados agora!" Chorou Evelyn em súbita angústia. "Eu sei que algo impedirá isso e nos manterá separados."

"Nada deve!"

"Nada?"

"Nada humano", disse Gabriel Ockram, enquanto ela o abraçava.

E seus rostos, tão estranhamente parecidos, se aproximaram e se tocaram - Gabriel sabia que o beijo tinha um maravilhoso sabor do mal, mas nos lábios de Evelyn era como o hálito frio de um medo doce e mortal. E nenhum deles entendeu, porque eles eram inocentes e jovens. No entanto, ela o atraiu pelo seu mais leve toque, como uma planta sensível estremece e agita suas folhas finas, inclina-se e fecha-se, suavemente, sobre o que quer; e ele se deixou ser atraído por ela de bom grado, como faria se seu toque tivesse sido mortal e venenoso; porque ela amava estranhamente aquele meio voluptuoso sopro de medo e ele, apaixonadamente, desejou o mal sem nome que espreitava em seus lábios de solteira.

"É como se amássemos um sonho estranho", disse ela.

"Eu temo acordar", ele murmurou.

"Não acordaremos, querido - quando o sonho acabar, terá já se transformado em morte, tão suavemente que não o saberemos. Mas até lá..."

Ela fez uma pausa e seus olhos procuraram os dele, seus rostos, lentamente, chegaram mais perto. Era como se eles tivessem pensamentos em seus lábios vermelhos que previam e conheciam o profundo beijo um do outro.

"Até então ...", ela disse novamente, muito baixo e sua boca estava mais perto dele.

"Sonhe - até então", murmurou ele.

Francis Marion Crawford

II

A enfermeira Macdonald tinha 100 anos. Ela costumava dormir sentada toda dobrada junto a uma grande poltrona de couro com asas, os pés em uma banqueta forrada de pele de carneiro e muitos cobertores quentes a envolviam, mesmo no verão. Ao lado dela, uma pequena lâmpada sempre queimava à noite por uma velha xícara de prata, na qual havia algo para beber.

O rosto dela estava muito enrugado, mas as rugas eram tão pequenas, finas e bem juntas que elas faziam sombras em vez de linhas. Duas mechas finas de cabelo que estavam passando de brancas para uma amarelo esfumaçado novamente foram desenhadas sobre as têmporas por baixo de seu chapéu branco engomado. De vez em quando, ela acordava e as pálpebras estavam fechadas em pequenas dobras como pequenas cortinas de seda rosa, seus estranhos olhos azuis olhavam diretamente diante delas através de portas, muros e mundos para um lugar distante, além. Então, ela dormia novamente, suas mãos estavam uma sobre a outra na beira do cobertor; os polegares, com a idade, cresceram mais do que os dedos e as juntas brilhavam sob a luz da lâmpada como maçãs de caranguejo polidas.

Era quase uma hora da manhã e a brisa do verão estava soprando nos galhos de hera contra os painéis da janela com uma carícia silenciosa. Na pequena sala, com a porta entreaberta, a moça que cuidava da enfermeira Macdonald havia rapidamente adormecido. Tudo estava muito quieto. A velha respirava regularmente, seus lábios flácidos tremiam cada vez que a respiração saía e seus olhos estavam fechados.

Mas, fora da janela fechada havia um rosto, olhos violetas olhavam fixamente para a antiga dorminhoca, pois era como o rosto de Evelyn Warburton, embora houvesse 80 pés de distância entre o peitoril da janela e o pé da torre. No entanto, as bochechas eram mais finas que as de Evelyn, brancas como um brilho, os olhos estavam fixos e os lábios não estavam vermelhos de vida; eles estavam mortos e pintados com sangue novo.

Lentamente, as pálpebras enrugadas da enfermeira Macdonald se dobraram de volta, ela olhou diretamente para o rosto na janela.

"Está na hora?", ela perguntou com sua voz velha e distante.

Enquanto olhava o rosto na janela, abriu os olhos mais e mais amplamente, até que o branco brilhasse em todo o violeta e os lábios ensanguentados se abriram sobre os dentes brilhantes, e esticados, alargados e esticados novamente, e as sombras dos cabelos dourados subiam e fluíam contra a brisa da noite. E, em resposta à pergunta da enfermeira Macdonald, veio o som que congela a carne viva.

Aquela voz baixa que geme, que sobe de repente como o grito de tempestade, de um gemido a um lamento, de um lamento a um uivo, de um uivo ao grito de medo dos mortos torturados - quem ouviu sabe e pode testemunhar que o grito da *banshee* é um grito maligno, ouvido sozinho na noite profunda. Quando acabou e o rosto se foi, a enfermeira Macdonald balançou um pouco em sua grande cadeira e, ainda assim, olhou para o quadrado preto da janela, mas não havia mais nada lá, nada além da noite e dos sussurros dos ramos da hera. Ela virou a cabeça para a porta que estava entreaberta e lá estava a garota de vestido branco, os dentes batendo com susto.

"Está na hora, criança", disse a enfermeira Macdonald. "Eu devo ir até ele, pois é o fim. "

Ela se levantou devagar, apoiando as mãos murchas nos braços da cadeira e a garota trouxe um vestido de lã, uma ótima manta, sua bengala e a prepararam. Mas, muitas vezes, a menina olhou para a janela e estava desarticulada, com medo e, frequentemente, a enfermeira Macdonald balançava a cabeça e dizia palavras que a criada não conseguiu entender.

"Era como o rosto da senhorita Evelyn", disse a garota, tremendo.

Mas, a mulher antiga levantou os olhos bruscamente e com raiva, seus estranhos olhos azuis brilhavam. Ela se segurou pelo braço da grande cadeira com a mão esquerda e levantou a bengala para golpear a empregada com todas as suas forças. Mas, ela não fez.

"Você é uma boa garota", ela disse, "mas você é uma tola. Ore por sagacidade, criança, ore por sagacidade – ou, então, encontre serviço em outra casa, não em Ockram Hall. Traga a lâmpada e me ajude debaixo do meu braço esquerdo."

A bengala bateu no chão de madeira e os saltos baixos dos chinelos da mulher bateram palmas atrás dela em tercetos lentos, como a enfermeira Macdonald foi em direção à porta. E, descendo as escadas, cada passo que dava era um trabalho em si e, pelo barulho estridente dos criados acordados, sabiam que ela estava vindo, muito antes de a avistarem.

Ninguém estava dormindo agora, havia luzes, sussurros e rostos pálidos nos corredores perto do quarto de Sir Hugh. Alguém entrou, agora, alguém saiu, mas todos abriram caminho para a enfermeira Macdonald que cuida do pai de Sir Hugh há mais de 80 anos.

A luz era suave e clara no cômodo. Lá estava Gabriel Ockram ao lado da cama de seu pai, lá se ajoelhou Evelyn Warburton, os cabelos caídos como uma sombra dourada sobre os ombros, e mãos juntas, nervosamente. Ao lado de Gabriel, uma enfermeira estava tentando fazer Sir Hugh beber. Mas ele não iria, embora seus lábios estivessem separados, seus dentes estavam firmes. Ele estava muito, muito magro e amarelo, seus olhos captavam a luz ao lado e estavam como carvões amarelos.

"Não o atormente", disse a enfermeira Macdonald à mulher que segurava o copo. "Deixe-me falar com ele, pois a hora dele chegou."

"Deixe-a falar com ele", disse Gabriel com uma voz monótona.

Então, a anciã se inclinou para o travesseiro e colocou o peso das penas de sua mão murcha, que era como uma mariposa marrom, sobre os dedos amarelos de Sir Hugh e falou com ele sinceramente, enquanto apenas Gabriel e Evelyn ficaram no cômodo para ouvir.

"Hugh Ockram", ela disse, "este é o fim de sua vida; e como eu o vi nascer e vi seu pai nascer diante de você, vim ver você morrer. Hugh Ockram, você vai me dizer a verdade?"

O Sorriso do Morto

O moribundo homem reconheceu a pequena voz distante que tinha conhecido toda a sua vida e lentamente, virou o rosto amarelo para a enfermeira Macdonald; mas ele não disse nada. Então, ela falou novamente.

"Hugh Ockram, você nunca mais verá a luz do dia. Você irá dizer a verdade?"

Seus olhos de sapo ainda não estavam monótonos. Eles se prenderam no rosto dela.

"O que você quer de mim?", ele perguntou, e cada palavra atingia o eco sobre a última. "Não tenho segredos. Eu vivi uma vida boa."

A enfermeira Macdonald riu - uma risada minúscula e fraca, que fez sua velha cabeça balançar e tremer um pouco, como se seu pescoço estivesse em uma mola de aço. Mas, os olhos de Sir Hugh ficaram vermelhos e seus lábios pálidos começaram torcer.

"Deixe-me morrer em paz", disse ele lentamente.

Mas, a enfermeira Macdonald balançou a cabeça e sua mão marrom, parecida com uma mariposa, deixou a dele e se agitou na testa dele.

"Pela mãe que te deu à luz e morreu de tristeza pelos pecados que você fez, diga-me a verdade!"

Os lábios de Sir Hugh se apertaram nos dentes descoloridos.

"Não na terra", ele respondeu lentamente.

"Pela esposa que deu à luz seu filho e morreu de coração partido, diga-me a verdade!"

"Nem para você na vida, nem para ela na morte eterna."

Seus lábios se contorceram, como se as palavras fossem brasas entre eles e uma grande gota de suor rolou pelo pergaminho de sua testa. Gabriel Ockram mordeu a mão enquanto observava o pai morrer. Mas, a enfermeira Macdonald falou pela terceira vez.

"Pela mulher que você traiu e que espera por você esta noite, Hugh Ockram, me diga a verdade!"

"É muito tarde. Deixe-me morrer em paz."

Os lábios retorcidos começaram a sorrir através dos dentes amarelos e os olhos de sapo brilhavam como joias malignas em sua cabeça.

"Há tempo", disse a mulher antiga. "Diga-me o nome do pai de Evelyn Warburton. Então, deixarei você morrer em paz."

Evelyn recuou, ajoelhada como estava, e encarou a enfermeira Macdonald e, depois, seu tio.

"O nome do pai de Evelyn?", ele repetiu lentamente, enquanto um sorriso terrível se espalhou por seu rosto moribundo.

A luz estava ficando estranhamente fraca no grande cômodo. Como Evelyn olhou, a sombra torta da enfermeira Macdonald na parede cresceu gigantesca. A respiração de Sir Hugh ficou grossa, sacudindo na garganta, quando a morte apareceu como uma cobra e a sufocou. Evelyn rezou em voz firme, alta e clara.

Então, algo bateu na janela e ela sentiu o cabelo subir sobre a cabeça em uma brisa fresca, enquanto olhava em volta, apesar de si mesma. Quando viu seu próprio rosto branco olhando pela janela e seus próprios olhos olhando através do vidro, largo e com medo, seu próprio cabelo escorrendo contra o painel, seus próprios lábios manchados de sangue, levantou-se lentamente do chão e ficou rígida por um momento, até que ela gritou uma vez e caiu direto nos braços de Gabriel. Mas, o grito que respondeu ao dela era o grito de medo do cadáver atormentado, do qual a alma não pode passar por vergonha de pecados mortais, embora os demônios lutem com corrupção, cada um pela sua parte devida.

Sir Hugh Ockram sentou-se no leito de morte e gritou em voz alta:

"Evelyn!", sua voz áspera quebrou e sacudiu em seu peito enquanto ele afundava. Mas, a enfermeira Macdonald ainda o torturou, pois ainda havia um pouco de vida nele.

"Você viu a mãe enquanto ela espera por você, Hugh Ockram. Quem era o pai da garota Evelyn? Qual era o nome dele?"

Pela última vez, o sorriso terrível apareceu nos lábios retorcidos, muito lentamente, com certeza, agora, os olhos de sapo brilhavam vermelhos, o rosto de pergaminho brilhava um pouco na luz tremeluzente. Pela última vez, as palavras vieram.

"Eles sabem disso no inferno."

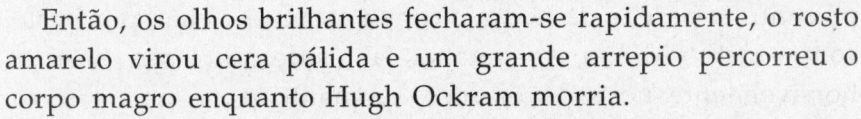

Então, os olhos brilhantes fecharam-se rapidamente, o rosto amarelo virou cera pálida e um grande arrepio percorreu o corpo magro enquanto Hugh Ockram morria.

Mas, na morte, ele ainda sorria, pois sabia o seu segredo e ainda o guardava do outro lado, levava consigo para deitar-se com ele, para sempre, no cofre norte da capela onde os Ockrams jazem sem esconderijos em suas mortalhas – todos, menos um. Embora estivesse morto, ele sorriu, pois havia guardado seu tesouro da verdade do mal até o fim, não havia mais ninguém para dizer o nome que havia falado, mas havia todo o mal que não foi desfeito para dar frutos.

Enquanto eles assistiam - a enfermeira Macdonald e Gabriel, que segurava Evelyn ainda inconsciente em seus braços enquanto olhava para o pai - eles sentiram o sorriso morto rastejando por seus próprios lábios - a velha idosa e o jovem com rosto do anjo. Depois, eles estremeceram um pouco, ambos olharam para Evelyn enquanto estava deitada com sua cabeça no ombro dele e, embora fosse muito bonita, o mesmo sorriso doentio também estava torcendo sua boca jovem, era como prenúncio de um grande mal que eles não podiam compreender.

Mas, pouco a pouco, eles levaram Evelyn para fora, ela abriu olhos e o sorriso se foi. Longe, na casa grande, o som de choro e cantarolar subiu as escadas e ecoou ao longo dos corredores sombrios, pois as mulheres começaram a lamentar o mestre morto, à moda irlandesa, e o salão teve ecos durante toda a noite, como o lamento distante da *banshee* entre árvores da floresta.

Quando chegou a hora, eles levaram Sir Hugh enrolado em seu lençol em um cavalete, levaram-no para a capela, através da porta de ferro e pela longa descida até a abóbada norte, com anilhas, para colocá-lo ao lado de seu pai. Dois homens foram os primeiros a preparar o lugar e voltaram cambaleando como homens bêbados, brancos, abandonando as lanternas.

Mas, Gabriel Ockram não tinha medo, pois sabia. Foi sozinho e viu que o corpo de Sir Vernon Ockram estava inclinado, de pé contra a parede de pedra e com a cabeça no chão por perto, com o rosto virado para cima, os lábios de couro seco sorriam horrivelmente no cadáver seco, enquanto o caixão de ferro, forrado com veludo preto, ficou aberto no chão.

Então, Gabriel pegou a coisa em suas mãos, pois era muito leve, sendo bastante seca pelo ar do cofre e aqueles que espiavam pela porta o viram deitar aquilo novamente no caixão, que enferrujou um pouco, como um feixe de palhetas, e soou oco ao tocar os lados e o fundo. Ele também colocou a cabeça sobre os ombros e fechou a tampa, que caiu com uma mola enferrujada e estalou.

Depois disso, colocaram Sir Hugh ao lado de seu pai, com o cavalete em que o trouxeram e voltaram para a capela.

Mas, quando eles viram os rostos de um e do outro, mestre e homens, estavam todos sorrindo com o sorriso morto do cadáver que havia sido deixado no cofre, até que eles não suportassem olhar um para o outro, isso se desvaneceu.

III

Gabriel Ockram tornou-se Sir Gabriel, herdando a baronia com a fortuna semiarruinada deixada por seu pai. Evelyn Warburton ainda morava no Ockram Hall, na sala sul que havia sido dela desde que se lembrava de qualquer coisa. Ela não podia ir longe, pois não havia parentes e, além disso, parecia não haver razão para não ficar. O mundo nunca se incomodaria, em se importar com o que os Ockrams faziam em suas propriedades irlandesas, e já fazia muito tempo que os Ockrams pediam qualquer coisa do mundo.

Então, Sir Gabriel tomou o lugar de seu pai na mesa velha e escura na sala de jantar, Evelyn sentou-se à frente dele, até que seu luto terminasse, e eles poderiam, enfim, se casar. Enquanto isso, suas vidas continuaram como antes, desde que Sir Hugh tinha se tornado um inválido, sem esperança durante o último ano de sua vida, eles o viam uma vez por dia, por um tempo, gastando a maior parte do tempo juntos em uma companhia estranhamente perfeita.

Mas, embora o final do verão tenha entrado no outono e o outono tenha escurecido no inverno, tempestade após tempestade, a chuva caia nos dias curtos e nas noites longas, no entanto, Ockram Hall parecia menos sombrio desde que Sir Hugh estava deitado no cofre ao lado de seu pai. Em Christmastide, Evelyn enfeitou o grande salão com azevinho e ramos verdes, enormes lareiras ardiam em todos os lares. Então, os moradores estavam todos convidados para o jantar de ano-novo, eles comeram e beberam bem, enquanto Sir Gabriel estava sentado à cabeceira da mesa. Evelyn entrou quando o vinho do porto foi trazido e o mais respeitado dos moradores fez um discurso para propor sua saúde.

Era muito tempo, disse ele, desde que havia uma Lady Ockram. Sir Gabriel sombreou seus olhos com a mão e olhou para a mesa, mas uma cor tênue entrou nas bochechas transparentes de Evelyn. Mas, disse o fazendeiro de cabelos grisalhos, já havia mais tempo desde que havia uma Lady Ockram tão justa como a próxima e ele deu a saúde de Evelyn Warburton.

Todos os moradores se levantaram e gritaram por ela, Sir Gabriel levantou-se da mesma forma, ao lado de Evelyn. E, quando os homens deram os últimos e mais altos aplausos de tudo, havia uma voz que não era deles, acima de todos, mais alta, mais feroz - um grito não terrestre, gritando para a noiva do Ockram Hall. E o azevinho e o ramos verdes sobre a grande chaminé balançavam e, lentamente, acenaram como se uma brisa fresca estivesse soprando sobre eles. Os homens empalideceram e muitos deles pousaram os copos, outros, por medo, os deixaram cair no chão. Olhando para os rostos uns dos outros, todos eles estavam sorrindo estranhamente, um sorriso morto, como o morto de Sir Hugh. Um gritou palavras em irlandês e o medo da morte repentinamente caiu sobre todos, de modo que eles fugiram em pânico, caindo uns sobre os outros como bestas selvagens na floresta em chamas, quando a fumaça espessa corre diante da chama; as mesas estavam desarrumadas, copos e garrafas foram quebrados aos montes e o vinho tinto escuro rastejava como sangue sobre o polido chão.

Sir Gabriel e Evelyn estavam sozinhos na cabeceira da mesa antes do naufrágio do banquete, não ousando se virar para olhar um ao outro, pois cada um sabia que o outro sorria. Mas, o braço direito dele a segurou e a mão esquerda dele agarrou-a à direita, enquanto os encaravam; e, a não ser pelas sombras dos cabelos, não se poderia contar dois rostos separados. Eles ouviram por muito tempo, mas o choro não voltou mais, o sorriso morto desapareceu de seus lábios, enquanto cada um se lembrava de que Sir Hugh Ockram jazia no cofre norte, sorrindo no escuro, porque ele havia morrido com seu segredo.

Assim terminou o jantar de ano-novo dos moradores. Mas, a partir desse momento, Sir Gabriel ficou cada vez mais silencioso, seu rosto se tornou ainda mais pálido e mais fino que antes. Muitas vezes, sem aviso e sem palavras, ele se levantava, como se algo se mexesse contra sua vontade, e saia na chuva ou no pôr do sol ao lado norte da capela e sentava na pedra banca, olhando para o chão como se pudesse ver através dele, através do cofre abaixo, através do enrolamento branco no escuro, para o sorriso morto que não morria.

Sempre que saía dessa maneira, Evelyn saía presentemente e se sentava ao lado dele. Uma vez, também, como no verão, seus belos rostos, de repente, se aproximaram, suas pálpebras caíram, e seus lábios vermelhos estavam quase unidos. Mas, quando seus olhos se encontraram, eles se arregalaram, de modo que o branco mostrou em um anel ao redor do violeta profundo, seus dentes batiam, suas mãos eram como mãos de cadáveres, um no outro, pelo terror do que estava sob seus pés, do que eles sabiam, mas não podiam ver.

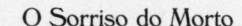

Certa vez, Evelyn encontrou Sir Gabriel sozinho na capela, diante da porta de ferro que levava ao local da morte, na mão havia a chave da porta; mas, ele não tinha colocado na fechadura. Evelyn o afastou, tremendo, pois ela também tinha sido levada a acordar em seus sonhos para ver aquela coisa terrível novamente, para descobrir se havia mudado desde que havia estado há.

"Estou ficando louco", disse Sir Gabriel, cobrindo os olhos com a mão assim como ela. "Eu vejo isso no meu sono, eu vejo quando estou acordado - isso me atrai dia e noite – e, a menos que o veja, vou morrer!"

"Eu sei", respondeu Evelyn, "Eu sei. É como se os fios estivessem vindo dela, como de uma aranha, nos levando a ela." Ela ficou em silêncio por um momento e, então, violentamente, agarrou seu braço com a força de um homem e quase gritou as palavras que falou. "Mas não devemos ir lá!", ela chorou. "Não devemos ir!"

Os olhos de Sir Gabriel estavam semicerrados e ele não foi movido pela agonia do rosto dela.

"Eu vou morrer, a menos que eu veja de novo", disse ele, em voz baixa, não como a dele. E, durante todo o dia e naquela noite, ele mal falou, pensando nisso, sempre pensando, enquanto Evelyn Warburton tremia da cabeça aos pés com um terror que nunca havia conhecido.

Ela foi sozinha, numa manhã cinzenta de inverno, para o quarto da enfermeira Macdonald, na torre, e sentou-se ao lado da grande poltrona de couro, colocando sua fina mão branca sobre os dedos murchos.

"Enfermeira", ela disse, "o que o tio Hugh deveria ter dito naquela noite antes de ele morrer? Deve ter sido um terrível segredo - e, no entanto, embora você tenha perguntado a ele, sinto que, de alguma forma, você conheça e saiba por que ele costumava sorrir tão terrivelmente."

A cabeça da velha se moveu lentamente de um lado para o outro.

"Eu acho - que nunca vou saber", ela respondeu lentamente. sua voz embargada.

"Mas, o que você acha? Quem sou eu? Por que você perguntou quem era meu pai? Você sabe que sou filha do coronel Warburton e que minha mãe era irmã de Lady Ockram, de modo que Gabriel e eu somos primos. Meu pai foi morto no Afeganistão. Que segredo poderia haver?"

"Eu não sei. Só posso adivinhar."

"Adivinhar o quê?", perguntou Evelyn implorando e pressionando as suaves mãos murchas, enquanto ela se inclinava para frente. Mas, as pálpebras enrugadas da enfermeira Macdonald caíram repentinamente sobre seus estranhos olhos azuis, seus lábios tremiam um pouco com a respiração, como se estivesse dormindo.

Evelyn esperou. A lareira que a criada irlandesa queimava rápido e as fagulhas clicaram como três ou quatro relógios ticando um contra o outro. O relógio real, na parede, marcava solenemente sozinho, marcando os segundos da mulher que tinha 100 anos de idade e não tinha muitos dias restantes. Lá fora, o ramo da hera bateu na janela como uma explosão de inverno, como havia batido contra o vidro 100 anos atrás.

Então, enquanto Evelyn estava sentada lá, sentiu novamente o despertar de um horrível desejo - o desejo doentio de descer até a coisa na abóbada norte para abrir o enrolamento e ver se tinha mudado; ela segurou as mãos da enfermeira Macdonald como se para manter-se em seu lugar e lutar contra a atração terrível dos mortos do mal.

Mas, o velho gato que mantinha os pés da enfermeira Macdonald aquecidos, deitado sempre no banquinho, levantou-se e esticou-se, olhou nos olhos de Evelyn enquanto suas costas arqueavam e sua cauda engrossou e se arrepiou, seus feios lábios rosados se afastaram em um sorriso diabólico, mostrando os dentes afiados. Evelyn olhou para ele, meio fascinada por sua feiura. Então, a criatura, repentinamente, colocou uma pata com todas as suas garras abertas e cuspiu na menina. Tudo o que, uma vez, foi um gato risonho, estava como o cadáver sorridente lá embaixo, de modo que Evelyn estremeceu até seus pequenos pés e cobriu seu rosto com a mão livre, para que a enfermeira Macdonald não acordasse e olhasse o sorriso morto ali, pois ela podia sentir.

A velha já tinha aberto os olhos novamente e tocou seu gato com a ponta de sua bengala, após isso, as costas desceram, o rabo encolheu e voltou ao seu lugar no escabelo do saco. Mas, seus olhos amarelos olhavam de lado para Evelyn, entre as fendas de suas tampas.

"O que você acha, enfermeira?", perguntou a jovem novamente.

"Uma coisa má - uma coisa má. Mas, eu não ouso te dizer por que pode não ser verdade e o próprio pensamento deve explodir sua vida. Pois, se eu entendi bem, ele quis dizer que vocês não deveriam saber, que vocês dois deveriam se casar e pagar por seu antigo pecado com suas almas."

"Ele costumava nos dizer que não devemos nos casar ..."

"Sim - ele disse isso, talvez - mas era como se um homem colocasse carne envenenada diante de uma fera faminta e dissesse 'não coma', mas nunca levantasse a mão para tirar a carne. E se ele dissesse que você não deveria se casar, era porque esperava que você o fizesse; para todos os homens vivos ou mortos, Hugh Ockram era o homem mais falso que já contou uma mentira covarde, a mais cruel que já machucou uma mulher fraca e a pior que já amou um pecado."

"Mas, Gabriel e eu nos amamos", disse Evelyn, muito triste.

Os velhos olhos da enfermeira Macdonald olharam para longe, para lembranças vistas há muito tempo e que surgiram no ar cinzento do inverno em meio às nevoas de uma juventude antiga.

"Se você ama, pode morrer junto", disse ela, muito lentamente. "Por que você deveria viver, se isso é verdade? Eu tenho 100 anos de idade. O que a vida tem me dado? O começo é fogo; o fim é um monte de cinzas; e entre o fim e o começo está toda a dor do mundo. Deixe-me dormir, já que não posso morrer."

Então, os olhos da velha se fecharam novamente e sua cabeça afundou um pouco mais abaixo do peito.

Evelyn foi embora e a deixou dormindo, com o gato dormindo no escabelo do saco; a jovem tentou esquecer as palavras da enfermeira Macdonald, mas não pôde, pois as ouviu e ouviu ao vento e atrás dela, nas escadas. E, como ficou doente com um medo do terrível mal desconhecido ao qual sua alma estava presa, ela sentiu algo corporal pressionando-a, empurrando-a, forçando-a, e do outro lado sentiu os fios que a atraíram misteriosamente: quando fechou seus olhos, viu na capela atrás do altar, a porta baixa de ferro através da qual deveria passar para ir à coisa.

Enquanto ela ficava acordada, à noite, cobria o rosto com o lençol para que não visse sombras na parede acenando para ela; o som de sua própria respiração quente fazia sussurros em suas orelhas, enquanto segurava o colchão com as mãos, para evitar se levantar e ir para a capela. Teria sido mais fácil se não houvesse um caminho pela biblioteca, por uma porta que nunca foi trancada. Seria terrivelmente fácil levar sua vela e percorrer suavemente a casa de dormir. E a chave do cofre estava embaixo do altar, atrás de uma pedra que girava. Ela sabia o pequeno segredo. Ela poderia ir sozinha e ver.

Mas, quando ela pensou nisso, sentiu o cabelo subir na cabeça e, primeiro, estremeceu, fazendo a cama tremer, depois, o horror passou por ela em uma emoção fria que era agonia novamente, como miríades de agulhas geladas perfurando seus nervos.

IV

O velho relógio na torre da enfermeira Macdonald bateu meia-noite. De seu quarto, ela podia ouvir as correntes e pesos rangendo em sua caixa no canto da escada, acima do estrondo da alavanca enferrujada que levantava o martelo. Ela ouvira isso a vida inteira. Acertou onze golpes claramente e depois veio o décimo segundo, com meio golpe, como se o martelo estivesse cansado demais para ir e adormecera contra a campainha.

O velho gato levantou-se do banquinho e se esticou, a enfermeira Macdonald abriu os olhos antigos e olhou devagar em volta da sala pela luz fraca da lâmpada da noite. Ela tocou o gato com sua bengala, ele se deitou sobre seus pés. Ela bebeu algumas gotas da xícara e voltou a dormir.

Mas, no andar de baixo, Sir Gabriel sentou-se ereto quando o relógio bateu, pois tinha sonhado um terrível sonho de horror e seu coração ficou parado, até que acordou com a parada e bateu novamente, furiosamente, com sua respiração, como uma coisa selvagem libertada. Nenhum Ockram jamais conheceu o medo acordado, mas, às vezes, ele chegava a Sir Gabriel enquanto dormia.

Ele apertou as mãos nas têmporas quando se sentou na cama, suas mãos estavam geladas, mas sua cabeça estava quente. O sonho desapareceu logo e, em seu lugar, veio o pensamento principal que atormentava sua vida; com o pensamento também veio a torção doentia de seus lábios no escuro, isso seria um sorriso. Longe, Evelyn Warburton sonhou que o sorriso morto estava em sua boca, acordou, começando com um pequeno gemido, com o rosto nas mãos, tremendo.

Mas, Sir Gabriel acendeu uma luz, levantou e começou a andar subindo e descendo em sua grande sala. Era meia-noite e ele mal havia dormido uma hora e, no norte da Irlanda, as noites de inverno são longas.

"Vou enlouquecer", disse a si mesmo, segurando sua testa. Ele sabia que era verdade. Durante semanas e meses, a posse da coisa cresceu sobre ele como uma doença, até que não pudesse pensar em nada sem pensar nisso primeiro. E, agora, de uma só vez, isso superou sua força e ele sabia que deveria ser seu instrumento ou perderia a cabeça - que deveria fazer a ação que odiava e temia, se pudesse temer alguma coisa, ou aquilo romperia seu cérebro e dividiria a vida enquanto e ainda ele estivesse vivo. Ele pegou o castiçal, o castiçal pesado, à moda antiga, que sempre fora usado pelo chefe da casa. Ele não pensou em se vestir, foi como estava, em suas roupas de seda da noite e seus chinelos, abriu a porta. Tudo ainda havia acontecido na grande casa velha. Ele fechou a porta e caminhou, silenciosamente, no tapete pelo longo corredor. Uma brisa fresca soprou sobre seu ombro e soprou a chama de sua vela diretamente para fora dele. Instintivamente, ele parou e olhou ao redor, mas tudo estava quieto e a chama vertical queimava constantemente. Ele seguiu em frente e, instantaneamente, uma forte corrente de ar estava atrás dele, quase extinguindo a luz. Pareceu golpeá-lo à sua maneira, cessando sempre quando se virava, voltando novamente quando ele seguia - invisível, gelada.

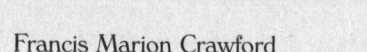

Desceu a grande escada para o salão de eco que havia ido, vendo nada além da chama flamejante da vela afastada sobre a sarjeta encerada, enquanto o vento frio soprava sobre seu ombro e pelos seus cabelos. Na porta aberta, ele passou para a biblioteca escura, com livros antigos e estantes esculpidas; na porta, nas prateleiras, com prateleiras pintadas e nas costas imitadas dos livros, para que se soubesse onde encontrá-lo - e ela se fechou atrás dele com um clique suave. Ele entrou na passagem em arco e, embora a porta estivesse fechada atrás dele e encaixada firmemente em sua estrutura, ainda a brisa fria soprava a chama para a frente enquanto caminhava. E ele não tinha medo; mas seu rosto estava muito pálido, seus olhos estavam arregalados e brilhantes, olhando para ele, vendo já no ar escuro a imagem da coisa além. Mas, na capela, ficou parado, com a mão na pedrinha giratória na parte da tábua de trás do altar de pedra. Na tábua, foram gravadas as palavras: *"Clavis sepulchri Clarissimorum Dominorum De Ockram"* ("A chave do cofre dos senhores mais ilustres de Ockram"). Sir Gabriel parou e ouviu. Ele imaginou ouvir um som longe na grande casa onde tudo estava tão quieto, mas isso não voltou a acontecer. No entanto, esperou até o final, e olhou para baixo, para a porta de ferro. Além disso, caminhou pela longa descendência, estava seu pai, sem ferimentos, seis meses morto, corrupto, terrível em seu grudento invólucro. O estranho ar preservado do cofre ainda não poderia ter feito seu trabalho completamente. Mas, nas feições horríveis da coisa, com seus olhos semisecos e abertos, ainda haveria um sorriso assustador com que o homem havia morrido - o sorriso que assombrava.

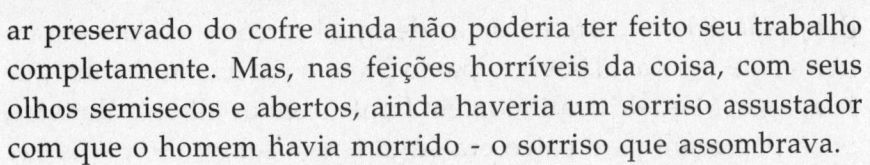

Quando o pensamento passou pela mente de Sir Gabriel, sentiu seus lábios contorcendo-se, golpeou sua própria boca em ira com as costas de sua mão com tanta força que uma gota de sangue escorreu por seu queixo, e outro, e mais, voltando à escuridão sobre a calçada da capela. Mas, ainda seus lábios machucados se torceram. Ele virou a tábua pelo segredo simples. Não precisava de um fecho mais seguro, pois se cada Ockram estivesse em um caixão em puro ouro e a porta aberta, não havia homem em Tyrone corajoso o suficiente para descer até aquele lugar, salvo o próprio Gabriel Ockram, com seu rosto de anjo e suas mãos finas e brancas, seus tristes e inflexíveis olhos. Ele pegou a grande chave antiga e a colocou na fechadura da porta de ferro; o barulho pesado e estridente ecoou na descida além de passos, como se um observador estivesse atrás do ferro e estivesse fugindo por dentro, com pesados pés mortos. Embora estivesse parado, o vento frio vinha de trás dele e soprava a chama da vela contra o painel de ferro. Ele virou a chave.

Sir Gabriel viu que sua vela era curta. Havia novas no altar, com longos castiçais, ele acendeu um e deixou sua própria vela queimando no chão. Quando estava na calçada, seu lábio começou a sangrar novamente e outra gota caiu sobre as pedras.

Ele abriu a porta de ferro e a empurrou contra a parede da capela, para que não se fechasse enquanto estivesse dentro; e uma horrível corrente de ar surgiu das profundezas do sepulcro em seu rosto, sujo e escuro. Ele entrou e o ar fétido o encontrou, mas a chama da vela alta foi soprada direto dele contra o vento, enquanto descia a fácil inclinação com passos firmes, seus chinelos soltos batendo na calçada enquanto ele pisava.

Ele sombreava a vela com a mão e seus dedos pareciam ser feitos de cera e sangue enquanto a luz brilhava através deles.

E, apesar dele, a corrente de ar desigual forçou a chama para a frente, até ficar azul sobre o pavio preto e parecia que tinha que se apagar. Mas, ele continuou em frente, com os olhos brilhantes.

A passagem para baixo era larga e nem sempre se podia ver as paredes pela lutadora luz, mas ele sabia quando estava no lugar da morte pelo eco maior e mais sombrio de seus passos no espaço maior e pela sensação de uma parede em branco, distante. Ele ficou parado, quase apagando a chama da vela no oco de sua mão. Ele podia ver um pouco, pois seus olhos estavam crescendo, acostumados com a melancolia. Formas sombrias foram delineadas na penumbra onde os caixões dos Ockram estavam juntos, lado a lado, cada um com seu cadáver reto e envolto, estranhamente preservado pelo ar seco, como a concha vazia que o gafanhoto deixa no verão. E, alguns passos a diante, ele viu, claramente, a forma escura do caixão de ferro sem cabeça de Sir Vernon, e sabia que era o mais próximo deitado perto da coisa que procurava.

Ele era tão corajoso quanto qualquer um desses homens mortos, eles eram seus pais e sabia que, mais cedo ou mais tarde, ele mesmo deveria deitar-se, ao lado de Sir Hugh, secando lentamente em uma concha num pergaminho. Mas, ainda estava vivo e fechou os olhos por um momento, três grandes gotas caíram sobre sua testa.

Então, ele olhou novamente e pela brancura do pano enrolado conhecia o cadáver de seu pai, pois todos os outros estavam amarelados pela idade; e, além disso, a chama da vela foi soprada em direção a ele. Ele deu quatro passos até alcançá-lo e, de repente, a luz ardia reta e alta, derramando um amarelo deslumbrante para o linho fino, todo branco, exceto no rosto e onde as mãos unidas foram colocadas sobre o peito. E, naqueles lugares em que manchas feias se espalharam, escurecidas com os ferimentos característicos dos dedos bem fechados. Houve um terrível cheiro de morte seca.

Quando Sir Gabriel olhou para baixo, algo se mexeu atrás dele, suavemente, a princípio, depois, mais ruidosamente, e algo caiu no chão com um baque surdo e rolou até seu pé; ele voltou e viu uma cabeça murcha, quase deitada com o rosto para cima na calçada, sorrindo para ele. Ele sentiu o suor frio em seu rosto e seu coração batia dolorosamente.

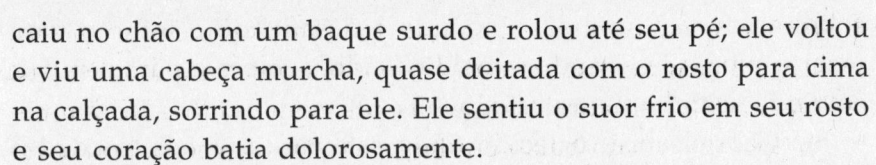

Pela primeira vez em toda a sua vida, aquela coisa má que os homens chamam de medo estava se apoderando dele, verificando seus batimentos cardíacos como um cruel cuidador verifica um cavalo trêmulo, arranhando sua espinha dorsal com mãos geladas, erguendo os cabelos com um hálito gelado, subindo e reunindo em sua barriga com peso de chumbo.

No entanto, naquele momento, mordeu o lábio e se inclinou, segurando a vela em uma mão para levantar a mortalha para trás da cabeça do cadáver com a outra. Lentamente, ele a levantou. Em seguida, ele cravou na pele meio seca do rosto e sua mão tremeu como se alguém o tivesse atingido no cotovelo, mas, metade com medo e metade com raiva de si mesmo, ele a puxou, de modo que saiu com um pequeno som de rasgar. Ele prendeu a respiração enquanto a segurava, ainda não tinha jogado de volta e ainda não tinha olhado. O horror estava trabalhando nele e sentiu que aquele velho Vernon Ockram estava de pé em seu caixão de ferro, sem cabeça, ainda observando-o com o toco do pescoço decepado.

Enquanto prendia a respiração, sentiu o sorriso morto retorcendo-se em seus lábios. Em súbita ira contra sua própria miséria, jogou os linhos da morte para trás e, finalmente, olhou. Ele rangeu os dentes para que não gritasse alto.

Ali estava, aquilo que o assombrava, que assombrava Evelyn Warburton, como uma praga em tudo o que se aproximava dele.

O rosto morto estava coberto de manchas escuras e os cabelos finos e acinzentados estavam emaranhados na testa descolorida. As pálpebras afundadas estavam meio abertas e a luz da vela brilhava em algo sujo onde os olhos do sapo moravam.

Mas, no entanto, a coisa morta sorria, como sorrira na vida; os lábios medonhos foram abertos, desenhados largos e apertados sobre os dentes lupinos, xingando e desafiando o inferno para fazer o pior - desafiando, amaldiçoando, sempre e para sempre, sorrindo sozinho na escuridão.

Sir Gabriel abriu o tecido onde estavam as mãos, os dedos enegrecidos e secos estavam fechados sobre algo manchado e mofado. Tremendo da cabeça aos pés, mas lutando como um homem em agonia por sua vida, tentou pegar o pacote em poder do morto. Mas, quando puxou, os dedos em forma de garra pareceram fechar com mais força e, quando puxou com mais força, as mãos e braços encolhidos ergueram-se do cadáver com uma horrível aparência de vida após o seu movimento - então, quando ele arrancou o pacote selado, por fim, as mãos voltaram ao seu lugar ainda dobradas.

Ele pousou a vela na borda do esquife para quebrar o selo do papel robusto. E, apoiado em um joelho, para obter uma iluminação melhor, leu o que estava dentro, escrito há muito tempo na mão estranha de Sir Hugh.

Ele não estava mais com medo.

Ele leu como Sir Hugh havia escrito tudo para que pudesse, porventura, ser testemunha do mal e de seu ódio; como ele amou Evelyn Warburton, irmã de sua esposa; e como sua esposa morreu com um coração partido com sua maldição sobre ela, como Warburton e ele lutaram, lado a lado, no Afeganistão, e Warburton havia caído; mas Ockram trouxe a esposa de seu camarada de volta um ano inteiro mais tarde, e a pequena Evelyn, sua filha, nascera em Ockram Hall. E depois, como ele se cansara da mãe, ela morrera como a irmã, com a maldição dele. E então, como Evelyn havia sido criada como sobrinha, como confiava que seu filho Gabriel e sua filha, inocentes e desconhecidos, poderiam se amar e casar, e as almas das mulheres que ele traiu podiam sofrer outra angústia antes que a eternidade acabasse. E, finalmente, ele esperava que, algum dia, quando nada pudesse ser desfeito, os dois pudessem encontrar sua escrita e viver, não ousando dizer a verdade para o amor de seus filhos e a palavra do mundo, homem e mulher.

O Sorriso do Morto

Isso ele leu, ajoelhado ao lado do cadáver no cofre norte, a luz da vela do altar; quando leu tudo, ele agradeceu a Deus, em voz alta, por ter encontrado o segredo a tempo. Mas, quando se levantou e olhou para o rosto do morto, havia mudado, o sorriso desapareceu para sempre, a mandíbula havia caído um pouco e os lábios cansados e mortos estavam relaxados. Depois, houve um suspiro atrás e perto dele, não frio como aquilo que soprou a chama da vela quando veio, mas quente e humano. Ele se virou, de repente.

Lá estava ela, toda de branco, com seus cabelos dourados sombrios - pois ela se levantou da cama e o seguiu silenciosamente, o encontrou lendo e ela mesma leu sobre seu ombro. Ele se virou, violentamente, quando a viu, pelos seus músculos sem força – e, então, ele gritou o nome dela no lugar imóvel de morte:

"Evelyn!"

'Meu irmão!", ela respondeu suave e ternamente, colocando ambas as mãos para encontrar as dele.

O Leito Superior
por Francis Marion Crawford

I

ALGUÉM pediu os charutos. Conversamos muito e a conversa estava começando a definhar; a fumaça do tabaco havia entrado nas pesadas cortinas, o vinho naqueles cérebros estava sujeito a ficar pesado e já era perfeitamente evidente que, a menos que alguém fizesse algo para despertar nossos espíritos oprimidos, a reunião chegaria, em breve, a sua conclusão natural e nós, os convidados, iríamos, rapidamente, para casa e para cama, certamente dormiríamos. Ninguém tinha dito algo muito notável; pode ser que ninguém tenha nada muito notável a dizer. Jones nos deu todos os detalhes de sua última aventura de caça em Yorkshire. Sr. Tompkins, de Boston, explicou, detalhadamente, seus princípios de trabalho, a devida e cuidadosa manutenção que Atchison, Topeka e a Ferrovia Santa Fé não apenas ampliavam seu território, aumentavam sua influência departamental e transportavam gado vivo sem os matar de fome antes do dia da entrega final, mas, também, durante anos, conseguiu enganar aqueles passageiros que compravam suas passagens na crença falaciosa de que a corporação supracitada era realmente capaz de transportar a vida humana sem destruí-la. O senhor Tombola se esforçou para nos convencer, por argumentos aos quais não tivemos dificuldade em nos opor, de que a unidade de seu país, de forma alguma, se assemelhava à média de torpedos modernos, cuidadosamente planejada, construída com toda a habilidade dos maiores arsenais europeus, mas, quando construídos, destinados a serem direcionados por mãos fracas em uma região onde, sem dúvida, deve explodir, invisível, sem medo e inédito, nos resíduos ilimitados de caos político.

Não é necessário entrar em mais detalhes. A conversa tinha assumido proporções que teriam entediado Prometeu em sua rocha, o que levaria Tântalo à distração e que teria levado Ixion a procurar relaxamento nos diálogos simples, mas instrutivos de Herr Ollendorff, em vez de se submeter ao grande mal de ouvir nossa conversa. Nós sentamos na mesa por horas; estávamos entediados, cansados e ninguém mostrou sinais de movimento.

Alguém pediu charutos. Todos nós, instintivamente, olhamos para o falante. Brisbane era um homem de 35 anos de idade, notável pelas características que atraem, principalmente, a atenção de homens. Ele era um homem forte. As proporções externas de sua figura não apresentavam nada de extraordinário aos olhos, embora seu tamanho estivesse dentro da média. Ele tinha pouco mais de 1,8m de altura e, moderadamente, largo no ombro; não fazia parecer ser robusto, mas, por outro lado, certamente não estava fino; a cabeça pequena era apoiada por um pescoço forte e musculoso; suas mãos largas e fortes pareciam possuir uma habilidade peculiar em quebrar nozes sem a ajuda do quebrador comum e, vendo-o de perfil, não se podia deixar de comentar o largura extraordinária de seus braços e espessura incomum de seu peito. Ele era um daqueles homens que são, comumente, chamados de enganadores entre outros homens; isto é, embora parecesse extremamente forte, ele era, na realidade, muito mais forte do que parecia. Das características dele, preciso dizer pouco. Sua cabeça é pequena, seu cabelo é fino, os olhos são azuis, o nariz é grande, tem um pequeno bigode e uma mandíbula quadrada. Todo mundo conhece Brisbane e, quando pediu um charuto, todo mundo olhou para ele.

"É uma coisa muito singular", disse Brisbane.

Todo mundo parou de falar. A voz de Brisbane não era alta, mas possuía uma qualidade peculiar penetrante na conversa geral e era

O Leito Superior

cortante como uma faca. Todo mundo ouviu. Brisbane, percebendo que havia atraído a atenção geral, acendeu seu charuto com grande equanimidade.

"É muito singular", continuou ele, "aquela coisa sobre fantasmas. As pessoas têm sempre se perguntado se alguém viu um fantasma. Eu tenho."

"Nossa! O que, você? Você não quis dizer isso, Brisbane? Bem, para um homem de sua inteligência!"

Um coro de exclamações concordou com a declaração de Brisbane. Todo mundo pedia charutos e Stubbs, o mordomo, de repente, apareceu das profundezas do nada com uma garrafa nova de champanhe seco. A situação foi salva; Brisbane estava indo contar uma história.

Sou um velho marinheiro, disse Brisbane, e como tenho que atravessar a Atlântico, muitas vezes, tenho minhas manias. A maioria dos homens tem suas manias. Eu vi um homem esperar em um bar da Broadway por três quartos de uma hora por um carro de que ele gostava. Acredito que o guarda do bar ganhava, pelo menos, um terço da sua vida com aquelas preferências dos homens. Tenho o hábito de esperar por alguns navios quando sou obrigado a atravessar aquele lago de patos. Pode ser um preconceito, mas nunca me enganei a respeito de uma boa travessia, a não ser uma vez na minha vida. Eu me lembro muito bem; era uma manhã quente em junho e os funcionários da Alfândega, que estavam esperando um navio a caminho da quarentena, apresentavam uma aparência peculiarmente nebulosa e pensativa. Eu não tinha muita bagagem - nunca tenho. Eu me misturei com uma multidão de passageiros, carregadores e indivíduos oficiais em casacos azuis e botões de latão, que pareciam brotar como cogumelos do convés de um navio atracado para impor seus serviços desnecessários sobre os passageiros independentes. Eu sempre notei com certo interesse a evolução espontânea desses companheiros. Eles não estão lá quando você chega; cinco minutos depois que o piloto grita "Vá adiante!", eles, ou pelo menos seus casacos azuis e botões de latão, desaparecem do convés e do corredor como que completamente, como se eles fossem enviados para o armário que tradição, por unanimidade, atribui a Davy Jones. Mas, no momento de começar, eles estão lá, barbeados, revestidos de azul e famintos por gorjetas. Eu me apressei a bordo. A *Kamtschatka* foi um dos meus navios favoritos. Digo foi, porque ela, enfaticamente, não é mais. Não consigo conceber qualquer incentivo que poderia me seduzir a fazer outra viagem nela. Sim, eu sei o que você vai dizer. Ela é excepcionalmente limpa na popa, tem blefe suficiente nos arcos para mantê-la seca e os beliches inferiores são, em sua maioria, duplos. Ela tem muitas vantagens, mas eu não vou cruzar nela novamente. Desculpe a digressão. Eu subi a bordo. Eu aclamava um mordomo cujo nariz vermelho e bigodes mais vermelhos eram igualmente familiares para mim.

"Cento e cinco, cama inferior", disse, no aspecto comercial, de tom peculiar, aos homens que pensam mais em tomar um coquetel de uísque no centro de Delmonico do que em atravessar o Atlântico.

O mordomo levou meu sobretudo, mala e alcatifa. Eu nunca devo esquecer a expressão de seu rosto. Não que ele tenha empalidecido. É mantido pelos mais eminentes teólogos que até milagres não podem mudar o curso da natureza. Não hesito em dizer que ele não empalideceu; mas, pela expressão dele, eu julguei que estava prestes a derramar lágrimas, espirrar ou deixar cair minha mala. Como esta última continha duas garrafas de bom e velho xerez, apresentados a mim para minha viagem pelo meu velho amigo Snigginson van Pickyns, fiquei extremamente nervoso. Mas, o mordomo não fez nenhuma dessas coisas.

"Bem, eu estou d-----d...", disse ele em voz baixa e liderou o caminho. Supus que meu Hermes, como me levou para as regiões mais baixas, tivesse ficado meio grogue, mas não disse nada e o segui. 105 era do lado da porta, bem na popa. Não havia nada notável sobre a cabine. A cabine inferior, como a maioria das cabines da *Kamtschatka*, tinha beliches. Havia muito espaço; os aparelhos de lavagem usuais, calculados para transmitir uma ideia de luxo para a mente de um índio norte-americano; havia as usuais prateleiras ineficientes madeira marrom, nas quais é mais fácil pendurar um guarda-chuva de tamanho grande do que a escova de dentes. Sobre os colchões pouco convidativos estavam, cuidadosamente dobrados juntos, aqueles cobertores que um grande humorista moderno, apropriadamente, comparou com bolos de trigo sarraceno frios. A questão das toalhas era deixada inteiramente para a imaginação. As garrafas de vidro eram preenchidas com um líquido transparente, levemente tingido de marrom, com um odor tênue, mas não mais agradável, que ascendia às narinas como uma reminiscência remota de maquinaria oleosa. Cortinas de cores tristes entreabriam a parte superior. Junho nebuloso, à luz do dia, lançava uma fraca iluminação sobre a pequena cena desolada. Ugh! Como eu odeio aquela cabine!

O mordomo depositou meus pertences e olhou para mim como se quisesse fugir – provavelmente, em busca de mais passageiros e mais gorjetas. É sempre um bom plano começar em favor desses funcionários, e, portanto, dei-lhe certas moedas lá e depois.

"Vou tentar deixar você confortável o máximo que puder", comentou ele, colocando as moedas no bolso. No entanto, houve uma entonação dúbia em sua voz que me surpreendeu. Possivelmente, sua escala de gorjetas subiu e ele não ficou satisfeito; mas, no geral, estava inclinado a pensar que, como ele próprio teria expressado isso, ele era "o melhor para um copo". Eu estava errado, no entanto, e fiz a injustiça do homem.

II

Nada especialmente digno de menção ocorreu durante aquele dia. Saímos pontualmente do píer e foi muito agradável estar bastante adiantado, pois o tempo estava quente e sensual e o movimento do navio produzia uma brisa refrescante. Todo mundo sabe que o primeiro dia no mar é gostoso. As pessoas andam pelos decks, se entreolham e, ocasionalmente, encontram conhecidos que eles não sabiam estar a bordo. Existe a incerteza usual sobre se os alimentos serão bons, ruins ou indiferentes, até que as duas primeiras refeições coloquem a questão além de qualquer dúvida; existe a incerteza usual sobre o tempo, até que o navio esteja bastante fora da Ilha do Fogo. As mesas estão lotadas, à princípio, e, depois, subitamente esvaziam-se. Pessoas pálidas saltam de seus assentos e precipitam-se em direção à porta e cada velho marinheiro respira mais livremente enquanto seu enjoado vizinho corre do seu lado, deixando muito espaço para os cotovelos e um comando ilimitado sobre a mostarda.

 Uma travessia do Atlântico é muito parecida com outra e nós, que atravessamos com muita frequência, não fazemos a viagem por causa da novidade. Baleias e icebergs são, de fato, sempre objetos de interesse, mas, afinal, uma baleia é muito parecida com outra baleia e, raramente, se vê um iceberg de perto. Para a maioria de nós, o momento mais delicioso do dia a bordo de um navio é quando tomamos a última vez no convés, fumamos nosso último charuto e, tendo conseguido nos cansar, sintamo-nos em liberdade para nos retirar com a consciência limpa. Naquela primeira noite da viagem, senti-me particularmente preguiçoso e fui para a cama no 105 bem mais cedo do que costumo fazer. Quando entrei, fiquei surpreso ao ver que deveria ter um companheiro. Uma mala muito parecida com o minha estava no canto oposto e na cama superior havia sido depositado um tapete cuidadosamente dobrado, com uma vara e guarda-chuva. Eu esperava ficar sozinho e fiquei desapontado; mas eu me perguntava quem seria meu colega de quarto e eu decidi dar uma olhada nele.

 Antes que eu estivesse na cama, ele entrou. Ele era, tanto quanto eu podia ver, um homem muito alto, muito magro, muito pálido, com cabelos cor de areia e bigodes e olhos cinzentos incolores. Ele tinha sobre ele, pensei, um ar de moda bastante duvidosa; o tipo de homem que você pode ver em Wall Street sem ser capaz de dizer exatamente o que ele estava fazendo lá - o tipo de homem que frequenta o Café Anglais, que sempre parece estar sozinho e que bebe champanhe; você pode encontrá-lo em uma pista de corridas, mas ele nunca parece estar fazendo alguma coisa lá também. Um pouco

O Leito Superior

vestido demais – um pouco estranho. Existem três ou quatro de seu tipo em todos os navios nos oceanos. Decidi que não queria fazer amizade e fui dormir dizendo para mim mesmo que estudaria seus hábitos para evitá-lo. Se ele acordasse cedo, me levantaria tarde; se ele fosse dormir tarde, iria dormir cedo. Eu não queria saber dele. Se você conhece pessoas desse tipo, elas estão sempre aparecendo. Pobre camarada! Eu nem precisei tomar tantas decisões sobre ele, porque eu nunca mais o vi depois daquela primeira noite no 105.

Estava dormindo profundamente quando, de repente, fui acordado por um barulho alto. A julgar pelo som, meu companheiro de quarto deve ter pulado com um único salto da cama superior para o chão. Eu o ouvi mexendo com a trava e o ferrolho da porta, que abriu quase imediatamente, então, ouvi seus passos enquanto corria a toda velocidade pelo corredor, deixando a porta aberta atrás dele. O navio estava navegando lentamente e esperava ouvi-lo tropeçar ou cair, mas ele correu como se estivesse correndo por sua vida. A porta se abriu com o movimento da embarcação e o som me irritou. Levantei-me, fechei-a e, na escuridão, tateei meu caminho de volta. Fui dormir de novo; mas, não tenho ideia de como, por muito tempo, dormi.

Quando acordei, ainda estava muito escuro, mas senti uma desagradável sensação de frio e me pareceu que o ar estava úmido. Você conhece o cheiro peculiar de uma cabine molhada de água do mar. Me cobri o melhor que pude e cochilei novamente, formulando reclamações a serem feitas no dia seguinte e selecionando os epítetos mais poderosos da linguagem. Eu podia ouvir meu companheiro de quarto virar na cama superior. Ele, provavelmente, voltou enquanto eu estava dormindo. Uma vez, pensei ouvi-lo gemer e argumentei que ele estivesse enjoado. Isso é particularmente desagradável quando um está abaixo. No entanto, cochilei e dormi até o amanhecer.

O navio estava navegando pesadamente, muito mais do que na anterior noite e a luz cinzenta que entrava pela vigia mudava de tonalidade a cada movimento, conforme o ângulo do lado da embarcação virava o vidro para o mar ou para o céu. Estava muito frio - inexplicavelmente para o mês de junho. Eu virei minha cabeça, olhei pela vigia e vi, para minha surpresa, que ela estava aberta e presa por trás. Acredito que jurei audivelmente. Então, me levantei e a fechei. Quando me virei, olhei para a parte da cama superior. As cortinas estavam fechadas juntas; meu companheiro, provavelmente, sentira frio tanto quanto eu. Me ocorreu que tinha dormido o suficiente. A cabine era desconfortável, porém, estranho dizer, não podia sentir o cheiro da umidade que me incomodava à noite. Meu companheiro de quarto ainda estava dormindo - excelente oportunidade para evitá-lo, então, me vesti de uma vez e fui para o convés. O dia estava quente e nublado, com um cheiro oleoso na água. Eram sete horas quando saí – muito mais tarde do que eu imaginava. Me deparei com o médico, que respirava o ar matinal. Ele era um jovem do oeste da Irlanda – um sujeito tremendo, com cabelos pretos e olhos azuis, já inclinado a ser robusto; tinha uma aparência saudável e feliz, o que era bastante atraente.

"Bom dia", falei, a título de introdução.

"Bem", disse ele, olhando-me com um ar de interesse imediato, "é uma bela manhã e não é uma bela manhã. Eu não acho muito de uma manhã. "

"Bem, não - não é tão boa", disse eu.

"É exatamente o que chamo de clima ruim", respondeu o médico.

"Estava muito frio ontem à noite, pensei", comentei. "Contudo, quando olhei em volta, descobri que a vigia estava aberta. Eu não tinha notado quando fui para a cama. E a cabine estava úmida também."

"Úmida!", disse ele. "Onde estás?"

"Cento e cinco."

Para minha surpresa, o médico começou visivelmente a me encarar.

"Qual é o problema?", perguntei.

"Ah, nada", respondeu; "todo mundo tem reclamado dessa cabine nas últimas três viagens."

"Eu também vou reclamar", disse. "Certamente, não foi adequadamente exibida. É uma vergonha!"

O Leito Superior

"Não acredito que isso possa ajudar", respondeu o médico. "Acredito que há algo - bem, não é da minha conta assustar passageiros."

"Você não precisa ter medo de me assustar", respondi. "Posso ficar em qualquer quantidade de umidade. Se eu tiver um resfriado forte, irei para você."

Ofereci ao médico um charuto, que ele pegou e examinou muito criticamente.

"Não é tanto a umidade", observou ele. "No entanto, ouso dizer que você vai se dar muito bem. Você tem um companheiro de quarto?"

"Sim; um empate de um companheiro, que foge no meio da noite e deixa a porta aberta."

Mais uma vez o médico olhou curioso para mim. Então, ele acendeu o charuto e parecia sério.

"Ele voltou?", perguntou o médico.

"Sim. Eu estava dormindo, mas acordei e ouvi ele se mexer. Então, senti frio e fui dormir de novo. Esta manhã encontrei a vigia aberta."

"Olhe aqui", disse o médico calmamente, "Eu não ligo muito para este navio. Eu não ligo para a reputação dele. Eu te digo o que vai fazer. Eu tenho um lugar de bom tamanho aqui em cima. Vou compartilhar com você, embora eu não conheça você de Adam."

Fiquei muito surpreso com a proposta. Eu não pude imaginar por que ele deveria se interessar tão repentinamente pelo meu bem-estar. No entanto, seu jeito, enquanto falava do navio, era peculiar.

"Você é muito bom, doutor", eu disse. "Mas, realmente, acredito que, até agora, a cabine pode ser arejada ou limpa, ou algo assim. Por que você não se importa com o navio?"

"Não somos supersticiosos em nossa profissão, senhor", respondeu o médico, "mas, o mar faz as pessoas assim. Não quero prejudicar você e não quero assustá-lo, mas se você aceitar meu conselho, você vai se mudar. Eu logo o veria no mar", ele acrescentou sinceramente, "como soube que você ou qualquer outro homem estaria dormindo no 105".

"Bom Deus! Por quê?", perguntei.

"Só porque nas três últimas viagens as pessoas que dormiram lá, na verdade, foram ao mar" – ele respondeu gravemente.

A inteligência era surpreendente e extremamente desagradável, eu confesso. Olhei fixo para o médico para ver se estava brincando comigo, mas ele parecia perfeitamente sério. Agradeci, calorosamente, por sua oferta, mas disse que pretendia ser a exceção à regra pela qual todo mundo que dormia naquela cabine em particular ia ao mar. Ele não falou muito, mas parecia tão sério como sempre e deu a entender que, antes de atravessarmos, provavelmente, reconsiderasse sua proposta. No decorrer do tempo, fomos tomar café da manhã e, apenas um número insignificante de passageiros apareceu. Notei que um ou dois oficiais que tomaram café conosco pareciam sérios. Depois do café da manhã, fui para a cabine para pegar um livro. As cortinas da cama superior ainda estavam estreitamente estendidas. Nenhum som era ouvido. Meu colega de quarto, provavelmente, ainda estava dormindo.

Quando saí, conheci o administrador cujo trabalho era me encontrar. Ele sussurrou que o capitão queria me ver e, depois, se apressou pela passagem como se estivesse muito ansioso para evitar alguma pergunta. Fui em direção à cabine do capitão e o encontrei esperando por mim.

"Senhor", disse ele, "quero pedir um favor a você".

Eu respondi que faria qualquer coisa para atendê-lo.

"Seu companheiro de quarto desapareceu", disse. "Ele é conhecido por ter voltado cedo ontem à noite. Você notou alguma coisa extraordinária em sua maneira?"

A questão, como ocorreu na confirmação exata dos medos de que o médico havia expressado meia hora antes, me surpreendeu.

"Você não quer dizer que ele foi ao mar?", perguntei.

"Temo que ele tenha", respondeu o capitão.

"Esta é a coisa mais extraordinária", comecei.

"Por quê?", ele perguntou.

"Ele é o quarto, então?", perguntei. Em resposta a outra pergunta do capitão, expliquei, sem mencionar o médico, que eu tinha ouvido

O Leito Superior

a história sobre o 105. Ele parecia muito irritado ao ouvir que eu sabia disso. Eu disse a ele o que tinha ocorrido durante a noite.

"O que você diz", ele respondeu, "coincide quase exatamente com o que me foi dito pelos companheiros de quarto de dois dos outros três. Eles saem da cama e correm pelo corredor. Dois deles foram vistos ao mar pelo vigilante; paramos e abaixamos os botes salva-vidas, mas eles não foram encontrados. Ninguém, no entanto, viu ou ouviu o homem que se perdeu na noite passada – se está realmente perdido. O mordomo, que é um sujeito supersticioso, talvez, esperasse algo errado, foi procurá-lo esta manhã e encontrou seu lugar vazio, mas suas roupas estavam caídas, exatamente como ele as havia deixado. O mordomo era o único homem a bordo que o conhecia de vista e tem procurado em todos os lugares por ele. Ele desapareceu! Agora, senhor, quero lhe implorar para não mencionar a circunstância a qualquer um dos passageiros; não quero que o navio tenha um nome ruim e que nada paire sobre um mergulhador do oceano como histórias de suicídios. Você poderá escolher qualquer uma das cabines dos oficiais, inclusive a minha, pelo resto da viagem. Isso é uma pechincha justa?"

"Muito", disse; "Sou muito grato a você. Mas, desde que esteja sozinho, preferiria não me mover. Se o mordomo tirar as coisas daquele homem infeliz, preferia ficar onde estou. Eu não vou dizer nada sobre o problema e acho que posso prometer que não seguirei meu colega de quarto."

O capitão tentou me dissuadir da minha intenção, mas preferia ter apenas uma cabine sozinho, a ser companheiro de qualquer oficial a bordo. Não sei se agi de maneira tola, mas se seguisse o seu conselho, não deveria ter mais nada a dizer. Permaneceria a coincidência desagradável de vários suicídios ocorrendo entre homens que dormiram na mesma cabine, mas isso teria sido tudo.

No entanto, esse não foi o fim da questão, decidi, obstinadamente, que não seria perturbado por tais histórias, e cheguei ao ponto de discutir a questão com o capitão. Havia algo errado na cabine, disse. Estava bastante úmida. A vigia foi deixada aberta ontem à noite.

Meu companheiro de quarto poderia estar doente quando entrou a bordo, pode ter ficado delirante depois que foi para a cama. Ele pode, até agora, estar escondido em algum lugar a bordo e poderia ser encontrado mais tarde. O local deve ser arejado e a fixação das portas trancadas. Se o capitão me deixasse sair, veria o que era necessário ser feito imediatamente.

"Claro que você tem o direito de ficar onde está, se deseja," - respondeu, petulante; "mas, gostaria que você verificasse e me deixasse trancar o lugar e acabar com isso."

Eu não tive o mesmo ponto de vista, mas deixei o capitão, depois de prometer ficar calado sobre o desaparecimento do meu companheiro. Este último, não tinha conhecidos a bordo e não foi dado como desaparecido ao longo do dia. À noite, encontrei o médico novamente e ele me perguntou se havia mudado minha mente. Eu disse a ele que não tinha.

"Então, você vai logo", disse ele, muito sério.

III

Jogamos *whist* à noite e fui dormir tarde. Confesso, agora, que senti uma sensação desagradável quando entrei na minha cabine. Não ajudava pensar no homem alto que tinha visto na noite anterior, que agora estava morto, afogado, lançado nas longas ondulações, duas ou trezentas milhas à popa. Seu rosto se levantou muito distintamente enquanto me despia, fui tão longe a ponto de afastar as cortinas do beliche superior para me convencer de que ele realmente se foi. Também, tranquei a porta da cabine. De repente, percebi que a vigia estava aberta e presa atrás. Isso era mais do que podia suportar. Rapidamente, joguei-me no meu roupão e foi em busca de Robert, o mordomo do meu corredor. Estava com muita raiva, lembro-me, e quando o encontrei, arrastei-o bruscamente até a porta do 105 e o empurrei em direção à vigia aberta.

O Leito Superior

"O que diabos você quer dizer, seu canalha, deixando essa portinhola aberta todas as noites? Você não sabe que é contra os regulamentos? Você não sabia que se o navio afundasse e a água começasse a entrar dez homens não poderiam fechá-la? Vou denunciá-lo para o capitão, seu guarda negro, por colocar em perigo o navio!"

Eu estava extremamente irado. O homem tremeu e empalideceu, então, começou a fechar a placa de vidro redonda com o latão de pesados encaixes.

"Por que você não me responde?", disse asperamente.

"Por favor, senhor", vacilou Robert, "não há ninguém a bordo que possa manter esta porta fechada à noite. Pode tentar você mesmo, senhor. Não vou parar mais a bordo deste navio, senhor; na verdade não fui eu. Mas, se eu fosse você, simplesmente sairia e iria dormir com o cirurgião ou algo assim. Veja aqui, senhor, está apertado, o que você pode ver seguramente, ou não, senhor? Tente, senhor, veja se ela se moverá."

Eu tentei a portinhola e encontrei perfeitamente apertada.

"Bem, senhor," - continuou Robert, triunfante, "aposto minha reputação como comissário de bordo A1 que dentro de uma hora estará aberta novamente; presa atrás, senhor, isso é a coisa sinistra – presa atrás!"

Examinei o grande parafuso e a porca presa que corria nele.

"Se eu achar aberto à noite, Robert, tratarei você como um rei. Não é possível. Você pode ir."

"Rei você disse, senhor? Muito bem, senhor. Obrigado, senhor. Boa noite, senhor. Descanse em paz, senhor, e tenha todo tipo de sonhos encantadores, senhor."

Robert se afastou, encantado por ter sido libertado. Claro que pensei que ele estava tentando explicar sua negligência com uma história tola, pretendia me assustar, e não acreditei nele. A consequência foi que conseguiu seu reinado e passei um tempo muito peculiar na noite desagradável.

Fui para a cama e, cinco minutos depois de me enrolar em meus cobertores, o implacável Robert apagou as luzes que queimavam constantemente atrás do painel de vidro fosco perto da porta. Eu estava quieto no escuro, tentando dormir, mas logo descobri que era impossível. Foi uma satisfação estar bravo com o mordomo e a diversão baniu aquela desagradável sensação que experimentei quando pensei no homem afogado que tinha sido meu companheiro de quarto; mas não estava mais com sono e fiquei acordado por algum tempo, ocasionalmente olhando para a vigia, que podia ver de onde estava, e que, na escuridão, parecia um prato de sopa levemente luminoso suspenso em escuridão. Acredito que devo ter ficado lá por uma hora, que me lembre, estava apenas cochilando quando fui despertado por uma corrente de ar frio e sentindo, distintamente, o jato do mar soprado em meu rosto. Comecei a me levantar e não consegui, no escuro, pelo movimento do navio, fui jogado, violentamente, através da cabine sobre o sofá que foi colocado embaixo da vigia. Eu me recuperei imediatamente, no entanto, subi de joelhos. A vigia estava novamente aberta e presa atrás!

Agora, essas coisas eram fatos. Estava bem acordado quando me levantei e, certamente, deveria ter sido acordado pela queda se eu ainda estivesse cochilando. Além disso, machuquei muito meus cotovelos e joelhos e os machucados estavam lá na manhã seguinte para testemunhar o fato se eu mesmo tivesse duvidado disso. A vigia estava aberta e presa atrás - algo tão inexplicável que me lembro muito bem de sentir espanto ao invés de medo quando descobri isto. Fechei a placa imediatamente e aparafusei a fechadura com toda a minha força. Estava muito escuro na cabine. Refleti que a portinhola, ceriamente, havia sido aberta uma hora depois que Robert a fechou em minha presença e que me determinei a vigiar e ver se abriria novamente. Aqueles acessórios de bronze eram muito pesados e, de nenhuma maneira, eram fáceis de mover; não poderia acreditar que a fechadura foi aberta pela agitação do mar. Fiquei olhando através do vidro grosso para as alternativas listras brancas e cinza do mar que espumavam embaixo, ao lado da embarcação. Devo ter ficado lá um quarto de hora.

O Leito Superior

De repente, ouvi, distintamente, algo se movendo atrás de mim em um dos beliches e, um momento depois, apenas quando me virei instintivamente para olhar – embora não pudesse, é claro, não ver nada na escuridão – ouvi um gemido muito fraco. Saltei do outro lado da cabine e puxei as cortinas do beliche superior, empurrando com as minhas mãos para descobrir se havia alguém lá. Havia alguém.

Lembro-me que a sensação de quando coloquei minhas mãos foi como se estivesse as mergulhando no ar de um porão úmido, e, por trás das cortinas, veio uma rajada de vento que cheirava horrivelmente água do mar estagnada. Segurei algo que tinha o formato de braço de um homem, mas era liso, molhado e gelado. Mas, de repente, quando puxei, a criatura saltou, violentamente, para a frente, contra mim, uma massa pegajosa e viscosa, como me pareceu, pesada e molhada, mas dotada de uma espécie de força sobrenatural. Cambaleei do outro lado da cabine e, em um instante, a porta se abriu e a coisa correu para fora. Não tive tempo de me assustar e, rapidamente, me recuperando, pulei pela porta e persegui com toda a minha velocidade, mas estava muito atrasado. Dez jardas diante de mim, podia vê-la - tenho certeza de que vi - uma sombra escura se movendo na passagem mal iluminada, rapidamente, como a sombra de um cavalo veloz lançado diante de *dogcart* pela lâmpada, em uma noite escura. Mas, no momento em que desapareceu, me peguei segurando o trilho polido que corria ao longo do anteparo onde o corredor virava. Meu cabelo estava arrepiado e o suor frio rolou pelo meu rosto. Eu não tenho vergonha disso: estava muito assustado.

Ainda duvidava dos meus sentidos e me recompus. Isso foi absurdo, pensei. O *rarebit* galês que comi havia discordado comigo. Estava em um pesadelo. Voltei para a minha cabine e entrei com um esforço. Todo o lugar cheirava água do mar estagnada, como quando havia acordado na noite anterior. Exigia minha maior força para entrar e tatear entre minhas coisas por uma caixa de luzes de cera. Quando acendi uma lanterna de leitura ferroviária que sempre carrego no caso de querer ler depois que as luzes se apagam, percebi que a vigia estava novamente aberta e uma espécie de horror rastejante, que nunca senti antes, nem desejo sentir novamente, começou a tomar posse de mim. Mas, peguei uma luz e continuei a examinar o beliche superior, esperando encontrá-la encharcada de água do mar.

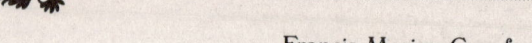

Mas, fiquei desapontado. A cama tinha sido desarrumada e o cheiro do mar era forte; mas, a roupa de cama estava seca como um osso. Imaginei que Robert não tivesse tido coragem de arrumar a cama depois do acidente da noite anterior - tudo fora um sonho horrível. Abri as cortinas o máximo que pude e examinei o lugar com muito cuidado. Estava perfeitamente seco. Mas, a vigia estava aberta novamente. Com uma espécie de perplexidade aborrecida de horror, fechei e a aparafusei, enfiei minha vara pesada através do laço de bronze e arranquei com toda a minha força, até o metal grosso começar a dobrar sob a pressão. Então, liguei minha lanterna de leitura no veludo vermelho da cabeceira do sofá e me sentei para recuperar meus sentidos, se pudesse. Fiquei lá a noite toda, incapaz de pensar em descanso - dificilmente capaz de pensar. Mas, a vigia permaneceu fechada e eu não acreditava que fosse aberta novamente sem a aplicação de uma força considerável.

Amanheceu, finalmente, me vesti lentamente, pensando sobre tudo o que havia acontecido na noite. Estava um lindo dia e fui para o convés, feliz por sair cedo, puro brilho do sol e cheiro de brisa da água azul, tão diferente do barulhento e estagnado odor da minha cabine. Instintivamente, virei à ré, em direção à cabine do cirurgião. Lá estava ele, com um cachimbo na boca, levando sua manhã ao ar, precisamente, como no dia anterior.

"Bom dia", disse ele calmamente, mas olhando para mim com curiosidade evidente.

"Doutor, você estava certo", disse. "Há algo errado sobre esse lugar."

"Eu pensei que você mudaria de ideia", respondeu ele, meio que triunfante. "Você teve uma noite ruim, não é? Devo fazer em você uma consulta? Eu tenho uma receita."

"Não, obrigado", chorei. "Mas eu gostaria de lhe dizer o que aconteceu."

O Leito Superior

Tentei, então, explicar o mais claramente possível o que tinha acontecido, não omitindo afirmar que estava assustado como nunca tive antes, em toda a minha vida. Eu me fixava, particularmente, sobre o fenômeno da vigia, que era um fato que pude testemunhar, mesmo se o resto tivesse sido uma ilusão. A fechei duas vezes durante a noite e, na segunda vez, que realmente dobrei o bronze quase arrancando com a minha vara. Acredito que insisti como um bom acordo sobre este ponto.

"Você acha que, provavelmente, duvido da história", disse o médico, sorrindo para a descrição detalhada do estado da vigia. "Eu não duvido nem um pouco. Renovo o meu convite para você. Traga suas coisas aqui e pegue metade da minha cabine."

"Venha e pegue metade da minha por uma noite", disse. "Ajude-me para chegar a fundo nesta coisa."

"Você chegará ao fundo de outra coisa se tentar", respondeu o médico.

"O que?", eu perguntei.

"O fundo do mar. Eu vou deixar este navio. Não é sagaz."

"Então, você não vai me ajudar a descobrir."

"Eu não", disse o médico, rapidamente. "É da minha conta manter meu juízo sobre mim - para não brincar com fantasmas e coisas."

"Você realmente acredita que é um fantasma?", perguntei, um pouco com desdém. Mas, enquanto falava, lembrei-me muito bem da sensação horrível do sobrenatural que tinha me possuído durante à noite. O médico virou-se bruscamente para mim.

"Você tem alguma explicação razoável dessas coisas para oferecer?", perguntou. "Não; você não tem. Bem, você vai dizer que encontrará uma explicação. Eu digo que não, senhor, simplesmente porque não há qualquer."

"Mas, meu caro senhor", respondi, "você, um homem de ciência, quer me dizer que essas coisas não podem ser explicadas?"

"Sim", respondeu com firmeza. "E, se pudessem, não estaria preocupado com as explicações."

Eu não queria passar mais uma noite sozinho na cabine e, ainda assim, estava obstinadamente determinado a chegar à raiz dos distúrbios. Não acredito que existam muitos homens que dormiriam lá sozinhos depois de passar duas noites como essas. Mas, fiz meus pensamentos para tentar, mesmo se não conseguisse, alguém que compartilhasse uma vigilância comigo. O médico, evidentemente, não estava inclinado a tal experimento. Ele disse que era cirurgião e que, caso algum acidente ocorresse a bordo, deveria estar sempre pronto. Ele não podia se dar ao luxo de ter seus nervos inquietos. Talvez, estivesse muito certo, mas estou inclinado a pensar que sua precaução foi motivada por suas inclinações. Na conversa, ele me informou que não havia ninguém a bordo que, provavelmente, se juntaria a mim nas minhas investigações e, depois de um pouco mais de conversa, eu o deixei. Um pouco depois, encontrei o capitão e contei a minha história. Disse isso, se ninguém passasse a noite comigo, pediria licença para ter a luz acesa a noite toda e tentaria sozinho.

"Olhe aqui", disse ele, "vou lhe dizer o que farei. Vou compartilhar sua vigilância eu mesmo e vamos ver o que acontece. É minha crença que podemos descobrir entre nós. Pode haver algum companheiro esgueirando-se a bordo, que rouba uma passagem assustando os passageiros. É apenas possível que possa haver algo estranho na carpintaria daquela cama."

Sugeri pegar o carpinteiro do navio abaixo e examinar o lugar; mas, fiquei muito feliz com a oferta do capitão de passar a noite comigo. Ele, portanto, mandou chamar o operário e ordenou que fizesse qualquer coisa que exigisse. Fomos abaixo imediatamente. Eu tinha toda a roupa de cama que saquei do beliche superior e examinamos o local, cuidadosamente, para ver se havia uma prancha solta em algum lugar, um painel que poderia ser aberto ou empurrado para o lado. Tentamos as pranchas por toda parte, batidas no chão, desaparafusamos os acessórios do beliche e deixamos em pedaços - em suma, não havia uma polegada quadrada da cabine que não foi revistada e testada. Tudo estava em perfeita ordem, colocamos tudo de volta em seu lugar. Quando estávamos terminando nosso trabalho, Robert veio para a porta e olhou para dentro.

"Bem, senhor - encontrou alguma coisa, senhor?", ele perguntou, com um sorriso medonho.

"Você estava certo sobre a vigia, Robert", disse, e dei a ele a soberania prometida. O carpinteiro fez seu trabalho silenciosa e habilmente, seguindo minhas instruções. Quando estava pronto ele falou.

"Sou um homem comum, senhor", disse ele. "Mas, acredito que o melhor a fazer é pegar suas coisas e deixar-me atravessar meia dúzia de parafusos de quatro polegadas através da porta desta cabine. Nada de bom veio desta cabine, senhor, e é tudo sobre isso. Quatro vidas se perderam aqui pela minha própria lembrança, em quatro viagens. Melhor desistir, senhor - melhor desistir!"

"Vou tentar por mais uma noite", disse.

"Melhor desistir, senhor - melhor desistir! É um precioso mal trabalho", repetiu o trabalhador, colocando as ferramentas na bolsa e saindo da cabine.

Mas, meu ânimo havia aumentado consideravelmente com a perspectiva de ter a companhia do capitão, e decidi não ser impedido de ir até o fim desse estranho negócio. Me abstive de *rarebits* galeses e grogue naquela noite e não me juntei ao habitual jogo de *whist*. Eu queria estar bastante seguro dos meus nervos e minha vaidade me deixou ansioso para deixar uma boa imagem aos olhos do capitão.

IV

O capitao era um daqueles tipos esplendidamente durões e alegres da humanidade marítima cuja coragem, dureza e calma em dificuldades combinadas o levariam, naturalmente, em altas posições de confiança. Ele não era o homem a ser levado embora por uma história ociosa e o mero fato de estar disposto a se juntar a mim na investigação era a prova de que pensava que havia algo seriamente errado, o que não poderia ser explicado em teorias, nem como uma superstição comum. De alguma forma, também, sua reputação estava em jogo, bem como a reputação do navio. Não é algo tranquilo perder passageiros ao mar, e ele sabia disso.

Por volta das 10 horas da noite, quando estava fumando um último charuto, ele veio até mim e me afastou da batida de outros passageiros que patrulhavam o convés na escuridão quente.

"Este é um assunto sério, Sr. Brisbane", disse. "Nós devemos nos decidir de qualquer maneira - ficar desapontado ou ter um momento bastante difícil. Você vê que não posso me dar ao luxo de rir do caso, e pedirei que você assine seu nome em uma declaração do que vier ocorrer. Se nada acontecer hoje à noite, vamos tentar novamente amanhã e no dia seguinte. Você está pronto?"

Então, descemos e entramos na cabine. Quando entramos, pude ver Robert, o mordomo, que estava um pouco mais abaixo no corredor, nos observando, com seu sorriso habitual, como se certo de que algo terrível estava prestes a acontecer. O capitão fechou a porta atrás de nós e a trancou.

"Suponho colocarmos sua mala diante da porta", ele sugeriu. "Um de nós pode sentar nela. Nada poderá sair, então. E a portinhola está trancada?"

Encontrei como havia deixado de manhã. De fato, sem usar uma alavanca, como havia feito, ninguém poderia abri-la. Afastei as cortinas do beliche superior para que pudesse ver bem dentro dela. Seguindo o conselho do capitão, acendi minha lanterna de leitura e a coloquei para que brilhasse nos lençóis brancos acima. Ele se sentou na mala, declarando que desejava poder jurar que havia sentado diante da porta.

Então, ele me pediu para procurar minuciosamente na cabine, uma operação muito breve, pois consistia apenas em olhar por baixo do leito inferior e sob o sofá abaixo da escotilha. Os espaços estavam bastante vazios.

"É impossível para qualquer ser humano entrar", disse, "ou para qualquer ser humano abrir a portinhola. "

"Muito bem", disse o capitão, calmamente. "Se virmos algo agora, deve ser imaginação ou algo sobrenatural."

O Leito Superior

Sentei-me na beira do beliche inferior.

"A primeira vez que aconteceu", disse o capitão, cruzando as pernas e encostado na porta, "foi em março. O passageiro que dormiu aqui, no beliche superior, acabou sendo um lunático - em todo caso, era conhecido por ter sido um pouco afetado e comprou sua passagem sem o conhecimento de seus amigos. Ele saiu correndo no meio da noite e se jogou ao mar, antes que o oficial que estava de vigilância pudesse detê-lo. Paramos e abaixamos um bote; foi uma noite tranquila pouco antes do clima pesado; mas, não conseguimos encontrá-lo. É claro que seu suicídio foi posteriormente contabilizado no terreno de sua insanidade."

"Suponho que isso aconteça com frequência?", comentei, distraidamente.

"Não frequentemente – não", disse o capitão; "nunca antes na minha experiência, apesar de já ter ouvido falar disso a bordo de outros navios. Bem, como estava dizendo, isso ocorreu em março. Na próxima viagem - o que você está olhando?", perguntou, parando de repente em sua narração.

Acredito que não dei resposta. Meus olhos estavam fixos na escotilha. Pareceu-me que a porca de latão estava começando a girar muito lentamente sobre o parafuso - tão devagar, que não tinha certeza de que havia se movido. Eu assisti atentamente, consertando sua posição em minha mente e tentando verificar se havia mudado. Vendo para onde eu estava olhando, o capitão também olhou.

"Ele se move!", ele exclamou, em tom de convicção. "Não, ela não", acrescentou, depois de um minuto.

"Se fosse o ruído do parafuso", disse, "teria aberto durante o dia; mas, encontrei-o muito apertado esta noite, como havia deixado esta manhã."

Eu me levantei e experimentei a guilhotina. Certamente, foi afrouxado, pois com um pequeno esforço poderia movê-lo com as mãos.

"A coisa esquisita", disse o capitão, "é que o segundo homem que estava perdido deveria ter atravessado essa mesma portinhola. Nós tivemos um tempo terrível com isso. Era no meio da noite e o tempo estava muito pesado; houve um alarme de que uma das vigias estava aberta e o mar entrando. Desci e encontrei tudo inundado, a água derramando toda vez que ela navegava, e toda a vigia balançando pelos parafusos superiores - não pela portinhola no meio. Bem, nós conseguimos fechar, mas a água fez algum dano. Desde então, o lugar cheira a água do mar de tempos em tempos. Nós supusemos que o passageiro se jogou, embora, apenas o Senhor saiba como fez isso. O mordomo vivia me dizendo que ele não conseguia manter nada fechado aqui. Dou a minha palavra - posso sentir o cheiro agora, não é?", ele perguntou, cheirando a ar desconfiado.

"Sim - distintamente", disse e estremeci com o mesmo odor de água do mar estagnada mais forte na cabine. "Agora, cheira como isso, o lugar deve estar úmido", continuei, "e, ainda assim, quando examinei com o carpinteiro esta manhã tudo estava perfeitamente seco. É muito extraordinário - olá!"

Minha lanterna de leitura, que havia sido colocada no beliche superior, foi subitamente apagada. Ainda havia muita luz do painel de vidro fosco perto da porta, atrás da qual apareceu a lâmpada de regulação. O navio navegava pesadamente e a cortina do beliche superior descia para a cabine e voltava. Levantei-me rapidamente do meu assento na beira da cama e o capitão, no mesmo momento, levantou-se com um grito alto de surpresa. Me virei com a intenção de levar a lanterna para examiná-lo, quando ouvi sua exclamação e, imediatamente depois, seu pedido de ajuda. Eu pulei em direção a ele. Ele estava lutando com toda sua força com a guilhotina de bronze da portinhola. Parecia virar contra suas mãos, apesar de todos os seus esforços. Eu peguei meu cano, uma pesada vara de carvalho que sempre carregava, e empurrei através do anel e o empurrei com toda a minha força. Mas, a madeira forte estalou de repente e caí no sofá. Quando me levantei novamente, a vigia estava escancarada e o capitão estava de pé, de costas contra a porta, pálido até os lábios.

"Há algo naquele lugar!", ele gritou, com uma voz estranha, seus olhos quase começando da cabeça. "Segure a porta, enquanto eu olho - não nos escapará, seja o que for!"

O Leito Superior

Mas, em vez de tomar o lugar dele, pulei na cama inferior e apreendi algo que estava no beliche superior.

Era algo fantasmagórico, horrível além das palavras, e moveu-se nas minhas garras. Era como o corpo de um homem há muito afogado, ainda assim moveu-se e tinha a força de 10 homens vivos; mas, agarrei com toda a minha força - a coisa escorregadia, úmida e horrível – os olhos mortos brancos pareciam me encarar no crepúsculo; o odor podre de água do mar estava sobre ele e seus cabelos brilhantes pendiam em cachos molhados sobre o rosto morto. Lutei com a coisa morta; isto se lançou sobre mim e me forçou a afastar, quase quebrou meus braços; enrolou os braços do cadáver no meu pescoço, a morte viva, me dominou, de modo que, finalmente, gritei alto, caí e saí do meu poder.

Quando caí, a coisa saltou sobre mim e pareceu se jogar sobre o capitão. Quando o vi pela última vez em pé, seu rosto estava branco e seus lábios firmes. Pareceu-me que ele golpeou, violentamente, a coisa morta e, então, ele também caiu sobre seu rosto, com um grito inarticulado de horror.

A coisa parou por um instante, parecendo pairar sobre seu corpo prostrado, eu podia ter gritado novamente, por muito medo, mas não tinha mais voz. A coisa desapareceu, de repente, e pareceu, aos meus sentidos perturbados, que saiu pela porta aberta, embora como isso fosse possível, considerando a pequenez da abertura, é mais do que qualquer um pode dizer. Eu me deitei por muito tempo no chão e o capitão ficou ao meu lado. Finalmente, recuperei, parcialmente, meus sentidos, me movi e, instantaneamente, soube que meu braço estava quebrado - o pequeno osso do antebraço esquerdo perto do punho.

Levantei-me, de alguma forma, e com a mão restante tentei levantar o capitão. Ele gemeu, se moveu e, finalmente, voltou para si mesmo. Ele não estava ferido, mas parecia muito atordoado.

Bem, você quer ouvir mais? Não há mais nada. Esse é o fim da minha história. O carpinteiro realizou seu esquema de passar meia dúzia de parafusos de quatro polegadas pela porta do 105;

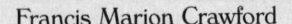

e, se alguma vez você fizer uma passagem na *Kamtschatka*, poderá perguntar por uma vaga naquela cabine. Você será informado de que está envolvida - sim - é envolvida por essa coisa morta.

Terminei a viagem na cabine do cirurgião. Ele medicou meu braço quebrado e me aconselhou a não "mexer com fantasmas e outras coisas mais". O capitão ficou muito quieto e nunca navegou novamente naquele navio, embora ainda esteja em funcionamento. E eu não vou navegar nele também. Foi uma experiência muito desagradável, estava muito assustado, o que é algo de que eu não gosto. Isso é tudo. Foi assim que eu vi um fantasma - se fosse um fantasma. De qualquer forma, estava morto.

A Casa de Aluguel
por W. W. Jacobs

"É tudo bobagem", disse Jack Barnes. "Claro que as pessoas têm morrido em casa; pessoas morrem em todas as casas. Quanto aos barulhos - vento na chaminé e ratos no lambril são muito convincentes para um homem nervoso. Me dê outra xícara de chá, Meagle."

"Lester e White são os primeiros", disse Meagle, que servia a mesa de chá da Pousada Três Penas. "Você teve dois."

Lester e White terminaram suas xícaras com lentidão irritante, pausando entre os goles para sentir o aroma e descobrir o sexo e datas de chegada dos "estranhos" que flutuavam em alguns números na bebida. O Sr. Meagle os serviu até a borda e, então, voltando-se para o sombrio expectante Sr. Barnes, brandamente pediu que ele solicitasse por água quente.

"Vamos tentar manter seus nervos saudáveis na presente condição", comentou. "Da minha parte, tenho a sorte de acreditar um pouco na crença sobrenatural."

"Todas as pessoas sensíveis têm", disse Lester. "Uma tia minha viu um fantasma uma vez."

White assentiu.

"Eu tinha um tio que viu um", disse ele.

"Sempre é alguém que os vê", disse Barnes.

"Bem, existe a casa", disse Meagle, "uma casa grande com um aluguel absurdamente baixo e que ninguém aceita. Tem custado, pelo menos, uma vida de cada família que viveu lá - por mais curto que

W. W. Jacobs

seja o tempo - e desde que permaneceu vazia, zelador após zelador morreu lá. O último zelador morreu 15 anos atrás."

"Exatamente", disse Barnes. "Há tempo suficiente para lendas acumularem-se."

"Aposto que você é um soberano que não passaria a noite sozinho, por toda a sua conversa - disse White, de repente.

"E eu", disse Lester.

"Não", disse Barnes lentamente. "Eu não acredito em fantasmas, nem em coisas sobrenaturais; sendo assim, admito que não deveria me importar de passar uma noite lá sozinho."

"Mas, por que não?", perguntou White.

"Vento na chaminé", disse Meagle, com um sorriso.

"Ratos no lambril", disse Lester.

"Como você quiser", disse Barnes, ruborizando.

"Suponham que todos nós vamos?", disse Meagle. "Chegamos depois do jantar e permanecemos até as 11hs da noite? Andamos há dez dias sem aventura - exceto a descoberta de Barnes de que a água de vala cheira mais tempo. De qualquer forma, será uma novidade e, se quebrarmos o feitiço de todos nós sobrevivermos, o proprietário ficará agradecido."

"Vamos ver o que o proprietário tem a dizer sobre isso primeiro", disse Lester. "Não é divertido passar uma noite em um ambiente de uma casa vazia. Vamos garantir que seja assombrado."

Ele tocou a campainha, chamando o proprietário, apelou para ele em nome de nossa humanidade comum para não os deixar desperdiçar uma noite assistindo em uma casa sem fantasmas e duendes. A resposta foi mais do que tranquilizadora, e o proprietário, depois de descrever com arte considerável a aparência exata de um cabeça que tinha sido vista pendurada em uma janela no luar, acabou com um pedido educado, mas urgente, de que pagaria sua conta antes que fossem embora.

"Está tudo bem para vocês, jovens cavalheiros, divertirem-se", ele disse com indulgência; "mas, supondo que todos vocês sejam encontrados morto de manhã, o que faço? Não se chama Casa de Pedágio à toa, vocês sabem."

"Quem morreu lá por último?", perguntou Barnes, com um ar educado de escárnio.

"Um vagabundo", foi a resposta. "Ele foi lá por uma questão de meia hora de glória e eles o encontraram na manhã seguinte pendurado no balaústre, morto."

"Suicídio", disse Barnes. "Mente doentia."

O proprietário concordou. "Foi isso que o júri trouxe", ele disse devagar; "mas, sua mente estava sã o suficiente quando entrou lá. Eu o conhecia há anos. Eu sou um homem pobre, mas não passaria à noite naquela casa por 100 libras."

Ele repetiu essa observação quando começaram a expedição, algumas horas depois. Eles saíram quando a estalagem estava fechando, à noite; fechaduras dispararam ruidosamente atrás deles e, como os clientes regulares caminhavam lentamente para casa, partiram em ritmo acelerado em direção à casa. A maioria dos chalés já estava no escuro e as luzes dos outros se apagaram quando passaram.

"Parece bastante difícil que tenhamos que perder uma noite de descanso para convencer Barnes da existência de fantasmas", disse White.

"É por uma boa causa", disse Meagle. "Um objeto muito digno; e algo parece me dizer que teremos sucesso. Você não esqueceu das velas, Lester?"

"Eu trouxe duas", foi a resposta; "todo velho podia poupar."

Havia apenas pouca lua e a noite estava nublada. A estrada entre as sebes altas estava escura e, em um lugar, onde corria através de uma madeira, tao negra que tropeçaram duas vezes no chão desnivelado.

"Gosto de deixar nossas camas confortáveis para isso!", disse White, novamente. "Deixe-me ver; este desejável sepulcro residencial fica à direita, não é?"

"Mais adiante", disse Meagle.

Eles caminharam por algum tempo, em silêncio, quebrado apenas pela homenagem de White à suavidade, limpeza e conforto da cama que estava ficando cada vez mais longe. Sob a orientação de Meagle, eles, finalmente, viraram à direita e, depois de uma caminhada de um quarto de milha, viram os portões da casa diante deles.

O alojamento estava quase escondido pelos arbustos crescidos e a visão dos pedestres era sufocada com o crescimento das heras. Meagle, que conduzia, empurrava-as até que a pilha escura da casa pairasse sobre eles.

"Há uma janela na parte de trás por onde podemos entrar, foi o proprietário quem falou", disse Lester quando estavam diante da porta do corredor.

"Janela?", disse Meagle. "Absurdo. Vamos fazer a coisa devidamente. Onde está a aldrava?"

Ele procurou por isso no escuro e deu umas estrondosas batidas na porta.

"Não se faça de bobo", disse Barnes, irritado.

"Os servos fantasmagóricos estão todos dormindo", disse Meagle, gravemente, "mas, vou acordá-los antes que termine com eles. É escandaloso manter-nos aqui no escuro."

Ele bateu a aldrava novamente e o barulho voou no vazio do além. Então, com uma repentina exclamação, ele soltou as mãos e tropeçou para a frente.

"Ora, estava aberto o tempo todo", disse ele, com uma voz de pegadinha estranha à dele. "Vamos."

"Não acredito que estava aberto", disse Lester, recuando. "Alguém está nos enganando."

"Bobagem", disse Meagle bruscamente. "Me dê uma vela. Obrigado. Quem tem um fósforo?"

Barnes pegou uma caixa e golpeou um e Meagle, protegendo a vela com a mão, liderou o caminho para o pé da escada. "Feche a porta, alguém", disse ele; "tem muita corrente de ar."

"Está fechada", disse White, olhando para trás.

Meagle tocou o queixo. "Quem fechou?", ele perguntou, olhando um para o outro. "Quem veio por último?"

"Eu fiz", disse Lester, "mas não me lembro de fechá-la – talvez, tenha feito, no entanto".

Meagle, prestes a falar, pensou melhor e, ainda guardando a chama com cuidado, começou a explorar a casa, com os outros logo atrás. Sombras dançavam nas paredes e espreitavam nos cantos enquanto eles avançavam. No final do corredor, eles encontraram uma segunda escada e, subindo lentamente, chegaram ao primeiro andar.

"Cuidado!", disse Meagle, quando chegaram ao andar.

Ele segurou a vela e mostrou onde os balaústres tinham se separado. Então, ele olhou curiosamente para o vazio abaixo.

"Aqui é onde o vagabundo se enforcou, suponho", disse ele pensativo.

"Você tem uma mente prejudicial", disse White, quando seguiu em frente. "Este lugar já é bastante assustador sem você lembrar-nos disso. Agora, vamos encontrar um quarto confortável e ter um pouco de uísque e um cachimbo. Como isso vai acontecer?"

Ele abriu uma porta no final do corredor e revelou uma pequena sala quadrada. Meagle liderou o caminho com a vela e, primeiro derretendo uma gota ou duas de sebo, colou-a na lareira. O outros se sentaram no chão e assistiram, agradavelmente, White tirar do bolso uma pequena garrafa de uísque e uma lata de fumo.

"Humm! Esqueci a água" – ele exclamou.

"Em breve vou comprar um pouco", disse Meagle.

Ele puxou, violentamente, a alça da campainha e o ruído enferrujado de um sino soou de uma cozinha distante. Ele tocou de novo.

"Não se faça de bobo", disse Barnes grosseiramente.

Meagle riu. "Eu só queria convencê-lo", disse ele gentilmente. "Deve haver, de qualquer forma, um fantasma no ambiente dos empregados."

Barnes levantou a mão pedindo silêncio.

"Sim?", Meagle disse, com um sorriso para os outros dois. "Alguém está chegando?"

"Suponhamos que abandonemos esses jogos e voltemos", disse Barnes, de repente. "Eu não acredito em espíritos, mas os nervos estão a flor da pele de qualquer um. Você pode rir como quiser, mas, realmente, pareceu-me que ouvi uma porta se abrir abaixo e passos na escada."

Sua voz foi afogada em um barulho de risos.

"Ele está voltando", disse Meagle, com um sorriso. "Quando chegar a hora eu acabo com ele, será um crente confirmado. Bem, quem vai pegar um pouco de água? Você, Barnes?"

"Não", foi uma resposta.

"Se houver, pode não ser seguro beber depois de todos esses anos", disse Lester. "Nós devemos ficar sem ela."

Meagle assentiu e, sentando-se no chão, estendeu a mão para o copo. Os cachimbos estavam acesos e o cheiro limpo e saudável de tabaco encheu a sala. White sacou um baralho de cartas; conversa e risadas ecoaram pela sala e morreram com relutância em corredores distantes.

"Salas vazias sempre me iludem com uma crença de que possuo uma voz profunda" - disse Meagle. "Amanhã eu--"

Ele começou com uma exclamação quando a luz passou, de repente, e algo o atingiu na cabeça. Os outros ficaram em pé. Então, Meagle riu.

"É a vela", ele exclamou. "Eu não a fixei o suficiente."

Barnes acendeu um fósforo e, reacendendo uma vela, fixou-a na lareira, sentou-se e pegou suas cartas novamente.

"O que eu ia dizer?", disse Meagle. "Oh eu sei; amanhã Eu--"

"Ouça!", disse White, colocando a mão na manga do outro. "Dou minha palavra que, realmente, pensei ter ouvido uma risada."

"Olhe aqui!", disse Barnes. "O que você diz para voltar? Já tive o suficiente disso. Continuo imaginando que também ouço coisas; sons de algo se movendo no corredor do lado de fora. Sei é extravagante, mas isso é desconfortável."

"Você vai se quiser", disse Meagle, "e nós vamos brincar de fantasma. Ou você pode pedir ao vagabundo que pegue sua mão e desça as escadas com você."

Barnes estremeceu e exclamou com raiva. Ele se levantou e, andando até a porta entreaberta, ouviu.

"Vá lá fora", disse Meagle, piscando para os outros dois. "Eu aposto que você desça até a porta do corredor e volte sozinho."

Barnes voltou e, curvando-se para a frente, acendeu o cachimbo na vela.

"Estou nervoso, mas racional", disse ele, soprando uma nuvem fina de fumaça. "Meus nervos me dizem que há algo rondando, subindo e descendo no longo corredor do lado de fora; minha razão me diz que isso é tudo bobagem. Onde estão minhas cartas?"

Ele sentou-se novamente e, pegando-as em suas mãos, olhou com cuidado e jogou.

"Sua vez, White", disse ele, depois de uma pausa.

White não fez sinal.

"Ora, ele está dormindo", disse Meagle. "Acorde, velho. Desperta e jogue."

Lester, que estava sentado ao lado dele, pegou o homem adormecido nos braços e o balançou, gentilmente a princípio e, depois, com alguma aspereza, mas White, com as costas contra a parede e a cabeça curvada, não fez sinal. Meagle gritou em seu ouvido e, depois, virou-se com o rosto confuso para os outros.

"Ele dorme como os mortos", disse ele, fazendo uma careta. "Bem, ainda somos três para fazer companhia um ao outro."

"Sim", disse Lester, assentindo. "A menos que - Bom Deus! suponha que..."

Ele parou e olhou para eles, tremendo.

"Suponha o quê?" perguntou Meagle.

"Nada", gaguejou Lester. "Vamos acordá-lo. Tente novamente. White! WHITE!"

"Não é bom", disse Meagle seriamente; "tem alguma coisa errada sobre esse sono."

"Foi isso que eu quis dizer", disse Lester; "E se ele for dormir assim, por que não deveria..."

Meagle ficou de pé. "Bobagem", disse asperamente. "Ele está cansado; isso é tudo. Ainda assim, vamos levá-lo e sair. Você o pega pela suas pernas e Barnes conduzirá pelo caminho com a vela. Sim? Quem é aquele?"

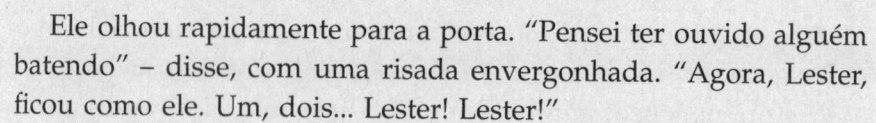

Ele olhou rapidamente para a porta. "Pensei ter ouvido alguém batendo" – disse, com uma risada envergonhada. "Agora, Lester, ficou como ele. Um, dois... Lester! Lester!"

Ele saltou para a frente, tarde demais; Lester, com o rosto enterrado nos braços rolou no chão, dormindo profundamente, e esforços máximos falharam em acordá-lo.

"Ele – está – dormindo", gaguejou. "Adormecido!"

Barnes, que pegara a vela da lareira, levantou-se espiando os dorminhocos em silêncio e soltando parafina sobre o chão.

"Precisamos sair disso", disse Meagle. "Rápido!"

Barnes hesitou. "Não podemos deixá-los aqui", começou.

"Precisamos", disse Meagle, em tom estridente. "Se você for dormir eu irei - Rápido! Venha!"

Ele agarrou o outro pelo braço e se esforçou para arrastá-lo para o porta. Barnes o sacudiu e, colocando a vela de volta na lareira, tentou, novamente, despertar os dormentes.

"Não é bom", disse finalmente e, afastando-se deles, observou Meagle. "Você não vai dormir", disse ansiosamente.

Meagle balançou a cabeça e eles ficaram em um desconfortável silêncio. "Pode fechar a porta", disse Barnes.

Ele atravessou e fechou-a, suavemente. Então, com um barulho de briga atrás dele, virou-se e viu Meagle amontoado na pedra da lareira.

Com um suspiro agudo, ficou imóvel. No quarto, a vela, tremulando na corrente de ar, mostrava vagamente as atitudes grotescas dos que dormiam. Além da porta, para sua imaginação exagerada parecia uma inquietação estranha e furtiva. Ele tentou assobiar, mas seus lábios estavam ressecados e, mecanicamente moldados, ele parou e começou a pegar as cartas que estavam o chão.

Ele parou uma ou duas vezes e ficou com a cabeça inclinada, ouvindo. A agitação lá fora parecia aumentar; um rangido alto soava das escadas.

"Quem está aí?", ele gritou alto.

Os rangidos cessaram. Ele foi até a porta e, abrindo-a, andou a passos largos para o corredor. Enquanto caminhava, seus medos o deixaram, de repente.

A Casa de Aluguel

"Vamos!" gritou, com uma risada baixa. "Todos vocês! Todos vocês! Mostrem seus rostos - seus rostos infernais e feios! Não fujam!"

Ele riu de novo e seguiu em frente; e a pilha na lareira ficou moldada como uma tartaruga e ouviu, horrorizada, os passos em retirada. Até que eles se tornaram inaudíveis na distância, o ouvinte não relaxou.

"Bom Deus, Lester, nós vamos enlouquecer", disse ele, em um sussurro assustado. "Nós devemos ir atrás dele."

Não houve resposta. Meagle ficou em pé.

"Você escuta?" gritou. "Pare de enganar agora; isso é sério. White! Lester! Vocês escutam?"

Inclinou-se e examinou-os com perplexidade e raiva. "Tudo certo," disse, com uma voz trêmula. "Vocês não vão me assustar, vocês sabem."

Ele se virou e caminhou com descuido exagerado em direção à porta. Ele até saiu e espiou através da fenda, mas os dormentes não se mexiam. Olhou para a escuridão atrás e, então, entrou, apressadamente, na sala novamente.

Ficou parado por alguns segundos em relação a eles. A quietude na casa era horrível; nem podia ouvi-los respirar. Com uma resolução repentina, pegou a vela da lareira e segurou a chama no dedo de White. Então, quando recuou estupefado, os passos novamente se tornaram audíveis.

Ele ficou com a vela na mão trêmula, ouvindo. Ele os ouviu subir a escada mais longe, mas eles pararam, de repente, quando foi para a porta. Ele andou um pouco no corredor e eles foram correndo pelas escadas e, depois, em uma corrida ao longo do corredor abaixo. Ele voltou para a escada principal e eles cessaram novamente.

Por um tempo, ele pairou sobre os balaústres, ouvindo e tentando furar a escuridão abaixo; então, lentamente, passo a passo, foi descendo as escadas e, segurando a vela acima da cabeça, espiou por ela.

"Barnes!" ele chamou. "Onde você está?"

Tremendo de medo, fez o seu caminho ao longo da passagem e, convocando toda sua coragem, abriu as portas e olhou, com medo, nas salas vazias. Então, de repente, ouviu passos à sua frente.

Ele seguiu devagar, com medo de apagar a vela, até eles, finalmente, o levarem a uma vasta cozinha nua, com paredes úmidas e um piso quebrado. À sua frente, uma porta que dava para o interior do quarto que acabara de fechar. Ele correu em direção a ela, a abriu e um ar frio soprou a vela. Ele ficou horrorizado.

"Barnes!", gritou novamente. "Não tenha medo! Sou eu - Meagle!"

Não houve resposta. Ele ficou olhando a escuridão e o tempo todo a ideia de algo próximo à mão olhava sobre ele. Então, de repente, degraus começaram a surgir no alto.

Ele se afastou, às pressas, e passou pela cozinha tateando seu caminho ao longo das passagens estreitas. Ele, agora, podia ver melhor na escuridão e, finalmente, encontrando-se ao pé da escada, começou a subir, silenciosamente. Ele chegou ao patamar apenas a tempo de ver uma figura desaparecer em torno do ângulo de uma parede. Ainda cuidadoso para não fazer barulho, seguiu o som dos passos até que eles o levaram ao último andar e ele encurralou sua caça no fim de uma passagem curta.

"Barnes!", ele sussurrou. "Barnes!"

Algo se mexeu na escuridão. Uma pequena janela circular, no final do corredor, apenas suavizou a escuridão e revelou os contornos escuros de uma figura imóvel. Meagle, em vez de avançar, ficou quase tão quieto quanto uma repentina e horrível dúvida que tomou posse dele. Com os olhos fixos na forma à frente, ele recuou, lentamente e, à medida que avançava sobre ele, explodiu em um terrível grito.

"Barnes! Pelo amor de Deus! É você?"

Os ecos de sua voz deixaram o ar tremendo, mas a figura à frente dele não prestou atenção. Por um momento, tentou preparar sua coragem para suportar sua abordagem, então, com um grito sufocado, virou e fugiu.

Os corredores serpenteavam como um labirinto e ele se enfiou, cegamente, em uma busca vã pelas escadas. Se pudesse descer e abrir a porta do hall...

Ele prendeu a respiração em um soluço; os passos começaram de novo. Como um trote pesado, subiam e desciam pelos corredores

A Casa de Aluguel

vazios, dentro e fora, para cima e para baixo, como se procurassem por ele. Ele ficou horrorizado e, quando se aproximaram, entraram em uma pequena sala que estava atrás da porta, enquanto passavam correndo. Ele saiu e correu rápido, silenciosamente, na direção oposta e, em um momento, os degraus estavam atrás dele. Ele encontrou o longo corredor e correu ao longo dele, em velocidade máxima. As escadas que ele conhecia estavam no final e, com os degraus logo atrás, ele desceu com pressa, às cegas. Os degraus foram alcançados e ele se encolheu para o lado para deixá-los passar, ainda continuando seu voo à frente. Então, de repente, parecia deslizar da terra para o espaço.

Lester acordou de manhã para encontrar a luz do sol fluindo na sala e White, sentado e olhando com alguma perplexidade, um dedo com bolhas.

"Onde estão os outros?" perguntou Lester.

"Acho que foram embora", disse White. "Acredito que dormindo."

Lester levantou-se e, esticando os membros rígidos, espanou as roupas com as mãos e saiu para o corredor. White o seguiu. Com o barulho de sua aproximação, uma figura que estava deitada, dormindo no outro extremo, sentou-se e revelou o rosto de Barnes. "Oras, eu dormi", disse ele, surpreso. "Eu não me lembro de vir aqui. Como eu cheguei aqui?"

"Bom lugar para tirar uma soneca", disse Lester, severamente, enquanto apontou para a lacuna nos balaústres. "Olhe ali! Outro quintal e onde você estaria?"

Ele caminhou descuidadamente até a beira e olhou por cima. Em resposta ao seu grito assustado, os outros se aproximaram e os três ficaram olhando para um homem morto abaixo.

Foi um Sonho?
por Guy de Maupassant

EU a amava loucamente! Por que se ama? Por que se ama? Como é estranho ver apenas um ser no mundo, ter apenas um pensamento na mente, apenas um desejo no coração e apenas um nome nos lábios; um nome que vem à tona continuamente, que se eleva como a água de uma nascente, das profundezas da alma, que se eleva até os lábios e que se repete várias vezes sem contar, de novo, que se sussurra incessantemente, em todos os lugares, como uma oração.

Vou contar nossa história, pois o amor só tem uma, que é sempre a mesma coisa. Eu a conheci e a amei; isso é tudo. E durante um ano inteiro vivi de sua ternura, de suas carícias, em seus braços, em seus vestidos, em suas palavras, tão completamente entrelaçados, preso, aprisionado em tudo o que vinha dela, já não sabia mais se era dia ou noite, se eu estava morto ou vivo, nesta nossa velha terra ou em outro lugar.

E então ela morreu. Como? Eu não sei. Eu não sei mais; mas uma noite ela voltou para casa molhada, pois estava chovendo muito, e no dia seguinte tossiu, tossiu por cerca de uma semana e foi levada para sua cama. O que aconteceu não me lembro agora, mas os médicos vieram, escreveram e foram embora. Os medicamentos foram trazidos e algumas mulheres a obrigaram a bebê-los. As mãos dela estavam quentes, a testa estava queimando e seus olhos brilhantes e tristes. Quando falei a ela, ela me respondeu, mas eu não me lembro o que dissemos. Esqueci de tudo, tudo, tudo! Ela morreu, e me lembro muito bem do seu leve e débil suspiro. Disse a enfermeira: "Ah!", e eu entendi, eu entendi!

"Eu não sabia mais nada, nada". Eu vi um padre que disse: "Sua senhora?" e me pareceu como se estivesse insultando-a. Como se ela estivesse morta, ninguém mais tinha o direito de saber disso, e o transformei nisso. Veio outro que foi muito gentil e carinhoso, e derramei lágrimas quando falou comigo sobre ela.

Eles me consultaram sobre o funeral, mas eu não me lembro de qualquer coisa que eles disseram, embora me lembre do caixão, e do som do martelo quando eles a pregaram nele. Oh! Deus, Deus!

"Ela foi enterrada! Enterrada! Ela! Naquele buraco!" Vieram algumas pessoas - amigas. Eu fiz minha fuga, fugi; corri, depois andei pelas ruas, fui para casa e, no dia seguinte, comecei uma jornada.

* * *

Ontem voltei a Paris e, quando vi meu quarto novamente - nosso quarto, nossa cama, nossos móveis, tudo o que resta da vida de um ser humano após a morte, fui tomado por tal ataque violento de luto fresco, que estava muito perto de abrir a janela e me jogar para a rua. Como não pude mais permanecer entre estas coisas, entre estas paredes que a tinha enclausurado e abrigado, e que reteve mil átomos dela, de sua pele e de sua respiração em suas imperceptíveis fendas, peguei meu chapéu para fazer minha fuga e, assim que cheguei a porta, passei pelo grande espelho no corredor, que ela tinha colocado para poder olhar para si mesma todos os dias da cabeça aos pés enquanto saía, para ver se a aparência de banho parecia bem, estava correta e bonita, desde suas botinhas até o gorro.

Eu parei em frente àquele espelho em que ela havia sido tão frequentemente refletida. Tantas vezes, tantas vezes, que também deve ter retido o seu reflexo. Estava ali parado, tremendo, com os olhos fixos no espelho - que achatado, profundo, vazio de vidro - que a tinha contido inteiramente, e a possuía tanto quanto eu havia, como a minha aparência apaixonada tinha. Eu senti como se amasse aquele espelho. Toquei nele, estava frio. Oh! A lembrança!

Foi um Sonho?

Triste espelho, espelho ardente, espelho horrível, o que nos faz sofrer tais tormentos! Felizes são os homens cujo coração esquece tudo que continha, tudo o que passou antes dele, tudo o que nele se olhou, que se refletiu no seu afeto, no seu amor! Como eu sofro!

Continuei sem saber, sem desejar; fui em direção ao cemitério. Encontrei a sua sepultura simples, uma cruz de mármore branco, com estas poucas palavras:

""*Ela amou, foi amada e morreu.*"

Ela está lá, abaixo, decadente! Que horrível! Soluçava com a minha testa no chão, parei lá por um longo tempo, um longo tempo. Então, vi que estava ficando escuro e um estranho, um desejo louco, o desejo de um amante desesperado me tomou. Desejava passar a noite, a última noite chorando em seu túmulo. Mas deveria ser visto e expulso. Como iria conseguir? Eu era astuto, me levantei, comecei a vaguear por aquela cidade dos mortos. Andei e andei. Como esta cidade é pequena em comparação com as outras, a cidade em que vivemos: e ainda, quanto mais numerosos são os mortos do que os vivos. Nós queremos casas altas, ruas largas e muito espaço para as quatro gerações que veem a luz do dia ao mesmo tempo, beber água da nascente, vinho da videira, comer o pão da planície.

E por todas as gerações de mortos, por toda aquela escada de humanidade que desceu até nós, dificilmente há qualquer coisa mais distante, quase nada! A terra os leva de volta, o esquecimento os afasta. Adeus!

No final do cemitério abandonado, de repente, percebi que aquele que estao mortos há muito tempo terminam misturando-se com o solo, onde as próprias cruzes se decompõem, onde os últimos a chegar serão colocados amanhã. Está cheio de rosas não cultivadas, de ciprestes fortes e escuros, um jardim triste e bonito, alimentado com carne humana.

Eu estava sozinho, perfeitamente sozinho e, então, me agachei em uma árvore verde, me escondi lá, completamente, entre os grossos e sombrios ramos, esperei, agarrado ao tronco, como um homem náufrago faz a uma tábua.

Quando estava bastante escuro, deixei meu refúgio e comecei a andar suavemente, lentamente, de forma inaudível, através daquele chão cheio de pessoas mortas, vaguei por muito tempo, mas não consegui encontrá-la novamente. Continuei com os braços estendidos, batendo contra os túmulos com minhas mãos, meus pés, meus joelhos, meu peito, até mesmo com minha cabeça, sem poder encontrá-la. Eu toquei e me senti como um cego apalpando seu caminho, senti as pedras, as cruzes, o ferro, as grinaldas de metal e as coroas de flores desbotadas! Lia os nomes com meus dedos, passando-os por cima das letras. Que noite! Que noite! Não consegui encontrá-la novamente!

Não havia lua. Que noite! Estou assustado, horrivelmente assustado nestes caminhos estreitos, entre duas fileiras de sepulturas. Sepulturas! Sepulturas! Sepulturas! Nada além de sepulturas! À minha direita, à minha esquerda, à minha frente, ao meu redor, em todos os lugares onde estava, havia sepulturas! Me sentei em uma delas, pois eu não podia mais andar, meus joelhos estavam muito fracos. Podia ouvir meu coração bater! E podia ouvir também outra coisa. O quê? Um barulho confuso, inominável. Era o barulho na minha cabeça na noite impenetrável, ou por baixo da terra misteriosa, a terra semeada com cadáveres humanos? Olhei ao meu redor, mas eu não posso dizer quanto tempo fiquei lá; estava paralisado de terror, bêbado de susto, pronto para gritar, pronto para morrer.

"De repente, me pareceu como se a laje de mármore sobre a qual estava sentado, estivesse se movendo. Certamente, estava se movendo, como se estivesse sendo levantada. Com um movimento, saltei para o túmulo vizinho, e vi, sim, vi claramente a pedra que acabara de deixar, ergue-se de pé, e a pessoa morta aparecer, um esqueleto nu, que estava empurrando a pedra para trás com o seu dorso dobrado. Eu a vi muito claramente, embora a noite estivesse tão escura. Na cruz eu podia ler: "Aqui jaz Jacques Olivant, que morreu aos 51 anos de idade. Ele amava sua família, foi gentil e honrado, morreu na graça do Senhor".

O morto também leu o que estava escrito em sua lápide; então, pegou uma pedra fora do caminho, uma pequena pedra pontiaguda e começou a raspar as letras com cuidado. Ele as apagou lentamente

Foi um Sonho?

e, com os buracos dos olhos, olhou para os lugares onde haviam sido gravadas e, com a ponta do osso, que tinha sido seu dedo indicador, escreveu em letras luminosas, como aquelas linhas que se traçam nas paredes com a ponta de um fósforo:

"'*Aqui descansa Jacques Olivant, que morreu aos 51 anos de idade. Ele apressou a morte de seu pai pela sua indelicadeza, como desejava herdar sua fortuna, torturava sua esposa, atormentava seus filhos, enganava seus vizinhos, roubou todos os que pôde e morreu miserável".*

Quando ele terminou de escrever, o morto ficou imóvel, olhando para o seu trabalho e, ao dar a volta, vi que todos os túmulos estavam abertos, de onde todos os cadáveres tinham saído e que todos tinham apagado as mentiras gravadas nas lápides pelos seus parentes, em vez disso, haviam substituído por verdades. E vi que todos tinham sido atormentadores de seus vizinhos - maliciosos, desonestos, hipócritas, mentirosos, trapaceiros, caluniadores, invejosos; que eles tinham roubado, enganado, feito toda vergonha, toda ação abominável, esses bons pais, essas esposas fiéis, esses filhos dedicados, essas filhas castas, esses comerciantes honestos, estes homens e mulheres que foram chamados irrepreensíveis, e eles foram chamados de irrepreensíveis, e todos eles estavam escrevendo ao mesmo tempo, no limiar de sua morada eterna, a verdade, a terrível e santa verdade que todos ignoram, ou fingem ignorar, enquanto os outros estão vivos.

Eu pensei que *ela* também deveria ter escrito algo na lápide, e agora, correndo sem medo entre os caixões semiabertos, entre os cadáveres e esqueletos, fui em direção a ela, certo de que eu deveria encontrá-la imediatamente. A reconheci de imediato, sem ver o seu rosto, que estava coberto pelo lençol de enrolar, e na cruz de mármore, onde pouco antes eu tinha lido: '*Ela amava, foi amado, e morreu',* eu agora vi: "*Havia saído um dia, a fim de trair seu amante, pegou friagem na chuva e morreu".*

* * *

Parece que me encontraram ao amanhecer, deitado sobre a sepultura inconsciente.

Carta de um Louco
por Guy de Maupassant

ELE estava morto - o chefe de um alto tribunal, o correto magistrado cuja vida irrepreensível era um provérbio em todas as cortes da França. Advogados, jovens conselheiros, juízes, o cumprimentavam ao ver seu rosto grande, fino e pálido iluminado por dois olhos brilhantes e profundos, curvando-se para baixo em sinal de respeito.

Ele havia passado sua vida na perseguição ao crime e na proteção dos fracos. Os vigaristas e assassinos não tinham mais nenhum inimigo temível, pois ele parecia ler os pensamentos mais secretos de suas mentes.

Ele estava morto, agora, aos 82 anos de idade, honrado pelas homenagens e seguido dos arrependimentos de todo um povo. Soldados de calças vermelhas o escoltaram até o túmulo e homens de gravatas brancas tinham dito palavras e derramado suas lágrimas, que pareciam ser sinceras, ao lado de sua sepultura.

Mas, aqui está o estranho papel encontrado pelo consternado notário na mesa onde tinha guardado os registros de grandes criminosos! Foi intitulado: POR QUÊ?

20 DE JUNHO DE 1851. Acabo de sair da corte. Condenei Blondel até a morte! Agora, por que este homem matou seus cinco filhos? Frequentemente, se encontra com pessoas para quem a destruição da vida é um prazer. Sim, sim, deve ser um prazer, o maior de todos, de tudo, talvez, pois não é matar a próxima coisa a criar? Para fazer e para destruir! Estas duas palavras contêm a história do universo, toda a história dos mundos, tudo o que é, tudo! Por que não é intoxicante matar?

25 DE JUNHO. Pensar que um ser está lá quem vive, quem anda, quem corre. Um ser? O que é um ser? Aquela coisa animada, que traz em si o princípio do movimento e um testamento de movimento. Está ligado a nada, a esta coisa. Seus pés não pertencem ao chão. É um grão de vida que se move sobre a terra e este grão de vida, vindo não sei de onde, pode se destruir na vontade de cada um. Então nada - nada mais. Perece, está acabado.

26 DE JUNHO. Por que então é um crime matar? Sim, por quê? Ao contrário, é a lei da natureza. A missão de todo ser é matar; ele mata para viver e mata para matar. A besta mata sem cessar, o dia inteiro, a cada instante de sua existência. Homem mata sem parar, para se alimentar; mas como ele precisa, além disso, para matar por prazer, ele inventou a caça! A criança mata os insetos que encontra, os passarinhos, todos os animaizinhos que atravessam seu caminho. Mas, isso não basta para a irresistível necessidade de massacrar que está em nós. Não é suficiente matar bestas; temos de matar o homem também. Há muito tempo, esta necessidade foi satisfeita por sacrifícios humanos. Agora, as exigências da vida social fizeram do assassinato um crime. Nós condenamos e punimos o assassino! Mas, como não podemos viver sem ceder a isso naturalmente e instintivamente da imperiosa morte, nós nos aliviamos, de tempo em tempo, por guerras. Depois, uma nação inteira massacra outra nação. É um banquete de sangue, um banquete que enlouquece exércitos e que intoxica os civis, mulheres e crianças, que leem, através de lanternas à noite, a história febril do massacre.

Podia supor que aqueles destinados a realizar esses talhos de homens seriam desprezados! Não, eles estão carregados de honras. São revestidos de ouro e de roupas resplandecentes; usam plumas na cabeça e ornamentos nos peitos, lhes são dadas cruzes, recompensas, títulos de todo tipo. Eles são orgulhosos, respeitados, amados pelas mulheres, aplaudidos pela multidão, apenas porque a sua missão é derramar sangue humano; eles arrastam seus instrumentos pelas ruas da morte, que o transeunte, vestido de preto, olha com inveja. Pois, matar é a grande lei estabelecida pela natureza no coração da existência! Não há nada mais belo e honroso do que matar!

Carta de um Louco

30 DE JUNHO. Matar é a lei, porque a natureza ama a juventude eterna. Ela parece chorar em todos os seus atos inconscientes: "Rápido! Rápido! Rápido!". Quanto mais ela destrói, mais ela se renova.

2 DE JULHO. Um ser humano - o que é um ser humano? Embora pense que é um reflexo de tudo o que é; através da memória e da ciência é uma edição abreviada do universo cuja história representa, um espelho das coisas e das nações, cada ser humano se torna um microcosmo no macrocosmo.

3 DE JULHO. Deve ser um prazer, único e cheio de sabor, matar; ter diante de si um ser vivo, um ser pensante; fazer nisso um pequeno buraco, nada além de um pequeno buraco, para ver aquela coisa vermelha, que é o sangue, que faz a vida, escorrer; e ter antes uma só pilha de carne manca, fria, inerte, vazia de pensamento!

5 DE AGOSTO. Eu, que passei a minha vida em juízo, condenando, matando pela palavra falada, matando pela guilhotina aqueles que mataram pela faca, eu, eu, se devesse fazer como todos os assassinos fizeram por quem me apaixonei, eu-eu... quem saberia isso?

10 DE AGOSTO. Quem saberia? Quem iria suspeitar de mim, de mim, de mim, especialmente se devesse escolher um ser que não tivesse interesse em acabar com isso?

15 DE AGOSTO. A tentação chegou até mim. Ela permeia todo o meu ser; minhas mãos tremem com o desejo de matar.

22 DE AGOSTO. Não pude mais resistir. Eu matei uma criaturinha como uma experiência, para um começo. Jean, meu servo, teve um pintassilgo em uma gaiola pendurada na janela do escritório. Eu o mandei em uma tarefa e peguei o passarinho na minha mão, na minha mão onde senti seu coração bater. Estava quente. Fui para o meu quarto. De vez em quando, eu o segurava mais apertado; seu coração batia mais rápido; isto era atroz e delicioso. Eu estava quase sufocando-o. Mas, não consegui ver o sangue.

Depois, peguei uma tesoura, uma tesoura curta, e cortei sua garganta com três fendas, bem suavemente. Abriu seu bico e lutou para escapar. Eu, mas eu segurei, oh! Eu segurei - poderia ter segurado um cachorro louco – e vi o gotejamento de sangue.

E então, fiz como os assassinos de verdade. Lavei a tesoura, lavei minhas mãos. Espirrei água e levei o corpo, o cadáver, para o jardim, para escondê-lo. Eu o enterrei debaixo de um morangueiro. Nunca será encontrado. Todos os dias vou comer um morango daquela planta. Como se pode aproveitar a vida quando se sabe como!

Meu servo chorou; pensou que seu pássaro voasse. Como ele poderia suspeitar de mim? Ah! Ah!

25 DE AGOSTO. Eu devo matar um homem! Eu devo...

30 DE AGOSTO. Está feito. Mas, que coisinha! Tinha saído para uma caminhada na floresta de Vernes. Eu não estava pensando em nada, literalmente nada. Uma criança estava na estrada, uma criancinha comendo um fatia de pão e manteiga.

Ele para pra me ver passar e diz: "Bom dia, Sr. Presidente".

E o pensamento entra na minha cabeça: "Devo matá-lo?"

Eu respondo: "Você está sozinho, meu garoto?"

"Sim, senhor."

"Sozinho na floresta?"

"Sim, senhor."

O desejo de matá-lo me intoxicou como vinho. Aproximei-me muito suavemente, persuadido de que iria fugir. E, de repente, o agarrei pela garganta. Ele olhou para mim com terror em seus olhos - olhos esses! Ele segurou meus punhos com suas mãozinhas e seu corpo plainando como uma pluma sobre o fogo. Então, ele não se moveu mais. Joguei o corpo na vala e algumas ervas daninhas em cima disso. Voltei para casa e jantei bem. Que coisinha foi! A noite estava muito alegre, leve, rejuvenescida; passei a noite na prefeitura. Eles me acharam espirituoso. Mas, eu não vi sangue! Eu estou tranquilo.

31 DE AGOSTO. O corpo foi descoberto. Eles estão caçando o assassino. Ah! Ah!

1° DE SETEMBRO. Dois vagabundos foram presos. Faltam provas.

2 DE SETEMBRO. Os pais foram me ver. Eles choraram! Ah! Ah!

6 DE OUTUBRO. Nada foi descoberto. Algum viajante vagabundo deve ter feito a façanha. Ah! Ah! Se tivesse visto o sangue escorrido,

me parece que deveria estar tranquilo agora! O desejo de matar está em meu sangue; é como a paixão da juventude aos 20 anos.

20 DE OUTUBRO. Mais um. Estava andando junto ao rio, depois do café da manhã. E vi, sob um salgueiro, um pescador dormindo. Era meio-dia. Uma pá estava de pé em um campo de batata próximo, como me chamando.

Eu peguei. Voltei; ergui-a como um taco e é com um golpe da borda que furo a cabeça do pescador. Oh! Este aqui sangrou! Sangue cor de rosa. Ele correu para a água, bem suavemente. E fui embora com um passo rápido. Se tivesse sido visto! Ah! Ah! Me tornei um excelente assassino.

25 DE OUTUBRO. O caso do pescador fez um grande agito. Seu sobrinho, que pescou com ele, é acusado do assassinato.

26 DE OUTUBRO. O magistrado examinador afirma que o sobrinho é culpado. Todo mundo na cidade acredita nisso. Ah! Ah!

27 DE OUTUBRO. O sobrinho faz um testemunho muito pobre. Ele tinha ido à aldeia comprar pão e queijo, declarou. Ele jurou que seu tio tinha sido morto em sua ausência! Quem acreditaria nele?

28 DE OUTUBRO. O sobrinho quase confessou, eles o têm maltratado muito. Ah! Ah! Justiça!

15 DE NOVEMBRO. Há provas esmagadoras contra o sobrinho, que era herdeiro de seu tio. Eu presidirei as sessões.

25 DE JANEIRO. Até a morte! Até a morte! Até a morte! Eu já o havia condenado à morte! Ah! Ah! O advogado-geral falou como um anjo! Ah! Ah! Mais um! Vou vê-lo ser executado!

10 DE MARÇO. Está feito. Eles o guilhotinaram esta manhã. Ele morreu muito bem! Muito bem! Isso me deu prazer! Que bom é ver a cabeça de um homem ser cortada!

Agora, vou esperar, posso esperar. Seria preciso uma coisinha muito pequena para me deixar apanhar.

O manuscrito continha ainda outras páginas, mas sem se relacionar com qualquer novo crime.

Médicos alienistas a quem a terrível história foi submetida declararam que há, no mundo, muitos loucos por descobrir, tão astutos e temíveis como este monstro lunático.

A Coisa Maldita
por Ambrose Bierce

I.
Nem sempre se come o que está na mesa

À LUZ de uma vela de sebo que tinha sido acesa na ponta de uma mesa áspera, um homem estava lendo algo escrito em um livro. Era um livro antigo e legível, o homem, às vezes, segurava a página perto da chama da vela para conseguir uma luz mais forte sobre ele. A sombra do livro lançaria, então, uma obscuridade da metade da lua, escurecendo vários rostos e figuras; pois, além do leitor, outros oito homens estavam presentes. Sete deles sentaram-se contra a parede de madeira bruta, silenciosos, imóveis e, sendo um cômodo pequeno, não muito longe da mesa. Ao estender um braço, qualquer um deles poderia tocar o oitavo homem, deitado sobre a mesa, virado para cima, parcialmente coberto por um lençol, seus braços ao seu lado. Ele estava morto.

O homem com o livro não estava lendo em voz alta e ninguém falava; todos pareciam estar esperando que algo acontecesse; o homem morto só estava sem expectativa. Do lado de fora, da escuridão vazia, entraram, através da abertura que servia para uma janela, todos os ruídos sempre desconhecidos da noite de uma região selvagem – a longa nota sem nome de um coiote distante; a emoção ainda pulsante de incansáveis insetos nas árvores; estranhos gritos de pássaros noturnos, tão diferentes daqueles das aves do dia; o zangão dos grandes escaravelhos equivocados e todos aqueles misteriosos refrões de pequenos sons que parecem sempre ouvidos pela metade quando cessam de repente, como se estivessem conscientes de uma indiscrição. Mas, nada disso foi notado naquela pequena sociedade; seus membros não eram excessivamente viciados em interesses ociosos, em assuntos de nenhuma importância prática; isso era óbvio em todas as linhas de suas faces – óbvias, mesmo à luz fraca da vela solitária. Ali, eram evidentemente homens da vizinhança - fazendeiros e madeireiros.

A pessoa que lia era um pouco diferente; um que havia falado dele próprio que era do mundo, mundano, embora houvesse algo em seu traje que atestava uma certa comunhão com os organismos de seu ambiente. O seu casaco, dificilmente, teria passado em uma revista de tropa em São Francisco; o seu calçado não era de origem urbana e o chapéu que colocou no chão (ele era o único a ser descoberto) era tal que, se alguém o tivesse considerado como um mero artigo de adorno pessoal, lhe teria escapado o significado. O semblante do homem era um tanto atraente, com apenas um traço de dureza; embora possa ter assumido ou cultivado, como apropriado a uma autoridade. Pois ele era médico legista. Era pela virtude de seu cargo que tinha a posse do livro que estava lendo; havia sido encontrado entre os pertences do morto - em sua cabana, onde o inquérito estava acontecendo agora.

Quando o médico legista terminou de ler, colocou o livro em seu bolso no peito. Naquele momento, a porta foi empurrada e um jovem entrou. Ele, claramente, não era de nascença e nem de criação nas montanhas: estava vestido como aqueles que moram nas cidades. Suas roupas estavam empoeiradas, no entanto, devido à viagem. Ele tinha, de fato, andado bastante a cavalo para atender ao inquérito.

O legista acenou com a cabeça, ninguém mais o cumprimentou.

"Estávamos esperando por você", disse o médico legista. "É necessário que isto seja feito até hoje à noite".

O jovem sorriu. "Sinto muito por ter feito você esperar", disse ele. "Fui embora, não para fugir da sua convocação, mas para postar no meu jornal um relato do que suponho ter sido chamado de volta para relatar".

O médico legista sorriu.

"O relato que você postou no seu jornal", disse ele, "difere, provavelmente, do que você verá aqui sob juramento".

"Isso", respondeu o outro, bem calorosamente e com um vigor visível, "como você quiser. Eu usei papel multifoliado e tenho uma cópia do que mandei. Não foi escrito como notícia, pois é incrível, mas como ficção. Pode contar com a parte do meu testemunho sob juramento".

"Mas, você diz que é incrível".

"Isso não é nada para você, senhor, se também jurar que é verdade".

O médico legista ficou em silêncio por um tempo, seus olhos fixos no chão. Os homens ao redor da cabana falavam em sussurros, mas raramente retiravam o olhar da face do cadáver. Neste momento, o legista levantou os olhos e disse: "Vamos retomar o inquérito".

Os homens tiraram os chapéus. As testemunhas prestaram juramento.

"Qual é o seu nome?", perguntou o legista.

"William Harker."

"Idade?"

"Vinte e sete."

"Você conhecia o falecido, Hugh Morgan?"

"Sim."

"Você estava com ele quando ele morreu?"

"Perto dele."

"Como isso aconteceu - a sua presença, quero dizer?"

"Eu estava visitando-o neste lugar para caçarmos e pescarmos. Uma parte de meu propósito, no entanto, era estudar seu estranho e solitário modo de vida. Ele parecia ser um bom modelo para um personagem de ficção. Eu, às vezes, escrevo histórias."

"Eu, às vezes, as leio."

"Obrigado."

"Histórias em geral - não suas."

Alguns dos jurados riram. Contra um fundo sombrio, o humor mostrava algum destaque. Soldados nos intervalos de batalha riam facilmente e uma brincadeira na câmara da morte é pega de surpresa.

"Relate as circunstâncias da morte deste homem", disse o médico legista. "Você pode usar quaisquer notas ou memorandos que quiser."

A testemunha entendeu. Tirando um manuscrito de seu bolso no peito, o segurou perto da vela e virou as folhas até que encontrou a passagem que queria, começou a ler.

II.
O que pode acontecer em um campo de aveia selvagem

"O sol mal tinha se levantado quando saímos de casa. Nós estávamos procurando codornizes, cada um com uma espingarda, mas só tínhamos um cachorro. Morgan disse que nosso melhor local estava além de um certo cume que apontou e nós o atravessamos por uma trilha através do chaparral. Do outro lado, o terreno estava comparativamente mais nivelado, grossamente coberto com aveia selvagem. Conforme saímos do chaparral, Morgan estava com apenas alguns metros de antecedência. De repente, nós ouvimos, a uma pequena distância, à nossa direita e, em parte, à nossa frente, um barulho a partir de alguns animais que andavam nos arbustos, o que pudemos ver foi algo violentamente agitado.

"'Assustamos um veado', disse. 'Eu gostaria que tivéssemos trazido um rifle.'

Morgan, que tinha parado e estava a observar atentamente o chaparral agitado, não disse nada, mas tinha enchido os dois barris de sua arma e a estava segurando em prontidão para mirar. Eu o achei muito excitado, o que me surpreendeu, pois ele tinha uma reputação de excepcional frieza, mesmo em momentos de perigo súbito e iminente.

"Oh, venha", disse. "Você não vai encher um cervo com munição para codornizes, vai?"

Ainda assim, ele não respondeu; mas, ao ver o seu rosto quando virou um pouco para mim, fiquei impressionado com a intensidade

A Coisa Maldita

do que aparentava. Então, entendi que nós tínhamos algo bem sério em mãos e minha primeira conjectura foi de que havia "pulado" um urso pardo. Eu avancei para o lado do Morgan, engolindo a minha saliva enquanto eu me movia.

Os arbustos, agora, estavam quietos e os sons haviam cessado, mas Morgan estava tão atento ao lugar como antes.

"O que é isso? Que diabos é isso?", eu perguntei.

"Aquela Coisa Maldita", ele respondeu, sem virar a cabeça. A voz dele era rouca e antinatural. Ele tremia visivelmente.

Eu estava prestes a falar mais, quando observei a aveia selvagem perto do local do acontecido movendo-se na maneira mais inexplicável. Dificilmente consigo descrever. Parecia como se estivesse agitada por uma raia de vento, que não só a dobrou, mas a pressionou para baixo – esmagando para que não subisse; e este movimento foi lentamente se prolongando, diretamente para nós.

Nada que eu já tenha visto me afetou tão estranhamente como este fenômeno desconhecido e inexplicável, mas não sou capaz de lembrar-me de qualquer sentimento de medo. Eu me lembro - e digo isso aqui porque, singularmente, lembrei-me bastante - que uma vez, ao olhar para fora de uma janela aberta, momentaneamente, não avistei uma pequena árvore ao focar em uma de um grupo de árvores maiores, a uma pequena distância. Parecia do mesmo tamanho que as outras, mas sendo mais distintamente e bruscamente definida em massa e parecia detalhadamente fora de harmonia com os outras. Era uma mera falsificação da lei da perspectiva aérea, mas isso me assustou, quase me aterrorizou. Nós confiamos tanto na operação ordenada de leis naturais familiares que qualquer suspensão delas é notada como uma ameaça à nossa segurança, um aviso de uma impensável calamidade. Então, agora, o movimento aparentemente sem causa do pasto e a abordagem lenta da linha de perturbação, eram distintamente inquietantes. O meu companheiro parecia realmente assustado e, dificilmente, poderia creditar meus sentidos quando o vi, de repente, colocar sua arma no ombro e atirar ambos os barris no grão agitado! Antes da fumaça da descarga ir embora, ouvi um grito alto e feroz como o de um animal selvagem – e, atirando sua arma no chão, Morgan saiu correndo, rapidamente, do local. No mesmo instante em que fui atirado, violentamente, ao chão pelo impacto de algo invisível na fumaça - alguma substância macia e pesada parecia ter sido jogada contra mim, com grande força.

Antes que pudesse me levantar e recuperar minha arma, que parecia ter sido atingida pelas minhas mãos, ouvi Morgan gritando como se estivesse em agonia mortal e, se misturando com seus gritos, sons tão rústicos e selvagens como os que se ouve de cães de combate. Inexpressivamente aterrorizado, lutei até os meus pés e olhei na direção do retiro de Morgan; e que o Céu em sua misericórdia me poupe de outra visão como essa! A uma distância de menos de 30 jardas, estava meu amigo, de joelhos, a cabeça dele jogada para trás em um ângulo assustador, sem chapéu, seu cabelo comprido em desordem e seu corpo todo em movimento violento de um lado para o outro, para trás e para frente. Seu braço direito foi levantado e parecia não ter a mão - pelo menos, não consegui ver nenhuma. O outro braço era invisível. Às vezes, como minha memória agora relata esta cena extraordinária, poderia discernir apenas uma parte do seu corpo; era como se ele tivesse sido, em parte, apagado - não posso expressar-me de outra forma – então, uma mudança de sua posição traria tudo isso novamente à vista.

Tudo isso deve ter ocorrido em poucos segundos, mas ainda assim, a tempo de Morgan assumir todas as posturas de um determinado lutador vencido pelo peso e força superiores. Eu não vi nada além dele e, nem sempre, de forma distinta. Durante todo o incidente, seus gritos e maldições foram ouvidos, como se através de um envoltório de raiva e fúria que eu nunca tinha ouvido falar da garganta de um homem ou bruto!

Por um momento, só fiquei indeciso, depois, jogando minha arma de lado, corri em frente para a assistência de meu amigo. Eu tinha uma vaga crença de que ele estava sofrendo um ataque ou alguma forma de convulsão. Antes que o pudesse alcançar, ele estava deitado e quieto. Todos os sons tinham cessado, mas com um sentimento de terror como este horrível evento não tinha me conscientizado, então, vi novamente o movimento misterioso na aveia selvagem, prolongando-se a partir da área pisoteada perto do homem prostrado em direção à borda de uma madeira. Foi apenas quando tinha alcançado a madeira que fui capaz de desviar os meus olhos e olhar para o meu companheiro. Ele estava morto.

III.
Um Homem Embora Nu Pode Estar em Trapos

O médico legista levantou-se de seu assento e ficou ao lado do homem morto. Levantando uma borda do lençol, ele o arrancou, expondo o corpo inteiro, totalmente nu e mostrando na luz de uma vela um amarelo tipo barro. Tinha, no entanto, uma ampla mancha preto-azulada, obviamente causada por extravasamentos de sangue das contusões. O peito e as laterais pareciam ter sido espancados com um cassetete. Houve lacerações terríveis; a pele foi rasgada em tiras e pedaços.

O médico legista moveu-se até o final da mesa e desfez um nó no lenço de seda que tinha sido passado sob o queixo e atado na parte superior da cabeça. Quando o lenço foi retirado, de longe, expôs o que tinha sido a garganta. Alguns dos jurados que tinham se levantado para ter uma visão melhor se arrependeram de sua curiosidade e viraram o rosto para longe. A testemunha Harker foi para a janela aberta, debruçou-se sobre o peitoril, vomitou e desmaiou. Deixando cair o lenço do pescoço no homem morto, o médico legista andou para um canto da sala e, de uma pilha de roupa, retirou uma peça atrás da outra, cada uma das quais ele segurou, por um momento, para uma inspeção. Todas foram rasgadas e continham sangue seco. Os jurados não fizeram uma inspeção tão próxima. Pareciam bastante desinteressados. Eles tinham, na verdade, visto tudo isto antes; a única coisa que era nova para eles, era o testemunho de Harker.

"Cavalheiros", disse o médico legista, "não temos mais provas, penso eu. Seu dever já foi explicado a vocês; se não há nada que queiram perguntar, podem ir lá fora e considerar o seu veredicto."

O primeiro jurado se levantou – alto, um homem de sessenta e poucos anos de idade, de barba, vestido grosseiramente.

"Gostaria de fazer uma pergunta, Sr. Legista", disse . "De qual asilo esta sua última testemunha escapou?"

"Sr. Harker", disse o médico legista com seriedade e tranquilidade, "de que asilo você escapou recentemente?"

Harker se ruborizou novamente, mas não disse nada, os sete jurados se levantaram e, solenemente, se apresentaram fora da cabana.

"Se está me insultando, senhor", disse Harker, assim que ele e o oficial foram deixados sozinhos com o morto, "suponho que esteja livre para ir?"

"Sim."

Harker começou a sair, mas, parou com a mão no trinco da porta. O hábito de sua profissão era forte nele - mais forte do que o seu senso de dignidade pessoal. Ele se virou e disse:

"O livro que tem aí – o reconheço como o diário do Morgan. Você parecia muito interessado nele; você o leu enquanto estava testemunhando. Posso vê-lo? O público gostaria de-"

"O livro não vai cortar nenhuma figura neste assunto", respondeu o oficial, enfiando-o no bolso do casaco; "todas as anotações nele foram feitas antes da morte do escritor".

Enquanto Harker andava para fora de casa, o júri entrou novamente e, sobre a mesa, o agora coberto cadáver mostrava sua forma definida sob o lençol. O jurado sentou-se perto da vela, pegando de seu bolso do peito um lápis e escreveu, laboriosamente, o seguinte veredicto, que com vários graus de esforço todos assinaram:

"Nós, o júri, verificamos que os restos mortais chegaram à sua morte nas mãos de um leão da montanha, mas alguns de nós pensamos, da mesma forma, que eles foram atacados."

IV.
Uma Explicação da Tumba

O diário do falecido Hugh Morgan continha anotações, certamente, interessantes, possivelmente, sugestões de valor científico. No inquérito sobre o seu corpo, o livro não foi colocado como evidência; possivelmente, o médico legista achou que não valia a pena confundir o júri. As datas das primeiras anotações mencionados não podem ser constatadas; a parte superior da folha foi arrancada; a parte das anotações restantes é a seguinte:

"...correria em meio círculo, mantendo a cabeça sempre virada em direção ao centro e, novamente, ficaria parado, latindo furiosamente. Finalmente, fugiu para o mato o mais rápido que pôde. Pensei, no início, que tinha enlouquecido, mas, ao voltar para a casa, não encontrei outra alteração à sua maneira a não ser o que era obviamente devido ao medo de punição."

"Um cachorro pode ver com o nariz? Os odores imprimem as imagens das coisas que os emitiram, um pouco, no cérebro central? ..."

"SET. 2. - Olhando para as estrelas, ontem à noite, enquanto elas se elevavam acima do cume à leste da casa, observei-as sucessivamente desaparecer - da esquerda para a direita. Cada uma delas foi eclipsada, mas apenas por um instante e, apenas algumas de cada vez, mas ao longo de toda a extensão do cume todas que estavam dentro de um ou dois graus da crista foram apagadas. Era como se algo estivesse passando entre mim e elas; mas eu não podia vê-lo e as estrelas não eram grossas o suficiente para definir seu contorno. Ugh! não gosto disso."

Faltam várias semanas de anotações, três folhas foram arrancadas do livro.

"SET. 27.- Isto tem vindo por aqui novamente - encontro evidências de sua presença todos os dias. Assisti a tudo, de novo, ontem à noite, na mesma cobertura, arma na mão, duplamente carregada com chumbo. Pela manhã, as pegadas frescas estavam lá, como antes. No entanto, teria jurado que eu não dormi - quase não dormi nada. É terrível, insuportável! Se essas experiências incríveis forem reais, ficarei louco; se elas são fantasiosas, já estou louco".

"OUT. 3. - Não me afastarei - não me afugentará. Não, esta é minha casa, minha terra. Deus odeia um covarde..."

"OUT. 5. - Eu não aguento mais; convidei Harker para passar algumas semanas comigo - ele tem a cabeça nivelada. Eu posso julgar a partir de sua análise, se ele me acha louco."

"OUT. 7. - Eu tenho a solução do mistério; ela veio até mim noite passada – de repente, como por revelação. Como é simples - como é terrivelmente simples!"

"Há sons que não podemos ouvir. Em ambos os extremos da escala, são notas que não agitam o acorde daquele instrumento imperfeito, o ouvido humano. Eles são muito altos ou muito graves. Eu observei um bando de melros ocupando uma copa inteira de árvores - os topos de várias árvores - e tudo em plena canção. De repente - em um momento - absolutamente no mesmo instante – tudo espalha no ar e voa para longe. Como? Nem todos puderam ver uns aos outros - todas as copas das árvores intervieram. Em nenhum momento um líder poderia ter sido visível para todos. Ali, deve ter havido um sinal de alerta ou comando, alto e agudo, acima do alvoroço, mas, por mim, inaudível. Observei, também, o mesmo voo simultâneo quando todos estavam em silêncio, não só entre os melros, mas entre outras aves - codornizes por exemplo, amplamente separados por arbustos - mesmo em lados opostos de uma colina."

"É sabido pelos marinheiros que um grupo de baleias relaxando ou se divertindo na superfície do oceano, a milhas de distância, com a convexidade da terra entre elas, às vezes, mergulhará ao mesmo instante – todas desaparecem num instante. O sinal é dado - mudo para o ouvido do marinheiro no mastro e seus camaradas no convés – que, no entanto, sentem suas vibrações no navio como as pedras de uma catedral são agitadas pelo baixo do órgão."

"Como com os sons, assim como as cores. Em cada extremo do espectro solar que o químico pode detectar a presença do que é conhecido como raios 'actínios'. Eles representam as cores - cores integrais no composição da luz - que não somos capazes de discernir. O olho humano é um instrumento imperfeito; seu alcance é de apenas algumas oitavas da verdadeira 'escala cromática'. Eu não estou louco; há cores que nós não conseguimos ver."

"E, Deus me ajude! A Coisa Maldita é de tal cor!"

O Segredo da Ravina Macarger

por Ambrose Bierce

EM DIREÇÃO NOROESTE de Indian Hill, cerca de nove milhas em linha reta, fica a Ravina Macarger. Não é muito uma ravina - uma mera depressão entre dois cantos arborizados de altura desprezível. Desde seu pé até o topo - ravinas, como rios, tem uma anatomia própria - a distância não excede duas milhas e a largura no fundo está em apenas um lugar a mais de uma dúzia de jardas; para a maioria das distâncias em ambos os lados do pequeno riacho que escoa no inverno e fica seco no início da primavera, não há chão nivelado; as encostas íngremes das colinas, cobertas com um quase impenetrável crescimento de *manzanita* e arbustos, são separados por nada mais que a largura do curso da água. Ninguém, além de um morador local, caçador das redondezas entra na Ravina Macarger e cinco milhas de distância, é desconhecido, mesmo pelo nome. Dentro dessa distância, em qualquer direção, são características topográficas muito mais conspícuas sem nomes e, pode-se tentar, em vão, verificar com um local perguntando a origem do nome desta.

A meio caminho entre o topo e o pé da Ravina Macarger, a colina à direita, enquanto você sobe, é entrelaçada por outra ravina, curta e seca, na junção dos dois há um nível com um espaço de dois ou três acres e, há alguns anos, havia uma antiga pensão contendo um pequeno cômodo. Como as partes compostas da casa, eram poucas e simples, ser montada naquele ponto quase inacessível é um problema a solucionar do qual haveria mais satisfação do que vantagem. Possivelmente, o leito do riacho é uma estrada reformada. É certo que a ravina foi, em tempos, bastante explorada por mineiros que devem ter tido algum meio de entrar com menos animais de carga carregando ferramentas e suprimentos; seus lucros, aparentemente, não seriam tais que justificassem qualquer considerável desembolso para conectar Ravina Macarger com qualquer centro da civilização desfrutando da distinção de uma serraria. A casa, no entanto, estava lá, a maior parte dela. Faltava uma porta e uma moldura de janela, a chaminé de lama e pedras havia caído em um amontoado pouco amável superpovoado de ervas daninhas. Móveis tão humildes como aqueles, com o clima mais frio, tinham servido como combustível nas fogueiras dos caçadores; como também tinham servido, provavelmente, a contenção de um velho poço que, no momento em que escrevo, existiu na forma um pouco ampla, mas não muito, uma depressão profunda nas proximidades.

Uma tarde, no verão de 1874, eu passei pela Ravina Macarger do vale estreito em que se abre, seguindo o leito seco do riacho. Estava atirando nas codornizes e tinha uma bolsa com cerca de uma dúzia de pássaros quando cheguei na casa descrita, de cuja existência não tinha conhecimento até então. Depois de dar uma inspecionada na ruína um pouco descuidadamente, retomei meu esporte e, tendo um sucesso bastante bom, prolonguei-o até quase o pôr do sol, quando me ocorreu que estava muito longe de qualquer habitação humana – tão longe para chegar antes do cair da noite. Mas, na minha bolsa de caça havia comida e a velha casa teria condições de me abrigar, como se abrigo fosse necessário em uma noite quente e sem orvalho no sopé da Serra Nevada, onde se poderia dormir com conforto sobre as agulhas de pinheiro, sem cobertura. Eu gosto da solidão e amo a noite, então, minha resolução de "acampar fora" foi logo tomada e, quando estava escuro, tinha feito minha cama de galhos e grama em um canto da sala e estava assando uma codorna em uma fogueira que tinha acendido na lareira. A fumaça escapava pela chaminé arruinada, a luz iluminava a sala com um brilho generoso e, enquanto comia minha simples refeição de pássaro e bebia os restos de uma garrafa de vinho tinto que me serviu a tarde toda em lugar da água, que a região não abastecia, vivenciei uma sensação de conforto que a melhor tarifa e acomodação nem sempre podem dar.

No entanto, faltava algo. Tinha um senso de conforto, mas não de segurança. Me peguei olhando mais frequentemente para a porta aberta e a janela em branco do que poderia encontrar coisas para fazer. Fora destas aberturas, tudo era preto e fui incapaz de reprimir um certo sentimento de apreensão como minha fantasia retratou o mundo exterior e o encheu de entidades hostis, naturais e sobrenaturais – chefiada, entre as quais, em suas respectivas classes, eram os ursos pardos, que sabia que ainda se via, ocasionalmente, naquela região, e o fantasma, que eu tinha razão para pensar que não era. Infelizmente, nossos sentimentos nem sempre respeitam a lei das probabilidades e, para mim, naquela noite, o possível e o impossível eram igualmente inquietantes.

Todos que tiveram experiência no assunto devem ter observado que se enfrenta os perigos reais e imaginários da noite com muito menos apreensão ao ar livre do que em uma casa com uma porta aberta. Senti isso agora, enquanto estava deitado no meu sofá de folhagem, em um canto da sala, ao lado da chaminé e permitindo minha fogueira se apagar. Tão forte se tornou minha sensação da presença de algo maligno e ameaçador no lugar que me vi quase não conseguindo tirar os olhos da abertura, como se a escuridão profunda se tornasse cada vez mais indistinta. E, quando a última pequena chama cintilou e se apagou, agarrei a minha arma que havia deixado ao meu lado e, nesse momento, virei o cano na direção da agora invisível entrada, meu polegar em um dos martelos, pronto para picar a peça, meu fôlego suspenso, meus músculos rígidos e tensos. Porém, posteriormente, coloquei a arma com um sentimento de vergonha e mortificação. O que eu temia e por quê? - Eu, a quem a noite tinha sido

Ambrose Bierce

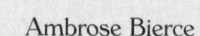

um rosto mais familiar
do que a de um homem -

Eu, em quem aquele elemento de superstição hereditária do qual nenhum de nós é totalmente livre havia dado à solidão e à escuridão, silenciar apenas um interesse e um encanto mais sedutor! Não fui capaz de compreender a minha loucura, me perdi na conjectura da coisa conjecturada, adormeci. E, então, sonhei.

Estava em uma grande cidade, em uma terra estrangeira - uma cidade cujo povo era da minha própria raça, com pequenas diferenças de fala e vestuário; no entanto, precisamente o que estes eram, não podia dizer; o meu sentido deles era indistinto. A cidade era dominada por um grande castelo, sobre a vista de uma altura cujo nome eu sabia, mas não podia falar. Eu andei por muitas ruas, algumas largas e retas com prédios altos e modernos, algumas estreitas, sombrias e tortuosas, entre as arestas de casas antigas pitorescas, com histórias pendentes, detalhadamente ornamentadas com entalhes em madeira e pedra, quase acima da minha cabeça.

Eu procurei alguém que nunca tinha visto, mas que sabia que deveria reconhecer quando encontrasse. Minha busca não foi sem objetivo e fortuito; tinha um método definido. Virei de uma rua em outra sem hesitação e enfiado num labirinto de intrincadas passagens, desprovido do medo de perder o meu caminho.

Nesse momento, parei diante de uma porta baixa em uma casa de pedra lisa, que poderia ter sido a morada de um artesão dos melhores serviços e, sem me anunciar, entrei. A sala, ao contrário, era pouco mobiliada, iluminada por uma única janela com pequenos vidros em forma de diamante, tinha apenas dois ocupantes; um homem e um mulher. Eles não se deram conta da minha intrusão, uma circunstância que, à maneira dos sonhos, parecia inteiramente natural. Eles não estavam conversando; eles estavam sentados separados, desocupados e sombrios.

A mulher era jovem e bastante robusta, com olhos grandes e finos, e uma certa beleza séria; minha memória da expressão dela é excessivamente vívida, mas em sonhos não se observam os detalhes de rostos. Sobre os ombros dela havia um xale xadrez. O homem era mais velho, escuro, com um rosto maligno, possuindo uma longa cicatriz que se estendia de perto da têmpora esquerda, diagonalmente, até para baixo do bigode negro; embora em meus sonhos parecesse mais para assombrar com o rosto como uma coisa aparte - não posso expressá-lo de outra forma - do que pertencer a isso. O momento em que encontrei o homem e a mulher, sabia que eles eram marido e mulher.

O que se seguiu, lembro-me indistintamente; tudo estava confuso e incoerente, penso eu, por brilhos de consciência. Foi como se fossem duas fotos, a cena do meu sonho e o meu real ambiente tinham sido misturadas, uma sobrevoando a outra, até que, aos poucos, foi desaparecendo, e estava bem desperto na cabana deserta, consciente e tranquilo da minha situação.

Meu medo tolo se foi e, abrindo os olhos, vi que meu fogo não havia sido totalmente queimado, tinha ressuscitado pela queda de um galho e estava novamente iluminando a sala. Provavelmente, tinha dormido apenas alguns minutos, mas meu sonho comum tinha, de alguma forma, me impressionado fortemente que não estava mais sonolento; depois, enquanto me levantava, empurrei as brasas da minha fogueira juntas e, acendendo meu cachimbo, procedi de forma bastante lúdica e metódica, meditando a respeito de minha visão.

Teria me intrigado, então, dizer com que respeito foi merecedor de atenção. No primeiro momento de pensamento sério que dei ao assunto, reconheci a cidade do meu sonho como Edimburgo, onde nunca tinha estado; então, se o sonho era uma memória, era uma memória de fotos e descrição. O reconhecimento, de alguma forma, me impressionou profundamente; foi como se algo na minha mente insistisse, rebeldemente, contra a vontade e a razão sobre a importância de tudo isso. E essa faculdade, seja ela qual for, afirmou, também, um controle do meu discurso. "Certamente", disse em voz alta, muito involuntariamente, "os MacGregors devem ter vindo de Edimburgo para cá."

Ambrose Bierce

No momento, nem a substância desta observação, nem o fato da minha realização, me surpreenderam; parecia inteiramente natural que deveria saber o nome dos meus sonhadores e algo de sua história. Mas, o absurdo de tudo isso logo me chamou a atenção: ri em voz alta, derrubei as cinzas do meu cachimbo e, novamente, me estiquei sobre minha cama de galhos e grama, onde me deitei sem pensar mais no meu fogo falhado, sem pensar mais em nenhum dos meus sonhos ou no meu entorno. De repente, a única chama restante, por um momento, levantou-se claramente de suas brasas. A escuridão era absoluta.

Naquele instante - quase parecia que, antes do brilho da lâmina desaparecer dos meus olhos – houve uma batida, um som morto, como de algum corpo pesado caindo sobre o chão, que tremia sobre mim enquanto estava deitado. Levantei-me para uma postura sentada e apalpei ao meu lado em busca da minha arma; minha noção era que algum animal selvagem tivesse saltado para dentro através da janela aberta. Enquanto a estrutura frágil ainda estava tremendo do impacto, ouvi o som dos golpes, dos arranhões de pés sobre o chão e, então - parecia vir quase ao alcance da minha mão, o gritar agudo de uma mulher em agonia mortal. Um grito tão horrível que nunca tinha ouvido, nem concebido; me enervou completamente; estava consciente, por um momento, do nada, somente o meu próprio terror! Felizmente, minha mão, agora, encontrou a arma da qual estava em busca e o toque familiar restaurou-me um pouco. Saltei sobre os meus pés, esforçando meus olhos para trespassar a escuridão. Os sons violentos haviam cessado, mas mais terríveis do que estes, ouvi, em intervalos que pareciam longos, o desmaio intermitente, ofegante, de alguma coisa viva, moribunda!

Enquanto meus olhos se acostumavam com a luz fraca do carvão na lareira, vi, primeiro, as formas da porta e da janela, mais escuro do que o preto das paredes. A seguir, a distinção entre parede e chão tornou-se discernível e, finalmente, estava sensível à forma e à extensão total do piso de ponta a ponta, de lado a lado. Nada era visível e o silêncio era inquebrável.

O Segredo da Ravina Macarger

Com uma mão que balançava um pouco, a outra ainda agarrava minha arma, restaurei meu fogo e fiz um exame crítico do local. Não havia nenhum sinal de que a cabana havia sido invadida. Minhas próprias pegadas eram visíveis no pó que cobria o piso, mas não havia outras. Reacendi meu cachimbo, providenciei algo fresco para queimar, rasgando uma ou duas tábuas finas do interior da casa - não me importei em ir para a escuridão fora das portas e passar o resto da noite fumando, pensando e alimentando meu fogo; nem que perdesse anos de vida, teria permitido que aquela pequena chama expirasse novamente.

Alguns anos depois, conheci, em Sacramento, um homem chamado Morgan, a quem recebi uma nota de apresentação de um amigo em São Francisco. Jantando com ele, em sua casa, observei vários "troféus" sobre a parede, indicando que ele gostava de atirar. Acontece que, ao relacionar algumas de suas façanhas, ele mencionou ter estado na região da minha aventura.

"Sr. Morgan", eu perguntei abruptamente, "você conhece um lugar lá em cima chamado Ravina Macarger?"

"Eu tenho boas razões para isso", respondeu ele; "eu falei aos jornais, no ano passado, os relatos da descoberta de um esqueleto lá."

Eu não tinha ouvido falar; os relatos tinham sido publicados, eles apareceram enquanto estava ausente, no Leste.

"A propósito", disse Morgan, "o nome da ravina é um erro; deveria ter sido chamada de MacGregor". "Minha querida", ele acrescentou, falando com sua esposa, "Mr. Elderson terminou seu vinho."

Isso foi impactante - simplesmente deixei cair o copo e tudo.

"Havia um velho barraco uma vez na ravina", Morgan resumiu quando a ruína forjada pela minha idiotice foi reparada, "mas só antes da minha visita tinha sido derrubado ou melhor, de uma maneira geral, pois seus escombros estavam espalhados por todo o lado, no próprio chão, sendo separados tábua por tábua. Entre os dois dormitórios ainda em pé, eu e meu companheiro observamos o resquício de um xale xadrez e, ao examiná-lo, constatou-se que estava envolto aos ombros do corpo de uma mulher, do qual, pouco restou além dos ossos parcialmente cobertos com fragmentos de roupas e pele castanha seca. Mas, nós vamos poupar a Sra. Morgan", ele acrescentou com um sorriso. A senhora tinha, de fato, exibido sinais de repugnância mais que simpatia.

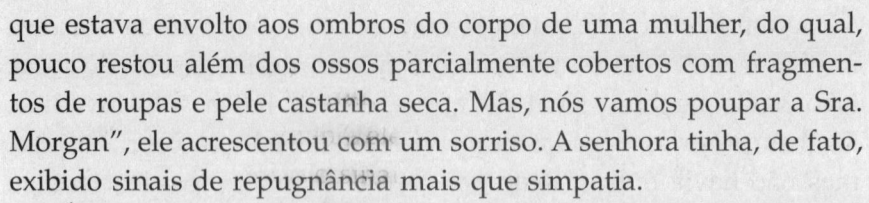

"É preciso dizer, porém", prosseguiu ele, "que o crânio foi fraturado em vários lugares, como por golpes de algum instrumento contundente; e esse instrumento – uma picareta, ainda manchada com camadas de sangue – estava debaixo das tábuas."

O Sr. Morgan virou-se para sua esposa. "Perdoe-me, minha querida", disse com solenidade afetada, "por mencionar estes desagradáveis detalhes, os incidentes naturais, embora lamentáveis - de um briga conjugal, sem dúvida, da falta de sorte de uma insubordinação da esposa."

"Eu deveria ser capaz de ignorá-lo", respondeu a senhora com compostura; "você já me pediu tantas vezes nessas mesmas palavras."

Eu achei que ele parecia muito feliz em continuar com a sua história.

"Por estas e outras circunstâncias", disse ele, "o legista do júri descobriu que a falecida, Janet MacGregor, veio à morte por golpes infligidos por alguma pessoa desconhecida do júri; mas, a isso foi adicionado que as evidências apontavam fortemente para o seu marido, Thomas MacGregor, como o culpado. Mas, Thomas MacGregor nunca foi encontrado, nem ouvido. Soube-se que o casal veio de Edimburgo, mas não – minha querida, você não está vendo que o prato para ossos do Sr. Elderson tem água?"

Eu tinha depositado um osso de galinha na minha tigela de dedos.

"Em um pequeno armário encontrei uma foto do MacGregor, mas isso não levou à sua captura."

"Você vai me deixar vê-lo?", disse.

A foto mostrava um homem negro, com um rosto maligno, com uma longa cicatriz que se estendia das proximidades da têmpora, diagonalmente para baixo, até o bigode negro.

"A propósito, Mr. Elderson", disse meu afável anfitrião, "posso saber por que você me perguntou sobre Ravina Macarger?"

"Eu perdi uma mula lá perto, uma vez", respondi, "e o azar tem-me - tem-me – chateado."

"Minha querida", disse o Sr. Morgan, com a entoação mecânica de um intérprete que traduz, "a perda da mula do Sr. Elderson tem apimentado o seu café."

Numa Noite de Verão
por Ambrose Bierce

O FATO de Henry Armstrong ter sido enterrado não parecia a ele prova de que estava morto: ele sempre foi um homem difícil de convencer. Que ele realmente estava enterrado, o testemunho de seus sentidos o obrigou a admitir. Sua postura - de costas, com as mãos cruzadas sobre o estômago e amarrado com algo que facilmente quebrou sem sucesso de alterar a situação - o confinamento rigoroso de toda sua pessoa, a escuridão negra e o silêncio profundo, fizeram um corpo de provas impossíveis de controvérsia e ele aceitou sem objeção.

Mas morto - não; ele estava apenas muito, muito doente. Ele tinha, com certeza, a apatia de inválido e não se preocupou muito com o destino incomum que lhe havia sido atribuído. Nenhum filósofo era - apenas uma pessoa simples e comum, dotada para ser temporal, com uma indiferença patológica: o órgão que ele temia consequências foi entorpecido. Assim, sem nenhuma apreensão em particular para seu futuro imediato, ele adormeceu e tudo estava em paz com Henry Armstrong.

Mas, algo estava acontecendo acima. Era uma noite escura de verão, atravessada por relâmpagos pouco frequentes e silenciosos, atirando uma nuvem rasa em baixo no oeste e a bombordo de uma tempestade. Estas breves e gaguejantes iluminações trouxeram à tona, com uma sinistra distinção, os horripilantes monumentos e as lápides no cemitério e parecia que os colocavam a dançar. Não era uma noite em que qualquer testemunha credível provavelmente estaria desviando de um cemitério, por isso, os três homens que lá estavam, cavando a cova de Henrique Armstrong, sentiam-se razoavelmente seguros.

Dois deles eram jovens estudantes de uma faculdade de medicina a poucos quilômetros de distância; o terceiro era um negro gigantesco conhecido como Jess. Por muitos anos Jess foi empregado do cemitério como um homem que fazia de tudo e seu prazer favorito era que conhecia "todas as almas do lugar". Pela natureza do que ele estava fazendo agora era decorrente que o lugar não era tão populoso quanto o seu registro poderia mostrar que sim.

Fora dos muros, na parte do terreno mais afastada da estrada pública, havia um cavalo e uma carroça leve, esperando.

O trabalho de escavação não foi difícil: a terra com a qual a cova tinha sido vagamente enchida algumas horas antes, oferecia pouco resistência e logo foi expulsa. A remoção do caixão de sua caixa era menos fácil, mas foi feita, pois era um requinte de Jess, que desatarraxou cuidadosamente a tampa e a colocou de lado, expondo o corpo em calças pretas e camisa branca. Naquele instante, o ar saltou para a chama, um choque de trovão sacudiu o mundo atordoado e Henry Armstrong estava tranquilamente sentado. Com inarticulados gritos que os homens fugiram aterrorizados, cada um em uma direção diferente. Pois nada na terra poderia ter persuadido dois deles a voltar. Mas, Jess era de outra estirpe.

No cinza da manhã, os dois estudantes, pálidos e fatigados da ansiedade e com o terror da sua aventura, ainda batendo tumultuosamente no seu sangue, se encontraram na faculdade de medicina.

"Você viu aquilo?", gritou um.

"Deus! Sim - o que vamos fazer?"

Eles foram para a parte de trás do edifício, onde viram um cavalo, preso a uma carroça pequena, amarrado a um poste de embarque perto do porta da sala de dissecação. Mecanicamente, eles entraram na sala. Num banco na obscuridade, estava sentado o negro Jess. Ele se levantou, sorrindo, todos os olhos e dentes.

"Estou esperando pelo meu pagamento", disse ele.

Numa Noite de Verão

Esticado nu sobre uma longa mesa, o corpo de Henrique Armstrong, a cabeça contaminada com sangue e barro, de um golpe com uma pá.

A Índia
por Bram Stoker

NUREMBERG na época não era tão explorado quanto tem sido desde então. Irving não tinha interpretado o *Fausto*, e o próprio nome da antiga cidade era pouco conhecido à grande maioria do público viajante. Minha esposa e eu estamos na segunda semana da nossa lua-de-mel, naturalmente queria alguém para se juntar a nossa companhia, foi quando um entusiasmado estrangeiro, Elias P. Hutcheson, vindo de Isthmian City, Bleeding Gulch, Maple Tree County, Nebrasca apareceu na estação em Frankfurt, e casualmente comentou que ia ver a mais extrema e matusalém cidade na Europa, e acreditava que assim viajando muito sozinho era o suficiente para enviar um inteligente e ativo cidadão na ala da melancolia de uma casa de loucos, levamos a sugestão bastante adiante e sugerimos que devíamos unir forças. Nós descobrimos, em anotações comparativas posteriores, que cada um de nós tinha a intenção de falar com alguma timidez ou mostrar hesitação para não parecer muito ansioso, não sendo esta uma atitude que levaria ao sucesso do nossa vida de casados; mas o efeito foi totalmente prejudicado pelos dois começando a falar ao mesmo instante - parando simultaneamente e depois continuando juntos novamente. De qualquer forma, não importa como, estava feito; e Elias P. Hutcheson se tornou um companheiro em nossa viagem. Logo, Amelia e eu encontramos um benefício agradável; ao invés de discutir, como temos feito, descobrimos que a contenção sob influência de um terceiro era tal que agora tomamos todas oportunidade de namorar em cantos improváveis. Amelia tem, como resultado dessa experiência, aconselhado a todas suas amigas a levar um amigo em lua-de-mel. Bem, nós "fizemos" Nuremberg juntos, e muito apreciamos os comentários picantes do nosso amigo transatlântico, que, a partir de seu discurso pitoresco e seu maravilhoso estoque de aventuras que parecia ter saído de um romance. Guardamos para o último objeto de interesse da cidade a ser visitado, o Burg, e no dia marcado para a visita, passeamos pelo muro externo da cidade pelo lado leste.

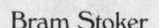

O Burg está localizado sobre um rochedo no alto da cidade e uma fossa imensamente profunda o protege no lado norte. Nuremberg foi feliz por nunca ter sido saqueada; se tivesse sido, certamente não seria tão elegante e tão perfeita como é atualmente. A vala não é usada há séculos, e agora em sua base está espalhada com jardins de chá e pomares, dos quais algumas das árvores são de tamanho bastante respeitável. Enquanto perambulávamos pelo muro, madrugando no sol quente de julho, muitas vezes paramos para admirar as vistas que se espalham diante de nós, e em especial a grande planície coberta com cidades, vilarejos e delimitada por uma linha azul de colinas, como uma paisagem de Claude Lorraine. A partir disso, sempre nos voltamos com novas delícias da própria cidade, com a sua miríade de antigos e pitorescos telhados formados de tábua, e vermelhos acre, pontilhados com janelas dormentes, uma sobre a outra. Um pouco à nossa direita, erguiam-se as torres do Burg, e mais perto ainda, a Torre da Tortura, que era, e é, talvez, o lugar mais interessante da cidade. Durante séculos, a tradição da Virgem de Ferro de Nuremberg tem sido transmitida como um exemplo dos horrores de crueldade de que o homem é capaz; há muito tempo que esperávamos vê-la; e aqui estava, finalmente, em sua casa.

Em uma de nossas pausas nos debruçamos sobre o muro do fosso e olhamos para baixo. O jardim parecia ter uns cinquenta ou sessenta pés abaixo de nós, e o sol derramava nele com um calor intenso e sem movimento como o de um forno. Além dele,

A Índia

se erguia uma muralha cinzenta e sombria, aparentemente de altura infinita, e perdendo-se para a direita e para a esquerda nos ângulos de bastião e contrafortes. Árvores e arbustos coroaram a muralha, e acima, novamente, as casas amplas em cuja a beleza o tempo só conferia um toque da aprovação. O sol estava quente e nós éramos preguiçosos; o tempo era nosso, e nós permanecíamos inclinados na muralha. Logo abaixo de nós acontecia uma bela cena - uma grande gata preta deitada ao sol, enquanto estava sendo rodeada por um gatinho preto lindamente minúsculo. A mãe balançava sua cauda para o gatinho brincar, ou levantava os pés e afastava o pequeno como um incentivo para brincar mais. Eles estavam bem ao pé da muralha, e Elias P. Hutcheson, a fim de ajudar na brincadeira, abaixou-se e tirou do muro uma pedra de tamanho moderado.

"Veja!" disse ele: "Vou largar perto do gatinho, e eles vão todos se perguntar de onde veio".

"Oh, tenha cuidado," disse minha esposa; "você pode acertar essa coisinha linda"

"Eu não, senhora", disse Elias P. "Por que, eu sou tão terno quanto uma cerejeira do Maine. Deus, bendito seja. Eu não faria mal ao pobre coitadinho bichinho, seria como escapelar um bebê. E você pode apostar suas meias variegadas nisso! Veja, vou deixar cair o pelo do lado de fora, e nem vai chegar perto dela"! Assim dizendo, ele se inclinou, esticou seu braço e deixou cair a pedra. Pode ser que haja alguma força de atracção que atrai menores matérias para maior; ou mais provavelmente que a muralha não era côncava, mas inclinada em sua base - não percebemos a inclinação de cima; mas a pedra caiu com um baque repugnante que veio até nós através do calor do ar, bem na cabeça do gatinho, e então estilhaçou seu pequeno cérebro ali. A gata preta lançou um olhar rápido para cima, e vimos os olhos dela como fogo esverdeado fixo num instante em Elias P. Hutcheson; e então a atenção dela foi dada ao gatinho, que deitado com apenas uma aljava de seus pequenos membros, enquanto um fluxo de um fino vermelho era derramado por uma ferida aberta. Com um grito abafado, tal como um ser humano pode dar, ela se curvou sobre o gatinho lambendo suas feridas e lamúrias. De repente, ela pareceu perceber que estava morto, e novamente jogou os olhos para cima de nós. Eu nunca vou esquecer a visão, pois parecia a encarnação perfeita do ódio. Seus olhos verdes brilhavam com o fogo espalhafatoso, e os dentes brancos e afiados pareciam quase brilhar através do sangue que ela havia manchado a boca e os bigodes. Ela rangeu os dentes, e suas garras ficaram em pé em todas as patas e em todo o comprimento. Então, ela fez uma selvagem escalada no muro como se fosse tentar nos alcançar, mas quando a inclinação acabou, caiu para trás, o que tornou mais horrível sua aparência pois ela caiu em cima do gatinho, e se levantou com seu pelo preto manchado de miolos e sangue. Amelia passou mal e quase desmaiou, tive que tirá-la de perto da muralha. Havia um banco perto, à sombra de uma árvore, e aqui a coloquei enquanto ela se recompunha. Então, voltei para Hutcheson, que ficou em pé sem se mexer, olhando para o gata zangada lá abaixo.

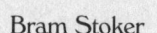

Enquanto eu me juntava a ele, ele disse:
"Wall, eu acho que essa é a besta mais selvagem que já vi - exceto uma vez, quando uma índia apache tinha perseguido um mestiço que eles apelidaram de "Farpa" por causa da forma como ele lhe roubou a *papoose* num só ataque para mostrar represália pelo caminho que eles tinham dado à mãe dele, a tortura do fogo. Ela estava com esse olhar tão fixo em seu rosto que parecia ter crescido ali. Ela seguiu Farpas por mais de três anos até que finalmente os apaches o pegaram e o entregaram a ela. Eles disseram que nenhum homem, branco ou *Injun*, havia ficado tanto tempo como um moribundo sob as torturas do Apaches. A única vez que a vi sorrir foi quando a matei. Cheguei à aldeia a tempo de ver Farpa dar seu último suspiro, e te digo que ele morreu aliviado. Ele era um cidadão duro, e embora nunca pudesse ter concordado com ele sobre aquele

A Índia

negócio da *papoose* – foi um pouco maldoso, e ele deveria ter se comportado como um homem branco, pois ele parecia ser um - vi que tinha pago integralmente. Me doeu, mas peguei um pedaço de pele escondido que ele havia esfolado de alguém e fiz uma capa de um livro de bolso. Está aqui agora!" e ele bateu no bolso do peito do seu casaco.

Enquanto ele falava, a gata continuava seus frenéticos esforços para subir o muro. Ela recuava, voltava a correr e depois escalava para cima, às vezes atingindo uma altura incrível. Ela não parecia se importar com a queda impactante que teve cada vez, mas começava com vigor renovado; e a cada tombo sua aparência se torna mais horrível. Hutcheson era um homem bondoso - minha esposa e eu tínhamos notado pequenos atos de bondade para com os animais, bem como para com pessoas - e ele parecia preocupado com o estado de fúria ao qual a gata tinha-se forjado.

"Wall, veja!", disse ele, "parece que aquela pobre criatura parece bastante desesperada. Pronto! pronto! Coitadinha, foi tudo um acidente - embora isso não traga o seu pequeno de volta para você. Diga! Eu não faria uma coisa dessas acontecer nunca! Só mostra o que um tolo desajeitado de um homem pode fazer quando ele tenta brincar! Parece que tenho as mãos furadas até para brincar com um gato. Diga Coronel!", era uma forma agradável dele conceder títulos livremente as pessoas, "espero que sua esposa não guarde rancor contra mim por causa desse ato desagradável? Porque eu não queria que isso tivesse acontecido de jeito nenhum."

Ele veio até Amelia e pediu desculpas profusamente e ela com a sua habitual bondade de coração apressou-se para lhe assegurar que tinha entendido que havia sido um acidente. Então, todos nós fomos novamente para a muralha e olhamos para baixo.

O rosto da gata que havia perdido Hutcheson de vista, havia atravessado para o outro lado do fosso, e estava sentada nas suas patas como se estivesse pronta para saltar. De fato, no instante em que ela o viu, ela saltou, e com uma fúria cega e irracional, que teria sido grotesca se não fosse tão assustadoramente real. Ela não tentou mais escalar pela muralha, mas simplesmente se lançou a ele como se o ódio e a fúria pudessem emprestar-lhe as asas para passar direto pela grande distância entre eles. Amelia, como uma mulher, ficou bastante preocupada, e disse a Elias P. em uma voz de alerta:

"Oh! Você deve ser muito cuidadoso. Aquele animal tentaria matar você se estivesse aqui; seus olhos parecem de um assassino em potencial".

Ele riu com jovialidade. "Desculpe-me, senhora", e disse, "mas eu não pude deixar de rir. Vejam um homem que já lutou contra ursos e índios tomando cuidado para não ser assassinado por uma gata"!

Quando a gata ouviu sua risada, todo o seu comportamento pareceu mudar. Ela não tentou mais pular ou escalar a muralha, mas, sentada novamente ao lado do gatinho morto, começou a lamber e acariciar como se estivesse vivo.

"Veja!" disse eu, "o efeito de um homem realmente forte. Mesmo aquele animal, no meio de sua fúria, reconhece a voz de um mestre e se curva para ele!"

"Como uma índia!", foi o único comentário de Elias P. Hutcheson, enquanto nos deslocávamos ao redor da fossa pela cidade. Desse momento em diante, nós olhamos por cima do muro e sempre víamos a gata nos seguindo. No início, ela continuou voltando para o gatinho morto, e depois à medida que a distância foi aumentando, tomou-o na boca e nos seguiu. Depois de um tempo, no entanto, ela o abandonou, pois nós a vimos seguindo sozinha; ela tinha, evidentemente, escondido o corpo em algum lugar. A preocupação de Amelia cresceu com a persistência da gata, e mais de uma vez ela repetiu o seu aviso; mas o americano sempre ria até que, finalmente, vendo que ela estava começando a ficar realmente preocupada, disse ele:

A Índia

"Digo, minha senhora, não precisa ficar preocupada por causa daquela gata. Eu estou armado, garanto!". Ali bateu na pistola no bolso na parte de trás da região lombar. "Não precisa temer, mato a criatura, aqui mesmo, e corro o risco que a polícia interfira com um cidadão do Estados Unidos por carregar armas, sendo contra a lei nessa região!". Enquanto falava, ele olhava por cima do muro, mas a gata ao vê-lo, retirou-se, com um rosnado, para um campo de flores altas, e ficou escondida. Ele continuou: "Bendito se essa criatura não tem mais noção do que é bom para ela do que para a maioria dos cristãos. Acho que já a vimos pela última vez! Pode crer, ela vai voltar agora para aquele gatinho atingido e ter um funeral privado dele, só para ela"!

Amelia preferiu não dizer mais nada, a menos que, em se enganar em bondade a ela, cumprir sua ameaça de não atirar na gata: e assim continuamos, atravessamos a pequena ponte de madeira que conduz a passagem de onde subimos a íngreme rua de pedras entre o Burg e a Torre de Tortura pentagonal. Ao cruzarmos a ponte, nós vimos a gata novamente abaixo de nós. Quando ela nos viu sua fúria parecia voltar, e ela fez esforços frenéticos para subir o muro. Hutcheson riu quando olhou para ela, e disse:

"Adeus, velha garota. Desculpa ter magoado os seus sentimentos, mas você vai superar com o tempo! Adeus"! E então passamos pelo longo caminho, e passamos pelo portão do Burg.

Quando saímos novamente depois do nosso passeio deste mais belo antigo lugar que nem mesmo os esforços bem intencionados dos restauradores góticos de quarenta anos atrás foram capazes de estragar - embora as suas restaurações fossem brancas e brilhantes - parecia que tínhamos esquecidos bastante o episódio desagradável da manhã. A velha árvore de lima com seu grande tronco nodoso com a passagem de quase nove séculos, o poço profundo cortado no coração da rocha por aqueles cativos da antiguidade e a linda vista da muralha da cidade no qual havíamos escutado, espalhados por quase um quarto de hora inteira, os multitudinários sinos da cidade, todos tinham ajudado a apagar de nossas mentes o incidente do gatinho morto.

Fomos os únicos visitantes que entraram na Torre da Tortura naquela manhã - assim pelo menos disse o velho guia - e como tínhamos o lugar só para nós , fomos capazes de visitar tranquilamente e um passeio mais satisfatório do que teria sido possível de outra forma. O guia, olhando para nós como a única fonte de seus ganhos para o dia, estava disposto a atender nossos desejos de qualquer forma. A Torre da Tortura é realmente um lugar sombrio, mesmo agora quando muitos milhares de visitantes enviaram um fluxo de vida, e a alegria que acompanha a vida no lugar; mas em um período mencionado ela era usada em seu aspecto mais horripilante e aterrorizador. A poeira dos tempos parecia ter assentado sobre ela, e a escuridão e o horror de suas memórias parecem que se tornaram sensível de uma forma que teria satisfeito as almas panteístas de Philo ou Spinoza. A câmara inferior onde entramos estava, aparentemente, em seu estado normal, cheio de encarnada escuridão; até a luz quente do sol que entrava pela porta parecia ter se perdido na vasta espessura das paredes, e apenas mostrava a alvenaria bruta como quando o andaime do construtor fora retirado, mas revestido com poeira e marcado aqui e ali com manchas escuras que, se as paredes pudessem falar, poderiam ter dado as suas próprias memórias pavorosas de medo e dor. Nós ficamos contentes em passar pela escadaria de madeira empoeirada, o guia havia deixado a porta exterior aberta para iluminar um pouco o nosso caminho; para os nossos olhos a uma única vela de pavio longo e mal cheirosa presa num açaime na parede dava uma luz inadequada. Quando subimos pelo alçapão aberto no canto superior da câmara, Amelia segurava em mim com tanta força que pude realmente sentir o coração dela bater. Eu devo dizer por mim mesmo que não fiquei surpreso com o medo dela, essa sala era ainda mais horrível do que a inferior. Aqui certamente era mais clara, mas apenas o suficiente para perceber os horríveis arredores do lo-

A Índia

cal. Os construtores da torre tinham, evidentemente planejado que somente aqueles que chegassem ao topo, deveriam receber as alegrias da luz e de suas perspectivas. Ali, como tínhamos notado de baixo, estavam intervalos de janelas, ainda que medievais, mas em outros lugares da torre haviam muito poucas fendas, como eram habituais em locais de defesa medieval. Algumas destas só iluminavam a câmara, e se localizavam tão alto na parede que de nenhuma parte o céu podia ser vista através da espessura das paredes. Em suportes, e pendurados em desordem nas paredes, estavam várias espadas de carrasco, grandes armas empunhadura dupla com lâmina larga e borda afiada. Ao lado haviam vários cepos por onde vários pescoços das vítimas haviam sido cortados, com ranhuras profundas aqui e ali onde o aço tinha atravessado através da guarda de carne e escorado para dentro da madeira. Ao redor da câmara, colocada em todos os tipos de formas irregulares, eram muitos instrumentos de tortura que fazia doer o coração só de ver - as cadeiras cheias de espigões que davam dor instantânea e excruciante; poltronas e sofás com espigões menores cuja tortura era aparentemente menor, mas que, embora mais lenta, era igualmente eficaz; suportes, cintos, botas, luvas, coleiras, tudo feito para comprimir à vontade; cestas de aço em que a cabeça pode ser lentamente esmagada como uma polpa, se necessário; os ganchos de guarda-noturno com cabo longo e lâmina que cortam qualquer resistência - este é um especialidade do antigo sistema policial de Nuremberg; e muitos, muitos outros dispositivos para homens lesionarem outros homens. Amelia ficou bastante pálida com o horror das coisas, mas felizmente não desmaiou; estando um pouco atordoada, ela se sentou em uma cadeira de tortura, mas pulou com um grito, tudo tendendo a um desmaio. Nós dois fingíamos que era uma sujeira feita ao seu vestido pelo pó da cadeira, e os espigões enferrujados que a tinham transtornado, e o Sr. Hutcheson concordou em aceitar a explicação com um risada bonachona.

Mas o objeto central em toda esta câmara de horrores era uma engenhoca conhecida como a Virgem de Ferro, que ficava perto da sala central. Era uma figura rudimentar de uma mulher, algo semelhante à um sino, ou, para fazer uma comparação mais próxima, de a figura da Sra. Noé na Arca das Crianças, mas sem a cintura fina e a perfeita circunferência do quadril que marca o tipo estético da família Noé. Dificilmente se teria reconhecido como destinado a uma figura humana, não se o criador tivesse moldado na testa uma semblante rude do rosto de uma mulher. Esta máquina estava revestida com ferrugem, e coberta com pó; uma corda foi presa a um anel na frente da figura, sobre onde a cintura deveria ter estado, e foi passada através de uma polia, presa ao pilar de madeira que sustentava o piso acima. O guia puxando esta corda mostrou que uma parte da frente possuía dobradiças como uma porta para um lado; então vimos que a engenhoca era de considerável espessura, deixando apenas espaço interno suficiente para um homem ser colocado. A porta era de igual espessura e de grande peso, pois levou o guia a usar toda sua força, embora fosse ajudado pelo artifício da polia para abri-la. Este peso se deve em parte ao fato de que a porta foi de propósito pendurada de modo a jogar o seu peso para baixo, para que possa fechar por si só quando fosse liberada. O interior era faveolado com ferrugem - mas, só a ferrugem que vem com o tempo dificilmente teria corroído tão profundamente as paredes de ferro; a ferrugem das manchas cruéis era profunda mesmo! Foi apenas, no entanto, quando olhamos para dentro da porta que a intenção diabólica se manifestava em sua plenitude. Aqui estavam vários espigões longos, quadrados e maciços, amplos na base e afiada nos pontos, colocada em uma posição tal que quando a porta fechasse, os espigões superiores furavam os olhos da vítima, e os mais baixos o seu coração e órgãos vitais. A visão era demais para a pobre Amelia, e desta vez ela desmaiou pra valer, tive que carregá-la escada abaixo, e colocá-la em um banco do lado de

A Índia

fora até ela se recuperar. Ela sentiu isso tão profundo, que depois foi demonstrado de fato, meu filho mais velho carrega até hoje uma marca de nascença rude em seu peito, que para a família, dizemos ser uma representação da Virgem de Nuremberg.

Quando voltamos para a câmara encontramos Hutcheson ainda em frente à Virgem de Ferro; ele evidentemente havia ficado filosofante, e agora nos deu o benefício de seu pensamento na forma de uma espécie de exórdio.

"Wall, acho que aprendi algo aqui enquanto a senhora tem superado o seu desmaio. Parece para mim que estamos muito atrasados lá do nosso lado desse grande gole de água que é o oceano. Nós pensamos nas planícies que os *Injun* eram mestres na tentativa de fazer um homem desconfortável; mas acho que os antigos de vocês, da lei e ordem medieval, são bem melhores. Farpas eram muito bom em seus blefes com as índias, mas esta jovem menina ganha uma exuberância direta em cima dele. As pontas dos espigões ainda estão afiados o suficiente ainda, embora as bordas estejam corroídas. Seria uma coisa boa para a nossa seção indígena conseguir alguns destes brinquedos aqui para enviar para as Reservas, somente para os índios recobrarem o juízo, e as índias também, mostrando-lhes como a antiga civilização é muito melhor. Adivinhe, mas vou entrar naquela caixa um minuto de brincadeira para ver qual é a sensação!"

"Oh não! Não!", disse Amelia. "É terrível demais!"

"Acho, senhora, que nada é terrível demais para a mente exploradora. Estive em alguns lugares estranhos na minha vida. Passei uma noite dentro de um cavalo morto enquanto um incêndio na pradaria ardia à minha volta no território de Montana - uma outra vez dormi dentro de um búfalo morto quando os Comanches estavam a caminho da guerra e não queria deixar o meu cartão para eles. Eu estive dois dias em um túnel cavado na mina de ouro Billy Broncho no Novo México, foi um dos quatro soterrados por quase um dia todo quando as fundações da Ponte de Buffalo desabaram de um lado quando estávamos construindo. Ainda não tive uma experiência estranha, e não pretendo começar agora!"

Vimos que ele estava pronto para a experiência, então eu disse: "Bem, apresse-se, meu velho, e faça rápido!"

"Tudo bem, General", disse ele, "mas calculo que nós não estamos bem prontos ainda. Os senhores, meus antecessores, os que entraram naquela lata, não se voluntariaram para o ofício - não mesmo! E acho que havia algum tipo de amarração antes do grande golpe ser dado. Quero entrar nessa coisa justa e estreita, então devo me arrumar corretamente primeiro. Eu ouso dizer a este velho desajeitado se pode levantar um pouco e me amarrar de acordo como acontecia?"

Isto foi dito interrogativamente ao velho guia, mas este último, que entendeu a deriva de seu discurso, embora talvez não apreciando ao máximo as delicadezas do dialeto e da imagem, balançou sua cabeça. Seu protesto foi, no entanto, apenas formal e feito para ser superado. O americano enfiou uma moeda de ouro em sua mão, dizendo: "Toma, perdão! É a tua gorjeta; e não se apavore. Isto não é uma festa de enforcamento em que você é chamado para ajudar"! Ele arrumou algumas cordas finas desfiadas e procedeu a amarrar nosso companheiro com suficiente rigor para a finalidade. Quando a parte superior de seu o corpo estava amarrado, disse Hutcheson:

"Espere um momento, Juiz. Acho que eu sou pesado demais para você colocar dentro da lata. Deixe-me entrar, e então pode amarrar as minhas pernas"!

Enquanto falava ele tinha se apoiado na abertura que foi apenas o suficiente para seu corpo passar. Foi um encaixe perfeito e sem erros. Amelia observava com medo em seus olhos, mas ela evidentemente não disse nada. Então o guia completou sua tarefa amarrando os pés do americano para que agora estivesse absolutamente indefeso e fixado em sua prisão voluntária. Ele parecia realmente gostar disso, e o sorriso incipiente que era habitual para o seu face floresceu na atualidade, quando ele disse:

A Índia

"Acho que esta Eva foi feita com a costela de um anão! Aqui não há muito espaço para um cidadão adulto dos Estados Unidos se mexer. Fazemos caixões mais espaçosos no território de Idaho. Agora, Juiz, começa a deixar essa porta baixar, devagar, para mim. Quero sentir o mesmo prazer que os outros condenados tiveram quando aqueles espigões começaram a se mover em direção aos seus olhos!"

"Oh não! Não! Não!", gritou Amelia histericamente. "É muito terrível! Eu não suporto ver isso! - Não suporto! Eu não posso!". Mas o americano era obstinado. "Digo, Coronel", disse ele, "por que não levar a Madame por um pequeno passeio? Eu não machucaria os sentimentos dela por nada nesse mundo; mas agora que estou aqui, tendo viajado oito mil milhas, não é muito desperdiçar e desistir dessa própria experiência que estou ofegando por realizar? Um homem não dificilmente tem a oportunidade de sentir-se como um produto enlatado! Eu e o juiz aqui vamos resolver essa coisa num instante, e então você vai voltar, e todos nós vamos rir juntos!"

Mais uma vez a resolução que nasce da curiosidade triunfou, e Amelia ficou segurando firme no meu braço e tremendo enquanto o guia começou a afrouxar lentamente, polegada por polegada a corda que segurava a porta de ferro. O rosto de Hutcheson estava positivamente radiante enquanto seus olhos seguiam o primeiro movimento dos espigões.

"Wall!", ele disse, "Acho que não tenho tido prazer assim desde que deixei New York. Após uma briga com um marinheiro francês em Wapping - que não se parecia com um piquenique também - não tive um prazer verdadeiro de atração neste continente apodrecido, onde não há ursos ou índios, e onde nenhum homem anda armado. Devagar aí, Juiz! Não se apresse neste negócio! Eu quero aproveitar a atração pelo meu dinheiro lhe dei – inclusive!"

O guia deve ter tido nele um pouco do sangue do seu predecessores naquela torre sinistra, pois ele trabalhava o motor com uma lentidão deliberada e excruciante que após cinco minutos, em que a borda externa da porta não tinha se movido a metade do número de polegadas, começou a incomodar Amelia. Vi os lábios dela branquearem, e senti que suas mãos estavam se afrouxando em meus braços. Eu olhei em volta um instante para um lugar onde poderia deita-la, e quando olhei para ela novamente encontrei que o olho dela tinha ficado fixo no lado da Virgem. Seguindo sua direção eu vi a gata preta se esconder. O verde de seus olhos brilhavam como luzes de perigo na escuridão do lugar, e sua cor foi aumentado pelo sangue que ainda manchava seu pelo e avermelhava a sua boca. Eu gritei:

"A gata! Cuidado com a gata!", pois mesmo assim ela saltou diante da engenhoca. Neste momento parecia um demônio triunfante. Seus olhos brilhavam de ferocidade, seus pelos se arrepiaram até ela parecer ter o dobro do seu tamanho normal, e a cauda dela agitava como faz um tigre quando a presa está diante dele. Elias P. Hutcheson quando a viu se divertiu, e seus olhos brilharam positivamente com a diversão, ele disse:

"Maldição, a índia está toda com a sua tinta de guerra! Pode espantá-la, se vier com algum dos seus truques comigo, pois não consigo, o patrão me fixou eternamente aqui, que danada, se quiser arrancar meus olhos, não vou conseguir me mexer! Calma aí, Juiz! Você não solte essa corda ou viro história!"

Neste momento Amelia desmaiou, e tive que agarra-la e segurá-la na cintura ou ela teria caído no chão. Enquanto a acudia, via a gata preta agachado para um salto, e corri para espantá-la.

Mas naquele instante, com uma espécie de grito infernal, ela se atirou, não como esperávamos em Hutcheson, mas diretamente no rosto do guia. Suas garras pareciam estar rasgando como unha que se vê de dragão desenhado nos desenhos chineses, e quando observava, vi uma garra nos olhos do pobre homem, para rasgá-lo e descer pela bochecha, deixando uma larga faixa de vermelho onde o sangue parecia jorrar de todas as veias.

A Índia

Com um grito de puro terror que veio mais rápido que o dele, sensação de dor, o homem saltou para trás, soltando a corda que segurava a porta de ferro. Eu pulei por ela, mas era muito tarde, pois a corda correu como um relâmpago através do bloco de roldanas, e a massa pesada caiu de seu próprio peso para frente.

Enquanto a porta se fechava, tive um vislumbre do rosto do nosso pobre companheiro. Ele parecia congelado de terror. Seus olhos estavam com um olhar horrível de angústia como se estivessem hipnotizados, e nenhum som saía de seus lábios.

E então os espigões fizeram o seu trabalho. Felizmente, o fim foi rápido, pois quando abri a porta, eles tinham trespassado tão fundo que tinham trancado nos ossos do crânio através do qual tinha esmagado, e na verdade o arrancou de sua prisão de ferro até que, preso como estava, ele caiu a todo o comprimento com um baque doentio no chão, a face virando para cima enquanto ele caía.

Eu corri até minha esposa, a levantei e a carreguei para fora, pois eu temia que ela acordasse de seu desmaio para tal cena. Eu a coloquei no banco do lado de fora e corri de volta. Encostado contra a coluna de madeira estava o guia gemendo de dor enquanto segurava seu lenço avermelhado nos olhos. E sentado na cabeça do pobre americano estava a gata, ronronando alto quando ela lambeu o sangue que gotejava através de seus olhos.

Acho que ninguém vai me chamar de cruel porque peguei uma das espadas do carrasco e a parti em duas enquanto ela estava sentada.

O Segredo do Ouro Crescente

por Bram Stoker

QUANDO Margaret Delandre foi morar no Brent's Rock, toda a vizinhança despertou para o prazer de um escândalo totalmente novo. Escândalos com conexões em ambas as famílias, Delandre ou Brents, de Brent's Rock, não foram poucos; e, se a história secreta do condado tivesse sido escrita por completo, ambos os nomes teriam sido bem representados. É verdade que o status de cada um era tão diferente que eles poderiam pertencer a diferentes continentes - ou a mundos diferentes se for essa a questão – pois, até então, suas órbitas nunca haviam se cruzado. Os Brents eram conhecidos por todas as regiões do país por uma influência social única e sempre se mantiveram tão acima da classe de pequenos produtores rurais a que Margaret Delandre pertencia, como um fidalgo espanhol de sangue azul que se impõe sobre seu camponês arrendatário.

Os Delandres eram de uma antiga família e se orgulhavam disso, assim como os Brent. Mas, a família nunca tinha ascendido acima dos pequenos proprietários rurais; apesar de ter sido afortunada nos bons velhos tempos das guerras e de proteções estrangeiras, sua fortuna tinha murchado sob o sol escaldante do livre comércio e dos "tempos de paz". Eles tinham, como os membros mais velhos costumavam afirmar, "grudado na terra", resultado de que tinham enraizado nela de corpo e alma. Na verdade, tendo escolhido o vida dos vegetais, eles floresceram como a vegetação faz – prosperaram na época boa e sofreram na época ruim. Sua propriedade, Dander's

Croft, parecia ter sido moldada e era típica da família que a habitava. Esta última, havia declinado, geração após geração, enviando, de vez em quando, algum tiro abortado de energia insatisfeita na forma de um soldado ou marinheiro que tinha trabalhado em escalões menores e lá tinha parado, encurtado ou por desatenção à galanteria ou daquela causa destruidora para os homens sem criação, ou cuidado com a juventude - o reconhecimento de uma posição acima que eles se sentem inaptos a preencher. Então, pouco a pouco, a família, cada vez mais caída, os homens inquietantes e insatisfeitos, bebendo até a cova, as mulheres se arrastando em casa ou casando-se com homens inferiores - ou pior. Ao longo do tempo, todos desapareceram, deixando apenas dois no Croft, Wykham Delandre e sua irmã, Margaret. O homem e a mulher pareciam ter herdado as formas masculina e feminina, respectivamente, da tendência maldosa de sua raça, compartilhando princípios comuns, embora, manifestando-os de diferentes formas, de paixão amargurada, voluptuosidade e imprudência.

A história dos Brent tinha algo semelhante, mas mostrando as causas da decadência em sua aristocracia e não em suas formas plebeias. Eles também haviam enviado seus rebentos para as guerras; mas, suas posições tinham sido diferentes e, muitas vezes, tinham atingido a honra – pois, sem falhas, eram galantes e atos corajosos foram feitos por eles antes da dissipação egoísta que os marcou, tendo perdido o vigor.

O atual chefe de família - se ela pudesse, ainda, ser chamada de família quando apenas um permaneceu na linha direta - era Geoffrey Brent. Ele era quase um tipo de raça esgotada, manifestando, algumas vezes, suas qualidades mais brilhantes e, em outras, a sua total degradação. Ele pode ser comparado com alguns daqueles antigos nobres italianos que os pintores preservaram para nós com sua valentia, sua falta de escrúpulos, seu refinamento da luxúria e crueldade – o voluptuário real com o potencial demoníaco. Ele, certamente, era bonito, com aquela beleza escura, aquilina, comandando a beleza que as mulheres, geralmente, reconhecem como dominante. Com os homens, ele era distante e frio; mas, tal comportamento nunca desestimulou as mulheres. As leis impenetráveis do sexo têm se arranjado de tal forma que, mesmo uma tímida mulher não teria medo de um homem feroz e altivo. E, assim sendo, dificilmente, haveria uma mulher de qualquer tipo ou grau que vivesse nas redondezas de Brent's Rock que não tivesse alguma forma de admiração secreta pelo lindo imprestável. A categoria era ampla pois, Brent's Rock subia abruptamente do meio de uma região plana e, por um circuito de cem milhas, ficava no horizonte, com suas altas torres antigas e telhados íngremes cortando a borda nivelada da madeira da aldeia e mansões muito espalhadas

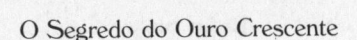

Enquanto Geoffrey Brent confinou suas dissipações a Londres, Paris e Viena - qualquer lugar fora da vista e do som de seu lar – opiniões eram silenciadas. É fácil ouvir ecos distantes e podemos tratá-los com descrença, desprezo, desdém ou qualquer atitude de frieza que se adapte ao nosso propósito. Mas, quando o escândalo chegou perto de casa, era outra questão; e os sentimentos de independência e integridade que estão nas pessoas de toda comunidade, que não é totalmente estragada, se afirmaram e exigiram que a condenação fosse expressa. Ainda havia uma certa reticência em todos e não se deu mais aos fatos existentes do que era absolutamente necessário. Margaret Delandre se aborreceu tão destemidamente e tão abertamente - ela aceitou sua posição como a legítima companheira de Geoffrey Brent tão naturalmente que as pessoas passaram a acreditar que era, secretamente, casada com ele, por isso, acharam mais sábio segurar a língua para que o tempo a legitimasse e, também, fizesse dela uma inimiga ativa.

A única pessoa que, por interferência dele, poderia ter resolvido todas as dúvidas foi impedida pelas circunstâncias de interferir nessa questão. Wykham Delandre tinha brigado com sua irmã – ou, talvez, ela tenha brigado com ele - e eles estavam em termos não apenas de neutralidade armada, mas de ódio amargo. A briga havia ocorrido anteriormente a Margaret ir a Brent's Rock. Ela e Wykham quase tinham chegado aos golpes. Certamente, havia ameaças de um lado e do outro; e no final, Wykham, superado pela paixão, tinha ordenado que sua irmã deixasse sua casa. Ela havia se levantado imediatamente e, sem esperar para arrumar as malas, mesmo seus próprios pertences pessoais, tinha saído de casa. Em uma fronteira, ela havia parado por um momento para lançar uma ameaça amarga a Wykham, que ele se lamentaria em vergonha e desespero até o último momento de sua vida pelo seu ato daquele dia. Algumas semanas haviam se passado desde então e foi entendido na vizinhança que Margaret tinha ido a Londres, quando, de repente, ela apareceu de carona com Geoffrey Brent e todo o bairro já sabia, antes do anoitecer, que ela havia ocupado sua morada no Brent's Rock. Não foi surpresa por Brent ter voltado inesperadamente, pois isso era seu costume habitual. Mesmo seus próprios servos nunca sabiam quando esperá-lo, pois havia uma porta privada da qual somente ele tinha a chave e pela qual, às vezes, entrava sem ninguém na casa ter ciência de sua vinda. Este era o seu método habitual de aparecer depois de uma longa ausência.

Wykham Delandre ficou furioso com as notícias. Ele jurou vingança – e, para manter sua mente nivelada com sua paixão, bebeu mais profundamente do que nunca. Ele tentou, várias vezes, ver sua irmã, mas ela, desdenhosamente, recusou-se encontrá-lo. Ele tentou ter uma conversa com Brent e foi recusado também. Então, tentou pará-lo na estrada, mas sem sucesso, pois Geoffrey não era um homem a ser detido contra a sua vontade. Vários encontros reais aconteceram entre os dois homens e outros foram ameaçados e evitados. Por fim, Wykham Delandre estabeleceu-se em uma aceitação sombria e vingativa da situação.

Nem Margaret, nem Geoffrey eram de temperamento pacífico e não demorou muito para começar a haver discussões entre eles. Uma coisa levaria à outra e o vinho fluía livremente em Brent's Rock. De vez em quando, as discussões assumiam um aspecto amargo e as ameaças eram trocadas de forma intransigente de linguagem, o que impressionava bastante os servos. Mas, tais discussões, geralmente, cerravam onde as alterações domésticas ocorriam, em reconciliação, e num respeito mútuo pelas qualidades de combate proporcionadas à sua manifestação. A luta pelo seu próprio bem é encontrada por uma certa classe de pessoas, em todo o mundo, para ser uma questão de interesse absorvido e não há razão para acreditar que as condições domésticas minimizam sua potência. Geoffrey e Margaret realizavam ausências ocasionais de Brent's Rock e, em cada uma dessas ocasiões, Wykham Delandre também se ausentava; mas como ele, geralmente, ouvia falar da ausência demasiadamente tarde para fazer qualquer coisa, voltava para casa cada vez mais amargo e descontente mentalmente.

Finalmente, chegou um momento em que a ausência em Brent's Rock se tornou mais longa do que antes. Apenas alguns dias antes, havia ocorrido uma discussão, excedendo em amargura qualquer coisa que tenha ocorrido antes, mas isto, também já havia sido feito e uma viagem pelo continente havia sido mencionada, antecipadamente, pelos criados. Após alguns dias, Wykham Delandre também foi embora e voltou algumas semanas depois. Notou-se que ele estava cheio de novas magnitudes - satisfação, exaltação - eles mal sabiam como denominar isso. Ele foi, imediatamente, para Brent's Rock e exigiu ver Geoffrey Brent. Ao ser informado de que ele ainda não havia retornado, disse, com uma decisão sombria que os criados notaram:

"Eu voltarei. Minha notícia é sólida - pode esperar!", e foi embora. Passaram-se semanas, meses; depois veio um rumor, certificado mais tarde, de que um acidente havia ocorrido no vale do Zermatt. Ao cruzar uma passagem perigosa, a carruagem contendo uma senhora inglesa e o condutor havia caído de um precipício, o cavalheiro na composição, o Sr. Geoffrey Brent, tinha sido, felizmente, salvo, uma vez que havia caminhado nas colinas para facilitar os cavalos. Ele deu informações e a busca foi feita. O trilho quebrado, a estrada escoriada, as marcas onde os cavalos haviam lutado contra o declínio antes de, finalmente, arremessarem para a torrente - tudo contou a triste história. Era uma estação chuvosa e tinha havido muita neve no inverno, de modo que o rio estava cheio além de seu volume habitual e os redemoinhos do córrego estavam cheios de gelo. Toda a busca foi feita e, finalmente, a carruagem e o corpo de um cavalo foram encontrados em um redemoinho do rio. Mais tarde, o corpo do condutor foi encontrado nos resíduos arenosos, erguidos por torrentes perto de Täsch; mas o corpo da dama, como o do outro cavalo, haviam desaparecido e foram deixados – pelas condições daquele tempo – entre os redemoinhos do Ródano a caminho do Lago de Genebra.

Wykham Delandre fez todas as perguntas possíveis, mas poderia não encontrar nenhum vestígio da mulher desaparecida. Ele encontrou, no entanto, registro nos livros de vários hotéis em nome de "Sr. e Sra. Geoffrey Brent". Mandou erguer uma pedra em Zermatt em memória de sua irmã, sob seu nome de casada, e uma placa foi colocada na igreja em Bretten, a paróquia em que tanto o Brent's Rock como a Dander's Croft estavam situadas.

Houve um lapso de quase um ano após a excitação do caso se desgastar e toda a vizinhança voltar à sua rotina. Brent ainda estava ausente e Delandre mais bêbado, mais moroso e mais vingativo do que antes.

Então, houve um novo acontecimento. Brent's Rock estava sendo preparada para uma nova amante. Foi anunciado, oficialmente por Geoffrey em uma carta de próprio punho ao Vigário, que tinha se casado alguns meses antes com uma senhora italiana e que estavam, então, a caminho de sua casa. Então, um pequeno exército de operários invadiu a casa; os martelos e os planadores soaram, um cheiro enorme de tinta impregnou a atmosfera. Uma ala da velha casa, a sul, foi inteiramente reformada; então, o grande contingente de operários partiu, deixando apenas materiais para a realização do antigo salão assim que Geoffrey Brent voltasse, pois ele havia ordenado que a decoração seria feita apenas sob seus próprios olhos. Ele tinha trazido desenhos precisos de um salão da casa do pai de sua noiva, pois desejava reproduzir para ela o lugar a que estava acostumada. Com a moldagem, tudo tinha que ser refeito, alguns andaimes e pranchas eram trazidos e colocados de um lado do grande salão e, também, havia um grande tanque ou caixa de madeira para misturar a cal, que foi colocada em sacos ao lado dela.

Quando a nova amante de Brent's Rock chegou, os sinos da igreja tocaram e houve uma jubilação geral. Ela era uma bela criatura, cheia da poesia, do fogo e da paixão do Sul; as poucas palavras em inglês que ela havia aprendido eram faladas de uma maneira tão doce e de uma forma pausada que ganhou o coração do povo, quase tanto pela música de sua voz como pela beleza derretida de seus olhos escuros.

Geoffrey Brent parecia mais feliz do que jamais havia estado; mas, havia um olhar escuro e ansioso em seu rosto que era novo para aqueles que o conheciam de antigamente e ele começou, às vezes, a escutar alguns barulhos que não eram ouvidos pelos outros.

Assim, passaram-se meses e o sussurro de que, finalmente, Brent's Rock teria um herdeiro, cresceu. Geoffrey era muito carinhoso com sua esposa e o novo enlace parecia amolecê-lo. Ele deu mais atenção aos seus empregados e às suas necessidades do que jamais havia dado; apoiou obras de caridade, assim como sua jovem esposa. Ele parecia ter colocado todas as suas esperanças na criança que estava por vir e, enquanto olhava mais fundo para o futuro, a sombra escura que lhe aparecera no rosto parecia desaparecer gradualmente.

O tempo todo, Wykham Delandre alimentou sua vingança. No fundo de seu coração, havia crescido um propósito de vingança que só esperava uma oportunidade de cristalizar e tomar uma forma definitiva. Sua vaga ideia, estava, de alguma forma, centrada na esposa de Brent, pois ele sabia que poderia atacá-lo melhor através daqueles que ele amava e o tempo que passou, parecia segurar em seu ventre a oportunidade pela qual ele havia desejado. Uma noite, sentou-se sozinho na sala de estar de sua casa. Já havia sido um quarto bonito em seu passado, mas o tempo e o descuido tinham feito seu trabalho e, agora, era pouco melhor que uma ruína, sem dignidade ou sem ser pitoresco. Ele estava bebendo muito, por algum tempo, e ficou mais do que desorientado. Ele pensou ter ouvido um barulho como se houvesse alguém na porta e olhou para cima. Então, chamou meio selvagemente para entrar; mas não havia resposta. Com uma blasfêmia murmurada, renovou suas poções. Atualmente, esqueceu-se de tudo à sua volta, afundou num aturdimento, mas, de repente, acordou para ver em pé, diante dele, alguém ou algo como uma edição fantasmagórica e maltratada de sua irmã. Por um instante, lhe veio uma espécie de medo. A mulher diante dele, com características distorcidas e olhos ardentes, parecia pouco humana e a única coisa que parecia uma realidade de sua irmã, como ela tinha sido, era sua riqueza de cabelos dourados, e isso, agora, estava estriado com cinza. Ela olhou seu irmão com um olhar longo e frio; e ele, também, enquanto olhava e começava a perceber a veracidade de sua presença, encontrou o ódio que ele tinha por ela, mais uma vez, aumentando em seu coração. Toda a paixão do ano passado encontrou, imediatamente, uma voz como ele lhe perguntou:

"Por que você está aqui? Você está morta e enterrada."

"Eu estou aqui, Wykham Delandre, por nenhum amor a você, mas porque odeio outro ainda mais do que eu odeio você!". Uma grande paixão ardia nos olhos dela.

"Ele?", ele perguntou, em um sussurro tão feroz que até a mulher, por um instante, assustou-se, até que recuperou a calma.

"Sim, ele!", respondeu ela. "Mas, não se engane, minha vingança farei eu mesma; e, simplesmente, usarei você para me ajudar com isso." Wykham perguntou, de repente:

"Ele se casou com você?"

O rosto distorcido da mulher se alargou em uma tentativa horrível de um sorriso. Foi um escárnio horrível, os traços quebrados e cicatrizes costuradas tomaram formas e cores estranhas, linhas brancas de rugas se exibiam à medida que os músculos pressionavam as antigas cicatrizes.

"Então, você gostaria de saber! Agradaria seu orgulho saber que sua irmã era realmente casada! Bem, você não deve saber. Essa foi minha vingança contra você e não pretendo mudar isso nem por um fio de cabelo. Vim aqui esta noite, simplesmente, para que você saiba que estou viva, para que, se alguma violência for feita a mim, você poderá ser uma testemunha."

"Aonde você está indo?", exigiu o irmão.

"Isso é assunto meu! E não tenho a menor intenção de deixar você ciente!". Wykham levantou-se, mas a bebida estava sobre ele, cambaleou e caiu. Deitado no chão, anunciou sua intenção de seguir sua irmã; e, com um surto de esplendor humorístico, disse-lhe que a seguiria através da escuridão, pela luz de seus cabelos e de sua beleza. Ela, então, virou-se para ele e disse que havia outros ao lado dele que lastimariam seu cabelo e sua beleza também. "Como ele irá", ela sussurrou; "porque os cabelos permaneceram, embora a beleza se foi. Quando retirou o pino e nos mandou do precipício para a torrente, tinha pouco pensamento da minha beleza. Talvez, sua beleza fosse assustadora como a minha se ele rodopiasse, como eu, entre as rochas do Visp e congelasse no bloco de gelo à deriva do rio. Mas, que ele esteja alerta! Sua hora está chegando" e, com um gesto feroz, ela se atirou a abrir a porta e desaparecer pela noite afora.

* * *

Mais tarde, naquela noite, a Sra. Brent, que estava apenas meio adormecida, acordou, subitamente, e falou com seu marido:

"Geoffrey, não foi o clique de uma fechadura em algum lugar abaixo da nossa janela?"

Mas, Geoffrey - embora ela pensasse que ele também tivesse se assustado com o ruído - parecia estar dormindo e respirava forte. Novamente, a Sra. Brent adormeceu; mas, desta vez, acordou com o seu marido em pé, vestindo-se. Ele estava mortalmente pálido e, quando a luz da lâmpada que tinha na mão iluminou seu rosto, ela ficou assustada com o olhar nos olhos dele.

"O que é isso, Geoffrey? O que está fazendo?", perguntou ela.

"Silêncio, pequenina", respondeu ele, com uma voz estranha e rouca. "Vá dormir. Estou inquieto e desejo terminar algum trabalho que deixei por fazer."

"Traga-o aqui, meu marido", disse ela; "Estou sozinha e tenho medo quando você está longe."

Para responder, ele simplesmente a beijou e saiu, fechando a porta atrás dele. Ela ficou acordada por um tempo e, então, a natureza se impôs e ela dormiu.

De repente, ela começou a ficar acordada com a memória de um grito sufocado em seus ouvidos, em algum lugar não muito distante. Ela pulou, correu para a porta e ouviu, mas não havia som. Ficou alarmada pelo marido e chamou: "Geoffrey! Geoffrey!"

Após alguns momentos, a porta do grande salão se abriu e Geoffrey apareceu, mas sem a sua lâmpada.

"Silêncio!", ele disse, numa espécie de sussurro, sua voz era dura e seca. "Silêncio! Vá para a cama! Eu estou trabalhando e não devo ser perturbado. Vá dormir e não acorde a casa!"

Com um arrepio no coração, pois a dureza na voz de seu marido era novo para ela - rastejou de volta para a cama e ficou ali deitada, tremendo, muito assustada para chorar e ouvia cada som. Houve um longo silêncio e, depois, o som de alguns golpes de ferro batendo, mas abafados! Depois, veio o tilintar de uma pedra pesada caindo, seguido de uma maldição abafada. Depois, som de arrasto e mais barulho de pedra batendo sobre pedra. Ela ficou deitada enquanto estava em agonia e seu coração batia terrivelmente. Ela ouviu um som curioso de raspagem; depois houve silêncio. A porta se abriu suavemente e Geoffrey apareceu. Sua esposa fingiu estar dormindo; mas, através de seus cílios ela o viu lavar de suas mãos algo branco que parecia cal.

Pela manhã, ele não fez alusão à noite anterior e ela estava com medo de fazer qualquer pergunta.

A partir daquele dia, parecia haver alguma sombra sobre Geoffrey Brent. Ele não comia, nem dormia como estava acostumado e seu antigo hábito de virar de repente, como se alguém estivesse falando por trás dele, havia voltado. O velho salão parecia ter algum tipo de fascinação sobre ele. Ele costumava ir lá muitas vezes, mas ficava impaciente se alguém, mesmo sua esposa, entrasse. Quando o capataz de construtor veio perguntar sobre a continuidade do trabalho, Geoffrey havia saído. O homem, então, entrou no salão por conta própria. Quando retornou, Geoffrey foi avisado sobre a chegada do capataz por um criado. Com um olhar assustador, ele empurrou o servo e correu para o velho salão, encontrando com o operário quase na porta; quando Geoffrey irrompeu pela sala, o homem pediu desculpas:

"Desculpe, senhor, mas só ia sair para fazer algumas perguntas. Mandei 12 sacos de cal para serem enviadas para cá, mas vejo que são apenas dez."

"Malditos sejam os 10 sacos e os 12 também!", disse Geoffrey, de maneira indelicada e incompreensível.

O operário pareceu surpreso e tentou uma conversa.

"Estou vendo, senhor, há um pequeno problema que nosso pessoal deve ter cometido, mas, é claro, vamos cobrir esse prejuízo".

"O que você quer dizer?"

"A pedra da lareira, senhor: Algum idiota deve ter colocado um andaime, ela caiu e rachou bem no meio, e olha que ela é grossa o suficiente para aguentar qualquer queda." Geoffrey ficou em silêncio, por um minuto, depois, disse com voz constrangida e com maneira muito mais gentil:

"Diga ao seu pessoal que não vou continuar com o trabalho no salão no momento. Quero deixar as coisas como estão por mais um tempo."

"Tudo bem, senhor. Vou mandar alguns de nossos homens para retirar estes andaimes, os sacos de cal e arrumar um pouco o lugar."

"Não! Não!", disse Geoffrey, "deixe-os onde estão. Vou procurá-lo e dizer quando você vai continuar o trabalho". Então, o capataz foi embora e seu comentário ao seu patrão foi:

"Eu enviaria a conta, senhor, pelo trabalho já feito. Parece, para mim, que o dinheiro está um pouco escasso nesse trimestre."

Uma ou duas vezes, Delandre tentou parar Brent na estrada, e, finalmente, descobrindo que não conseguia alcançar seu objetivo, cavalgou ao lado da carruagem, gritando:

"O que fez com a minha irmã, sua esposa?". Geoffrey bateu em seus cavalos para um galope e o outro, vendo seu rosto branco e o colapso de sua esposa, quase desmaiando, viu que seu objetivo fora atingido, cavalgou em disparada e gargalhou.

Naquela noite, quando Geoffrey foi para o salão, passou pela grande lareira e tudo, de uma só vez, começou novamente com um choramingo. Então, com um esforço, juntou forças e foi adiante, virando com uma luz. Ele se inclinou sobre a pedra quebrada para ver se a luz da lua que caia através de uma passagem da janela tinha, de alguma forma, enganado-o. Então, com um gemido de angústia ele caiu de joelhos.

Lá, com certeza, através da fenda na pedra quebrada, estavam saliências de uma infinidade de fios de cabelos dourados mesclados de cinza!

Ele foi perturbado por um barulho na porta e, olhando em volta, viu sua esposa em pé, na entrada da porta. No desespero do momento, ele agiu para evitar a descoberta e acendeu um fósforo na chama da lamparina, abaixou e queimou o cabelo que se ergueu através da pedra quebrada. Depois, subindo sem se preocupar, fingiu surpresa ao ver sua esposa ao lado ele.

Durante a semana seguinte, ele viveu em agonia; pois, seja por acidente ou intento, ele não podia mais ficar sozinho no salão. A cada visita, os cabelos tinham crescido novamente através da fenda e ele tinha que vigiá-lo cuidadosamente, senão seu terrível segredo seria descoberto. Ele tentou encontrar um local fora da casa para colocar o corpo da mulher assassinada, mas alguém sempre o interrompia; e, uma vez, quando estava saindo pela porta privada, foi descoberto por sua esposa, que começou a questioná-lo sobre isso e manifestou surpresa por ela não ter notado a chave que ele, agora, relutantemente, lhe mostrou. Geoffrey amava sua esposa, então, qualquer possibilidade dela descobrir seus segredos pavorosos ou, até mesmo, de duvidar dele, preenchiam-no de angústia; depois de alguns dias, estava arrasado e não pôde perceber que, pelo menos, ela suspeitava de alguma coisa.

O Segredo do Ouro Crescente

Naquela mesma noite, ela entrou no salão e encontrou-o ali sentado, mal-humorado, junto à lareira deserta e lhe falou:

"Geoffrey, aquele sr. Delandre tem vindo conversar comigo e ele diz coisas horríveis. Ele me diz que, há uma semana, sua irmã voltou para sua casa, desfigurada e arruinada, apenas com seus cabelos dourados de antigamente e anunciou algumas intenções maldosas. Ele me perguntou onde ela está - e oh, Geoffrey, ela está morta, ela está morta! Então, como ela pode ter voltado? Oh! Eu estou com medo e eu não saiba a quem recorrer"!

Para responder, Geoffrey explodiu em uma torrente de blasfêmias que a fez estremecer. Ele amaldiçoou Delandre, sua irmã, todos de sua espécie e, em especial, lançou maldição após maldição sobre o seu cabelo dourado.

"Oh, silêncio! Silêncio!", disse ela, depois, ficou calada, pois temia seu marido quando viu o efeito maligno de seu humor. Geoffrey, na torrente da sua raiva, levantou-se e afastou-se da pedra; mas, de repente, parou quando viu um novo olhar de terror nos olhos de sua esposa. Ele seguiu seu olhar e, então, também estremeceu – pois, lá na pedra partida, havia uma faixa dourada como a ponta de cabelo crescendo através da rachadura.

"Olha, olha!", ela gritou. "É algum fantasma dos mortos! Venha – venha!" E, agarrando seu marido pelo punho com o frenesi da loucura, ela o arrancou da sala.

Naquela noite, ela estava com uma febre ardente. O médico do distrito a atendeu imediatamente e uma ajuda especial foi telegrafada para Londres. Geoffrey estava em desespero e, em sua angústia com o perigo de sua jovem esposa, quase esqueceu-se de seu próprio crime e de suas consequências. À noite, o médico teve que sair para atender outros pacientes; mas deixou Geoffrey a cargo de sua esposa. Suas últimas palavras foram:

"Lembre-se, você deve cuidar dela até que eu chegue de manhã ou até que outro médico tenha o caso em mãos. O que você tem que temer é outro ataque de emoção. Mantenha-a sempre aquecida. Nada mais pode ser feito."

No final da noite, quando o resto dos moradores já estava descansando, a mulher de Geoffrey levantou-se da cama e chamou o marido.

"Venha!", disse ela. "Venha para o velho salão! Eu sei onde e de onde vem o ouro! Eu quero vê-lo crescer!"

Geoffrey a teria detido, mas ele temia por sua vida ou razão, por um lado, e que, em um paroxismo, ela gritasse sua terrível suspeita e, vendo que era inútil tentar impedi-la, enrolou uma alcatifa quente ao redor dela e foram para o antigo salão. Quando entraram, ela se virou, fechou a porta e a trancou.

"Não queremos estranhos entre nós três esta noite!", sussurrou ela com um sorriso pálido.

"Nós três! Não somos mais do que dois", disse Geoffrey com um arrepio; ele temia dizer mais.

"Sente-se aqui", disse sua esposa enquanto apagava a luz. "Sente-se aqui perto da pedra e veja o ouro crescer. A luz da lua de prata está com ciúmes! Veja, ela vai ao longo do chão em direção ao ouro - nosso ouro!"

Geoffrey olhou com um horror crescente e viu que, durante as horas que haviam passado, os cabelos dourados tinham se sobressaído mais através da pedra partida. Ele tentou escondê-los colocando seus pés sobre o lugar quebrado; sua esposa, puxando sua cadeira ao seu lado, inclinou-se e colocou a cabeça no ombro dele.

"Agora, não se mexa, querido", disse ela; "vamos ficar quietos e assistir." Vamos encontrar o segredo do ouro crescente." Ele a abraçou e sentou-se em silêncio; com a luz da lua espalhando-se ao longo do chão, ela dormiu.

Ele temia acordá-la; assim, sentou-se em silêncio, miserável enquanto as horas passavam.

Diante de seus olhos horrorizados, os cabelos dourados da pedra quebrada cresciam e cresciam; à medida que cresciam, seu coração ficava mais e mais frio, até que, finalmente, ele não tinha mais forças para se mexer, fixou os olhos cheio de terror, observando sua desgraça.

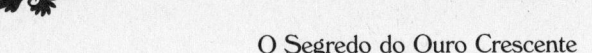

* * *

Pela manhã, quando o médico de Londres veio, nem Geoffrey, nem sua esposa puderam ser encontrados. A busca foi feita em todos os quartos, mas sem sucesso. Como último recurso, a grande porta do antigo salão foi aberta e quem entrou deparou-se com a visão de uma coisa horrível e lamentável.

Ali, ao lado da pedra deserta, Geoffrey Brent e sua jovem esposa sentados, frios, brancos e mortos. O rosto dela estava tranquilo e seus olhos estavam fechados no sono; mas, o rosto dele era uma visão que fazia todos que o viram tremer, pois havia nele um olhar de indizível horror. Os olhos estavam abertos e vidrados em seus pés, que estavam emaranhados com tranças de cabelos dourados mesclados com cabelos grisalhos, que brotavam através da pedra partida.

O Gigante Invisível
por Bram Stoker

O TEMPO acontece no Reino do Pôr do Sol assim como aqui. Muitos anos se passaram e efetuaram mudanças. Agora, encontramos uma época em que as pessoas que viviam no bom tempo do Rei Mago, dificilmente, teriam reconhecido seu belo Reino se o tivessem visto novamente.

Havia mudado de fato, mas tristemente. Não havia mais o mesmo amor ou a mesma reverência para com o rei - já não estava lá uma paz perfeita. As pessoas tinham se tornado mais egoístas, mais gananciosas e tinham tentado agarrar tudo o que podiam para si mesmas. Havia alguns muito ricos e havia muitos pobres. Na maioria dos belos jardins, havia lixo espalhado. As casas tinham crescido perto do palácio e, em algumas delas, habitavam muitas pessoas que só podiam pagar por parte de uma casa.

Tudo no belo Reino mudou tristemente e transformou a vida dos moradores de lá. O povo havia quase se esquecido do Príncipe Zaphir, que morreu há muitos, e rosas não foram mais espalhadas pelos caminhos. Aqueles que viviam agora no Reino do Pôr do Sol riram da ideia de mais gigantes e não os temiam porque não os viam. Alguns deles disseram:

"Cada uma! O que há para temer? Mesmo que houvesse gigantes, não há nenhum aqui, agora."

E, assim, o povo cantava, dançava e festejava como antes, pensando apenas em si mesmo. Os anjos que guardavam o Reino ficaram muito, muito tristes. Suas grandes asas sombrias brancas estavam caídas em seus postos nos Portais do Reino. Elas escondiam seus rostos e seus olhos estavam embaçados por um choro contínuo, dessa forma, eles não prestariam atenção se alguma coisa maligna passasse por eles. Eles tentaram fazer o povo pensar em suas maldades, mas não podiam deixar seus postos e as pessoas que ouviam seus gemidos na noite, falavam:

"Ouçam o suspiro da brisa; quão doce é!"

Conosco é sempre assim, também, e quando ouvimos o vento suspirar, gemendo e soluçando ao redor de nossas casas, nas noites solitárias, não achamos que nossos anjos possam estar sofrendo por nossos erros, apenas que está vindo uma tempestade. Os anjos choraram cada vez mais e eles sentiram a tristeza da tolice - por mais que eles pudessem falar, aqueles com quem falavam, não os ouviam.

Enquanto as pessoas riam da ideia dos gigantes, havia um velho que balançava a cabeça e lhes respondia, quando eles o ouviam:

"A morte tem muitos filhos e há gigantes nos pântanos, imóveis. Você pode não os ver, talvez - mas eles estão lá e o único baluarte em segurança está em uma terra de corações pacientes e fiéis."

O nome deste bom velho era Knoal e ele vivia em uma casa construída com grandes blocos de pedra, no meio de um lugar selvagem, longe da cidade.

Na cidade, havia muitas grandes casas antigas, sobrados, onde vivia muita gente pobre. Quanto mais alto você subia as grandes escadas íngremes, mais pobres eram as pessoas que lá viviam, de modo que, nos sótãos, estavam alguns tão pobres que, quando chegava a manhã, eles não sabiam se teriam qualquer coisa para comer ao longo dia todo. Isto era muito, muito triste e crianças gentis teriam chorado se tivessem visto sua dor.

Em um desses sótãos vivia, sozinha, uma pequena menina chamada Zaya. Ela era órfã, pois seu pai tinha morrido há muitos anos e sua pobre mãe, que havia trabalhado muito por sua querida filhinha, sua única filha, também havia morrido há muito tempo.

A pobre Zaya chorou tão amargamente quando viu sua querida mãe deitada, morta, e estava tão triste, há tanto tempo que se esqueceu completamente de que não tinha meios de viver. No entanto, os pobres que viviam na casa tinham lhe dado parte de sua própria comida para que não morresse de fome.

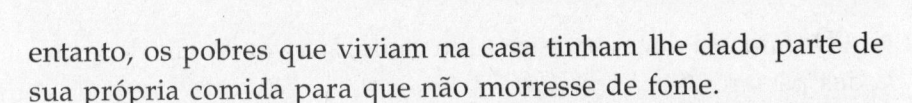

    Depois de algum tempo, ela tentou trabalhar e ganhar sua própria vida. Sua mãe a havia ensinado a fazer flores de papel; para que fizesse muitas flores, e quando obtivesse uma cesta cheia, as levasse para a rua e as vendesse. Ela fazia flores de muitos tipos, rosas, lírios, violetas, gotas de neve, primatas, resedás e muitas flores lindas e doces que só crescem no Reino do Pôr do Sol. Algumas delas, podia fazer sem nenhum desenho, mas outras, não podia, então, quando queria um desenho, pegava sua cesta de papel, tesoura, pasta, escovas e todas as coisas que usava e ia para o jardim que uma senhora gentil possuía, onde cresciam muitas flores bonitas. Lá, ela se sentava e trabalhava, olhando para as flores das quais gostava.

    Às vezes, ela ficava muito triste e suas lágrimas caíam grossas e rápidas quando pensava em sua querida mãe. Muitas vezes, parecia sentir que sua mãe estava olhando para ela e podia ver seu caloroso sorriso nos raios de sol sobre a água; depois, o seu coração ficava contente e ela cantava tão docemente que os pássaros vinham ao seu redor e paravam seu próprio canto para ouvi-la.

    Ela e os pássaros cresceram grandes amigos e, às vezes, quando ela cantava uma canção, todos eles piavam juntos enquanto pousavam ao redor dela em um anel, em algumas notas que pareciam dizer muito claramente:

    "Cante para nós mais uma vez. Cante para nós mais uma vez."

    Sendo assim, ela cantava novamente. Então, pedia-lhes para cantar e eles cantavam até que houvesse um show e tanto. Depois de um tempo, os pássaros a conheciam tão bem que entravam em seu quarto e até construíram seus ninhos lá, seguiam-na para onde quer que ela fosse. As pessoas costumavam dizer:

    "Olhe a menina com os pássaros; ela própria deve ser meio--pássaro para que eles a conheçam e amem-na tanto assim." De tanta gente dizer coisas como essas, algumas pessoas bobas, realmente, acreditavam que ela era meio-pássaro, elas abanavam a cabeça e riam quando alguns sábios diziam:

"De fato, ela deve ser; escute seu canto; sua voz é mais doce que a dos pássaros."

Então, um apelido foi dado a ela e os meninos malcriados a chamavam assim na rua: "Passarinho Grande". Mas, Zaya não se importava com o nome; e, embora, muitas vezes, os meninos malcriados o dissessem para magoá-la, ela não ligava, muito pelo contrário, pois era tão glorificada no amor e confiava em seus pequenos animais de estimação de voz doce, que desejava pensar como eles.

Na verdade, seria bom para alguns meninos e meninas malcriados se fossem tão bons e inofensivos quanto os passarinhos que trabalham o dia inteiro para auxiliar seus filhotes indefesos, construindo ninhos e trazendo comida, sentados tão pacientemente chocando seus pequenos ovos salpicados.

Uma noite, Zaya sentou-se em seu sótão, muito triste e solitária. Era uma linda noite de verão e ela se sentou na janela, olhando para a cidade. Ela podia ver sobre as muitas ruas em direção à grande catedral, cuja torre se erguia no alto do céu, mais alta, até mesmo, que a grande torre do palácio do rei. Dificilmente, havia um sopro de vento e a fumaça subia direto das chaminés, indo longe e se desfazia, até ficar perdida por completo.

Zaya estava muito triste. Pela primeira vez, por muitos dias, os pássaros estavam todos longe dela, ao mesmo tempo, e ela não sabia para onde eles tinham ido. Sentia como se a tivessem abandonado e estava tão sozinha, a pobre menina, que chorava lágrimas amargas. Ela estava pensando na história que, há muito tempo, sua mãe havia contado sobre como o Príncipe Zaphir havia matado o gigante e ela se perguntou como era o príncipe, pensou como o povo deveria ter sido feliz quando Zaphir e Bluebell eram rei e rainha. Então, ela se perguntava se havia alguma criança faminta naqueles dias bons e se, de fato, não havia mais gigantes, como o povo dizia. Então, continuou com seu trabalho diante da janela aberta.

Naquele momento, ela olhou por cima do seu trabalho e encarou a cidade. Lá, viu uma coisa terrível - uma coisa tão terrível que

O Gigante Invisível

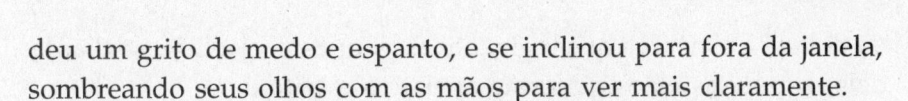

deu um grito de medo e espanto, e se inclinou para fora da janela, sombreando seus olhos com as mãos para ver mais claramente.

No céu além da cidade, viu uma vasta forma sombria com seus braços levantados. Estava envolta em um grande manto enevoado que a cobria, desaparecendo no ar, de maneira que Zaya só pudesse ver seu rosto e mãos espectrais.

A forma era tão poderosa que a cidade abaixo dela parecia um brinquedo de criança, mas ainda estava muito longe da cidade.

O coração da menina parecia estar parado de medo enquanto ela pensou, "Os gigantes, então, não estão mortos. Este é um deles."

Rapidamente, ela desceu as escadas altas e saiu correndo para a rua. Lá, viu algumas pessoas e gritou para elas:

"Olhem! Olhem! O gigante, o gigante!", e apontou para a forma que ela ainda via avançando para a cidade.

As pessoas olharam para cima, mas não conseguiam ver nada, riram e disseram:

"A criança é louca."

Então, o pobre Zaya ficou, mais do que nunca, assustada e correu pela rua, ainda gritando:

"Olhem, olhem! O gigante, o gigante!". Mas, ninguém lhe deu ouvidos e todos disseram: "A criança é louca", e seguiram seus próprios caminhos.

Então, os meninos malcriados vieram em volta dela e gritaram, "Passarinho Grande perdeu seus companheiros. Ela vê um pássaro maior no céu e o quer". Eles fizeram rimas sobre ela e cantaram enquanto dançavam ao seu redor.

Zaya fugiu deles; apressou-se em atravessar a cidade para o campo além dela, pois ainda via a grande forma diante dela, no ar.

À medida que ela foi avançando e se aproximando cada vez mais do gigante, ele foi ficando um pouco mais escuro. Ela podia ver apenas as nuvens; mas, ainda havia a forma visível de um gigante pendurado no ar.

Uma névoa fria se fechou ao redor dela quando o gigante apareceu em sua direção. Depois, ela pensou em todas as pessoas pobres da cidade e esperava que o gigante as poupasse, ajoelhou-se diante dele, ergueu as mãos de forma apelativa e gritou:

"Oh, grande gigante! Poupe-os, poupe-os!"

Mas, o gigante avançou como se não tivesse ouvido nada. Ela gritou ainda mais alto:

"Oh, grande gigante! Poupe-os, poupe-os!". Curvou sua cabeça, chorou e o gigante, embora muito lentamente, moveu-se em direção à cidade.

Havia um homem velho não muito longe, na porta de uma pequena casa construída com grandes pedras, mas a pequena menina não o viu. Seu rosto continha um olhar de medo e espanto e, quando viu a criança ajoelhada e levantando as mãos, ele aproximou-se e escutou sua voz. Quando ele a ouviu dizer: "Oh, grande gigante!", murmurou para si mesmo:

"É, então, como temia. Há mais gigantes e, verdadeiramente, este é um deles." Ele olhou para cima, mas não viu nada e, murmurado novamente:

"Não vejo, ainda assim esta criança pode ver; ainda temo por algo que me diz que há perigo. O verdadeiro conhecimento é mais cego que inocência."

A pequena menina, ainda sem saber que havia algum ser humano próximo a ela, gritou novamente, com um grande grito de angústia: "Oh, não, não, grande gigante, não lhes faça mal. Se alguém deve sofrer, que seja eu. Leve-me, estou disposta a morrer, mas os poupe. Poupe-os, grande gigante, faça de mim o que quiseres". Mas, o gigante não prestou atenção.

E Knoal - sendo ele um homem velho - sentiu seus olhos cheios de lágrimas e disse para si mesmo:

"Oh, nobre criança, como é corajosa, ela se sacrificaria!". E, chegando mais perto dela, colocou sua mão sobre a cabeça da menina.

Zaya, que estava novamente com a cabeça curvada, levantou-se e olhou ao redor quando sentiu o toque. No entanto, quando viu que era Knoal, ela estava consolada, pois sabia o quão sábio e bom ele era. Sentia que se qualquer pessoa pudesse ajudá-la, seria ele. Então, ela se agarrou a ele e escondeu o rosto em seu peito; ele acariciou seu cabelo e a confortou. Mas, mesmo assim, ele não via nada.

A névoa fria desapareceu e, quando Zaya olhou para cima, viu que o gigante tinha passado e estava avançando para a cidade.

"Vem comigo, minha filha", disse o velho; e os dois entraram na morada de grandes pedras.

Quando Zaya entrou, ela começou a tremer, o interior era como um sepulcro. O velho sentiu-a estremecer, pois ainda a segurava perto dele e disse:

"Não chore, pequenina, e não tema. Este lugar lembra a mim e a todos que nele entram que é para o túmulo que todos nós devemos ir por último. Não tenha medo, pois ele se tornou um lar aconchegante para mim."

Então, a pequena menina acalmou-se e começou a examinar tudo em torno dela. Ela viu todos os tipos de instrumentos curiosos e ervas muito estranhas e outras comuns, penduradas para secar em cachos nas paredes. O velho a observava em silêncio, até que seu medo se foi e, então, disse:

"Minha filha, viu os traços do gigante enquanto ele passava?"

Ela respondeu: "Sim".

"Você pode descrever seu rosto e sua forma para mim?", perguntou novamente.

E, então, ela começou a contar-lhe tudo o que tinha visto. Como o gigante era tão grande que todo o céu parecia cheio. Como os grandes braços estavam estendidos, velados em seu manto, até que, de longe, a mortalha se perdeu no ar. Como o rosto era como o de um homem forte, impiedoso, mas sem malícia; e que os olhos eram cegos.

O velho estremeceu assim que ouviu, pois sabia que o gigante era muito terrível; e seu coração chorava pela cidade condenada, onde tantos pereceriam em meio ao seu pecado.

Eles decidiram ir em frente e avisar, novamente, as pessoas condenadas; então, o velho e a pequena menina apressaram-se em direção à cidade.

Ao saírem da pequena casa, Zaya viu o gigante em direção à cidade. Eles se apressaram; quando tiveram que atravessar pela névoa fria, Zaya olhou para trás e viu o gigante atrás deles.

Naquele instante, eles chegaram à cidade.

Foi uma visão estranha ver aquele velho e aquela menina correndo para contar às pessoas sobre a terrível praga que estava chegando. A longa barba e os cabelos brancos do velho, e os cachos dourados da criança balançavam ao vento. Os rostos de ambos estavam brancos como a morte. Atrás deles, visto somente aos olhos da menina de coração puro, vinha, em ritmo lento, o gigante espectral, espalhando sua sombra escura sobre a noite.

Mas, as pessoas da cidade nunca haviam visto um gigante e, quando o velho homem e a menina os advertiram, ainda assim, eles não prestaram atenção, zombaram, os ridicularizaram e disseram:

"Bobagem! Agora não há gigantes"; e seguiram seu caminho, rindo e zombando.

Então, o velho veio e ficou em um lugar elevado entre eles, no degrau mais baixo da grande fonte, com a pequena menina ao seu lado e disse:

"Oh, gente, moradores deste Reino, sejam avisados a tempo. Esta criança de coração puro, cuja doce inocência atrai, em paz, até as pequenas aves que temem os homens e as mulheres, viu no céu, esta noite, a forma de um gigante que avança sempre em frente, ameaçadoramente, para a nossa cidade. Acreditem, oh, acreditem; sejam avisados enquanto podeis. Para mim mesmo, como para vós, o céu é um vazio e ainda vedes que acredito. Pois, escutem-me: desconhecendo que outro gigante tinha invadido nossa terra, sentei-me pensativo em minha morada; e, sem motivo, veio ao meu coração um medo repentino pela segurança dela. Levantei-me e olhei para o norte, sul, leste e oeste, no alto e abaixo, mas nunca um sinal de perigo pude ver. Então, eu disse para mim mesmo:

'Meus olhos estão embaçados com 100 anos de observação e espera e, assim, eu não posso ver'. Ainda assim, oh gente, moradores desta terra, embora esse século tenha diminuído os meus olhos exteriores, acelerou os meus olhos interiores - os olhos da minha alma. Novamente, fui e eis que esta pequena menina se ajoelhou e implorou a um gigante, invisível para mim, para poupar a cidade; mas ele não a ouviu, ou, se ouviu, não lhe respondeu, e ela caiu propensa. Então, viemos avisar vocês. Ali, diz a menina, ele passa em direção à cidade. Oh, sejam avisados; sejam avisados a tempo."

As pessoas ainda não prestavam atenção, mas ridicularizavam, zombavam mais e diziam:

"Vejam, a menina e o velho estão loucos"; e eles foram para suas casas - para dançar e se banquetear como antes.

Então, os malcriados vieram e zombaram deles, disseram que Zaya tinha perdido seus pássaros e enlouquecido; eles fizeram canções e as cantaram enquanto dançavam.

Zaya ficou tão triste pelo pobre povo que não repreendeu os meninos cruéis. Vendo que ela não lhes dava atenção, alguns deles ficaram ainda mais rudes e perversos; foram um pouco mais longe, jogando coisas nela e zombando ainda mais.

Então, triste de coração, o velho levantou-se, pegou a pequena menina pela mão, levou-a para o campo e alojaram-se na casa construída com grandes pedras. Naquela noite, Zaya dormiu com o cheiro doce das ervas secando ao seu redor e o velho segurou sua mão para que não tivesse medo.

Pela manhã, Zaya surgiu, de repente, e acordou o velho, que tinha adormecido em sua cadeira.

Ela foi até a porta e olhou para fora e uma emoção de alegria veio ao seu coração; pois, do lado de fora da porta, como se esperando para vê-la, pousaram todos os seus passarinhos, e muitos, muitos mais. Quando os pássaros viram a pequena menina, cantaram algumas notas de alegria e voaram, incessantemente, com muita alegria – alguns deles agitando suas asas e parecendo tão engraçados que ela não podia parar de rir.

Quando Knoal e Zaya tinham tomado seu café da manhã e dado aos seus amiguinhos emplumados, eles partiram, com tristeza nos corações, para visitar a cidade e tentar, mais uma vez, alertar o povo.

Os pássaros voaram ao seu redor enquanto iam e, para alegrá-los, cantaram com a maior alegria que puderam, embora seus pequenos corações também estivessem tristes.

Enquanto caminhavam, viram diante deles o grande gigante sombrio; agora, ele tinha avançado até os confins da cidade.

Mais uma vez, eles avisaram o povo e grandes multidões vieram ao redor deles, mas só para zombar; os meninos malcriados jogaram pedras e paus nos passarinhos e mataram alguns deles. A pobre Zaya chorou amargamente e o coração de Knoal ficou muito triste. Depois de um tempo, quando eles se afastaram da fonte, Zaya olhou para cima e teve uma alegre surpresa, o grande gigante sombrio não estava em lugar algum. Ela gritava de alegria, o povo riu e disse,

"Criança astuta! Vê que não vamos acreditar nela e finge que o gigante foi embora."

Eles a cercaram, zombando, e alguns disseram:

"Vamos colocá-la embaixo da fonte e afogá-la, como uma lição a mentirosos que nos assustam". Então, eles se aproximaram dela com ameaças. Ela se agarrou a Knoal, que parecia terrivelmente sério quando ela disse que não via mais o gigante e que era agora como se estivesse num sonho, pensando. Mas, ao seu toque, ele parecia ter acordado e falou com seriedade ao povo, os repreendeu. Mas, eles também gritaram com ele e disseram que, como tinha ajudado Zaya em sua mentira, deveria ser afogado também e avançaram para colocar as mãos sobre os dois.

A mão de alguém que era líder já estava estendida, quando deu um grito e pressionou a mão para o peito; e, enquanto os outros olhavam para ele assustados, ele gritava em grande dor, gritava horrivelmente. Enquanto o povo olhava, o seu rosto ficava cada vez mais negro, ele caiu e se contorceu um tempo em dor, depois morreu.

Todas as pessoas gritaram de terror, fugiram, chorando e dizendo:

"O gigante! O gigante! Ele está, de fato, entre nós"! Eles temiam ainda mais porque não podiam vê-lo.

Mas, antes que eles pudessem sair da praça central, no centro onde ficava a fonte, muitos caíram mortos e seus cadáveres jaziam.

Lá no centro, ajoelhavam o velho e a pequena menina, orando; os pássaros sentaram-se empoleirados ao redor da fonte, mudos e parados, não se ouvia som algum, a não ser os gritos do povo, muito longe. Então, seus gemidos soaram cada vez mais alto dizendo que o gigante estava entre e ao redor deles, e não havia fuga, pois, agora, era tarde demais.

Tristeza! No Reino do Pôr do Sol havia muito choro e, quando a noite chegou, havia pouco sono, pois havia muito medo em alguns corações e dor em outros. Todos ainda estavam, exceto os mortos que se deitavam com a cidade, tão quietos e sem vida que, mesmo a luz fria da lua e as sombras das nuvens se movendo sobre eles, não poderiam fazê-los parecer como se estivessem vivos.

E, por muitos longos dias, houve dor, tristeza e morte no Reino do Pôr do Sol.

Knoal e Zaya fizeram tudo o que puderam para ajudar o povo, mas era realmente difícil ajudá-los pois o gigante invisível estava entre eles, deambulando pela cidade, de um lado para o outro, porém, ninguém podia dizer onde ele colocaria sua mão gelada.

Algumas pessoas fugiram da cidade; mas, foi de pouca utilidade, pois, mesmo correndo tão rápido, ainda estavam dentro do aperto do gigante invisível. Com sua respiração e seu toque, ele transformava seus corações quentes em gelo e eles caíam mortos.

Alguns, como aqueles dentro da cidade, foram poupados e destes, alguns pereceram de fome, o resto rastejou tristemente de volta à cidade e viveram ou morreram entre seus amigos. E foi tudo tão triste, pois não havia nada além de tristeza, medo e choro de manhã até à noite.

Agora, vejam como os pequenos pássaros amigos de Zaya a ajudaram na sua necessidade.

Eles pareciam ver a vinda do gigante quando ninguém - nem a própria menina - podia ver qualquer coisa e eles conseguiam dizer-lhe quando havia perigo.

No início, Knoal e ela iam para casa construída com grandes pedras todas as noites para dormir e voltavam para a cidade pela manhã, ficavam com os pobres doentes, consolando-os e alimentando-os, dando-lhes medicamentos que Knoal, dentro de seu grande conhecimento, sabia que lhes faria bem. Assim, eles salvaram muitas vidas preciosas e, aqueles que foram resgatados, ficaram muito gratos e, daí em diante, viveram vidas mais santas e altruístas.

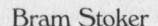

Depois de alguns dias, porém, descobriram que os pobres doentes precisavam de ajuda ainda mais à noite do que de dia, assim eles vieram e viveram na cidade, ajudando os necessitados dia e noite.

No início da madrugada, Zaya saía para respirar o ar da manhã; e lá, apenas acordados do sono, estariam seus amigos emplumados esperando por ela. Eles cantavam canções de alegria, empoleiravam-se em seus ombros, em sua cabeça e a beijavam. Então, se fosse em direção a qualquer lugar onde, durante a noite, a praga tivesse colocado sua mão mortífera, eles tremulavam diante dela, tentavam impedi-la e gritavam na sua própria língua:

"Volte! Volte! Volte!"

Eles bicavam o pão e bebiam do copo dela antes que ela os tocasse; e, quando havia perigo – pois a mão fria do gigante estava em todos os lugares - eles gritavam:

"Não, não!". E ela não tocava na comida ou deixava que qualquer outra pessoa fizesse isso. Frequentemente, acontecia que, mesmo quando bicava o pão ou bebia do copo, um pobre passarinho caía, agitava suas asas e morria; mas todos os que morreram, o fizeram com um pouco de alegria, olhando para sua menina, por quem eles haviam perecido. Sempre que os passarinhos descobriam que o pão e a taça eram puros e livres de perigo, eles olhavam para Zaya e, alegremente, batiam as asas e tentavam cantar, assim, a pobre e triste menina sorria.

Havia um pássaro velho que sempre demorava um segundo e, muitas vezes, um grande número de bicadas no pão quando ele era bom, de modo que ele tinha uma refeição muito saborosa; e, às vezes, continuava a se alimentar até que Zaya balançava o dedo para ele e dizia:

"Ganancioso!", e ele saltava como se não tivesse feito nada.

O Gigante Invisível

Havia um outro querido passarinho - um robin, com um peito vermelho como o pôr do sol - que amava Zaya mais do que se podia pensar. Quando ele provava a comida e descobria que era segura, tomava um pequeno pedaço em seu bico, voava e colocava na boca dela.

Cada passarinho que bebia do copo de Zaya e achava bom, levantava a cabeça para dizer obrigado; e, desde então, os passarinhos faziam o mesmo, eles nunca se esqueciam de dizer obrigado - como algumas crianças ingratas fazem.

Assim, Knoal e Zaya viveram, embora muitos ao seu redor tenham morrido e o gigante ainda permanecesse na cidade. Tantas pessoas morreram que se começava a pensar quantos sobrariam; pois, foi apenas quando a cidade começou a ficar vazia que as pessoas pensaram no vasto número que vivera nela.

A pobre Zaya tinha ficado tão pálida e magra que parecia uma sombra e a forma de Knoal estava mais dobrada com os sofrimentos de algumas semanas que parecia ter até um século de idade. Mas, embora os dois estivessem cansados e desgastados, eles ainda continuavam com seu bom trabalho de ajudar os doentes.

Muitos dos passarinhos estavam mortos.

Certa manhã, o velho estava muito fraco - tão fraco que, dificilmente, poderia suportar. Zaya assustou-se e disse:

"Você está doente, pai?", pois ela, agora, o chamava assim.

Com uma voz rouca e baixa, mas muito, muito terna, ele lhe respondeu:

"Minha filha, temo que o fim esteja chegando: leve-me para casa, que lá posso morrer."

Em suas palavras, Zaya deu um grito baixo e caiu de joelhos ao lado ele, enterrou a cabeça dela em seu peito e chorou amargamente, enquanto ela o abraçou apertado. Mas, ela tinha pouco tempo para chorar, o velho queira ficar em pé e, vendo que ele queria ajuda, ela secou suas lágrimas e o auxiliou.

O velho pegou seu bastão e, com Zaya ajudando-o, chegou até a fonte, no meio do mercado; lá, no degrau mais baixo, ele sentou-se como se estivesse exausto. Zaya sentiu que ele tinha ficado frio como gelo e sabia que a mão fria do gigante tinha sido colocada sobre ele.

Então, sem saber o porquê, ela olhou para onde tinha visto, pela última vez o gigante, e como Knoal, ficou ao lado da fonte. Ela olhou, segurando a mão de Knoal, viu a forma sombria do terrível gigante que há tanto tempo estava crescendo invisível, cada vez mais claramente, fora das nuvens.

Seu rosto estava austero, como sempre, e seus olhos ainda estavam cegos.

Zaya gritou para o gigante, ainda segurando Knoal firmemente pela mão:

"Não é ele, não é ele! Oh, poderoso gigante! Não ele! Não ele!". E ela curvou a cabeça e chorou.

Havia tanta angústia em seu coração que, aos olhos cegos do gigante sombrio vieram as lágrimas que caíram como orvalho na testa do velho. Knoal falou para Zaya:

"Não se entristeça, minha filha. Estou feliz que você veja o gigante novamente, pois tenho esperança de que ele deixe a nossa cidade livre do infortúnio. Eu sou a última vítima e morro de bom grado."

Então, Zaya ajoelhou-se para o gigante e disse:

"Poupe-o! Oh! Poupe-o e leve-me! Mas, poupe-o! Poupe-o!"

O velho se ergueu nos cotovelos e falou:

"Não se entristeça, minha pequena, não desista. Eu sei que você, de bom grado, daria sua vida pela minha. Mas, nós devemos dar para o bem dos outros o que nos é mais caro do que as nossas vidas. Abençoo você, minha pequena, e seja boa. Adeus! Adeus!"

Enquanto ele falava a última palavra, ficava frio como a morte e seu espírito faleceu.

Zaya ajoelhou-se e orou; quando olhou para cima, viu o gigante sombrio afastar-se.

O gigante virou-se enquanto passava e Zaya viu que seus olhos cegos olharam para ela, como se estivessem tentando vê-la. Ele levantou os grandes braços sombrios, envolto ainda em seu manto de névoa, como se a abençoasse; e ela pensou que o vento que passou por ela tivesse carregado o eco das palavras:

"Inocência e devoção salvam a terra."

O Gigante Invisível

Naquele momento, ela viu, de longe, a grande praga gigante afastando-se para a fronteira do Reino, passando entre os espíritos guardiões, saindo pelo portal em direção ao deserto, para sempre.

"E Nenhum Pássaro Canta"

por E. F. Benson

AS CHAMINÉS vermelhas da casa na qual estava hospedado eram visíveis do lado de fora da estação em que havia acendido e, assim me disse o chofer, a distância não era maior do que uma milha de caminhada se tomasse o caminho através dos campos. Corria reto até chegar à beira daquele bosque, que pertencia ao meu anfitrião e acima do qual suas chaminés eram visíveis. Eu deveria encontrar um portão na entrada deste bosque e um caminho que o atravessasse, terminando perto do seu jardim. Então, neste adorável início da tarde de maio, parecia uma perda de tempo fazer outras coisas além de caminhar por prados e bosques, então, parti a pé, enquanto o veículo carregava as minhas tralhas.

Foi um daqueles dias dourados que, de vez em quando, vaza para fora do paraíso e pinga na terra. A primavera havia chegado tarde, mas agora estava aqui com um estouro e o mundo inteiro estava fervendo com a seiva da vida. Nunca vi tal riqueza de flores primaveris, tal vivacidade de verde ou ouviu tais assuntos melodiosos entre as aves nas sebes; esta caminhada através dos prados foi um jubileu de êxtase festiva. E o melhor de tudo, então, prometi a mim mesmo, seria a passagem através do bosque verde leitoso que estava logo à frente. Havia o portão, diante de mim e passei por ele para as sarapintadas luzes e sombras do caminho gramado.

Sair do brilho do sol era como entrar num túnel de penumbra; tinha-se a sensação de ser, repentinamente, retirado do brilho da primavera em alguma caverna subaquática. As copas das árvores formaram um telhado verde, deixando a luz em um grau notável; me movi em um mundo de obscuridade mutável. Naquele momento, à medida que as árvores cresciam mais dispersas, seu lugar foi ocupado por um espesso crescimento de avelãs que se encontraram ao longo do caminho e, depois, o chão inclinado para baixo, encontrei uma clareira coberta com samambaias e urze, cravejada com bétulas. Mas, agora, andei mais uma vez sob o céu luminoso, com a luz do sol se pondo, parecia ter perdido sua fulgência. O brilho - foi uma estranha ilusão de ótica? - foi velado como se viesse através de um crepe. Mas, ainda havia o sol bem acima das copas das árvores num céu sem nuvens e a luz era a de um dia de inverno tempestuoso, sem calor ou brilhantismo. Também, estava estranhamente silencioso; tinha pensado que o arbustos e as árvores estariam tocando com o canto dos pássaros acasalados, mas, não conseguia ouvir nenhuma nota de qualquer tipo, nem o esvoaçar de tordo ou melro, nem o alegre zumbido do tentilhão, nem o pombo-torcaz arrefecido, nem o estridente clamor do gaio. Parei para verificar este estranho silêncio; não havia dúvidas. Era um pouco sinistro, um pouco assustador, mas supunha que os pássaros conheciam melhor o seu próprio negócio e, se estavam muito ocupados para cantar, era problema deles.

Enquanto continuava, também me impressionou que, desde que entrei no bosque, eu não tinha visto um pássaro de qualquer espécie; agora, ao cruzar a clareira, mantive meus olhos alertas para eles, infrutiferamente, e logo entrei no cinturão adicional de árvores grossas que a rodeava. A maioria delas, percebi que eram faias, crescendo muito próximas umas das outras, o chão debaixo delas estava vazio, exceto pelo tapete de folhas caídas e alguns arbustos finos. Nesta curiosa penumbra e espessura das árvores, era impossível ver de longe, à direita ou à esquerda do caminho e, agora, pela primeira vez desde que tinha deixado o caminho aberto, ouvi um som de vida. Lá, veio o barulho das folhas de não muito longe e pensei que um coelho, de qualquer forma, estivesse em movimento. Mas, de alguma forma, lhe faltava o padrão destacado de um pequeno animal; havia um certo peso furtivo sobre ele, como se algo muito maior estivesse roubando junto e desejando não ser ouvido. Parei novamente para ver o que poderia emergir, mas, instantaneamente, o som cessou. Simultaneamente, estava consciente de algum odor tênue, mas muito desagradável chegando até mim, um cheiro sufocante e danificado, de alguma forma pungente, mais como o odor de algo vivo ao invés de apodrecido. Era peculiarmente repugnante e não querendo chegar mais perto da sua fonte, segui meu caminho.

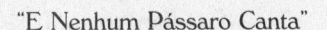

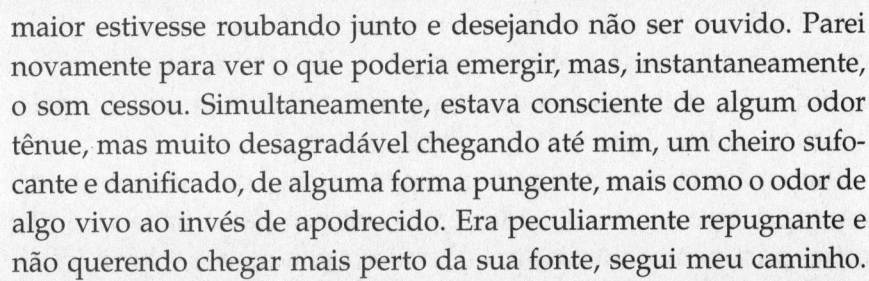

Em pouco tempo, cheguei no canto do bosque; direto à minha frente, havia uma faixa de terra de prados e, mais adiante, um portão de ferro entre duas paredes de tijolos, por onde tive um vislumbre do gramado e canteiros de flores. À esquerda, estava a casa e sobre ela e o jardim, derramava o incrível brilho do declínio da tarde.

Hugh Granger e sua esposa estavam sentados no gramado com a habitual matilha de cães sortidos: um collie galês, um retriever amarelo, um fox-terrier e um pequinês. O protesto deles contra a minha intrusão foi a maneira de saudar o meu reconhecimento e fui admitido no círculo. Havia muito a dizer, pois tinha estado fora da Inglaterra nos últimos três meses, período durante o qual Hugh se instalou nesta pequena propriedade, deixada por um tio recluso. Ele e Daisy estavam ocupados durante as férias da Páscoa com a entrada da casa. Certamente, foi um legado muito atraente; a casa era uma pequena e deliciosa mansão ao estilo rainha Anne, situada na borda do cume Surrey de urze bastante soberbo. Tomamos chá em um pequeno salão apainelado com vista para o jardim e, logo, os temas mais amplos se estreitaram até os do dia e da hora. Eu tinha caminhado, tinha, perguntou Daisy, da estação: passei pelo bosque ou segui o caminho fora dele?

A pergunta que ela assim me fez foi dada de forma trivial; não havia nenhuma dica na voz dela de que isso importava. Mas, ficou evidente que não só ela como Hugh também escutou atentamente a minha resposta. Ele tinha acabado de acender um fósforo para seu cigarro, mas o segurou sem aplicar até que ouviu minha resposta. Sim, tinha atravessado o bosque; mas agora, embora tivesse tido algumas impressões estranhas no bosque, parecia bastante ridículo mencioná-las. Eu não podia dizer sobriamente que o sol lá era de muito má qualidade e que em um ponto da minha travessia tinha sentido um cheiro de muito iníquo odor. Eu tinha andado pelo bosque; era tudo que tinha para contar a eles.

Eu conhecia meu anfitrião e minha anfitriã por uma lenda de muitos anos e, agora, quando sentia que não havia nada além de coisas puramente fantasiosas, que poderia voluntariar sobre minhas experiências lá, notei que eles trocaram um olhar rápido e podia, facilmente, interpretá-lo. Cada um deles sinalizava para o outro uma expressão de alívio; eles disseram um ao outro (assim interpretei o olhar deles) que eu, de qualquer forma, não tinha encontrado nada de anormal no bosque e estavam satisfeitos com isso. Mas, então, antes de qualquer pausa real ter sido bem sucedida para a minha resposta de ter passado pelo bosque, lembrei-me que havia estranhado a ausência de canto e pássaros, e como isso parecia uma observação inócua na história natural, pensei que poderia mencioná-la.

"Uma coisa estranha me tocou", comecei (instantaneamente vi a atenção de ambos rebitada novamente), "eu não vi um único pássaro ou ouvi algum desde que entrei no bosque até quando o deixei."

Hugh acendeu seu cigarro.

"Eu também notei isso", disse ele, "e é um pouco confuso". O bosque é, certamente, um pouco de floresta primitiva e pensaria que as hospedeiras de pássaros teriam nidificado nele desde o tempo imemorial. Mas, como você, eu nunca ouvi ou vi nenhum nele. E eu também nunca vi um coelho lá".

"Eu pensei ter ouvido um esta tarde", eu disse. "Alguma coisa foi movendo-se nas folhas caídas de faia."

"Você viu?", perguntou ele.

Eu me lembrei que tinha decidido que o barulho não era bem o tamborilar de um coelho.

"Não, eu não vi", eu disse, "e, talvez, não tenha sido um." Soou, me lembro, mais como algo maior."

Mais uma vez e, inconfundivelmente, um olhar passado entre Hugh e sua esposa, e ela se levantou.

"E Nenhum Pássaro Canta"

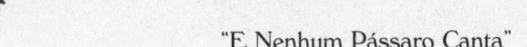

"Eu devo ir embora", disse ela. "O correio sai às sete e dormi toda a manhã. O que vocês dois vão fazer?"

"Algo fora das portas, por favor", disse eu. "Eu quero ver a propriedade."

Hugh e eu saímos novamente com a coorte de cachorros. A propriedade era, certamente, muito charmosa; havia um pequeno lago além do jardim, com uma cama de junco com toutinegra e uma margem adornada na qual galeirões e galinhas-d'água zuniam em nossa aproximação. Erguendo-se do final disso havia um grande nó de urze cheio de buracos de coelho, nos quais os cachorros enfiaram o focinho com alegres expectativas, e lá ficamos sentados, por um tempo, com vista para o bosque que cobria o resto da propriedade. Mesmo agora, na chama do sol próximo ao seu pôr do sol, parecia estar na sombra, embora como o resto da visão deveria ter se baseado no brilho, pois não havia nuvens voando no céu e os raios envolviam o mundo em um esplendor carmesim. Mas, o bosque era cinza e escuro. Hugh, também, eu estava ciente, ficava olhando para ele e, agora, com um ar de invadir um tema desagradável, ele se voltou para mim.

"Diga-me", ele disse, "alguma coisa te impressiona nesse bosque?".

"Sim: parece que está na sombra."

Ele franziu as sobrancelhas.

"Mas, não pode, você sabe", disse ele. "De onde esta sombra vem? Não de fora, pois o céu e a terra estão em chamas."

"De dentro, então?", perguntei.

Ele ficou em silêncio, por um momento.

"Há algo de estranho nisso", disse longamente. "Há algo lá e não sei o que é. A Daisy também sente isso; ela nunca vai para o bosque e parece que os pássaros também não. É apenas o fato de que, por alguma razão inexplicável, não há nenhum pássaro nele que tenha posto toda a nossa imaginação em ação?"

Eu saltei.

"Oh, é tudo besteira", eu disse. "Vamos passar por ele agora e encontrar um pássaro. Aposto contigo que encontro um pássaro."

"Seis pence para cada ave que você encontrar", disse Hugh.

Nós descemos a encosta e andamos em volta do bosque até chegarmos ao portão de onde havia entrado naquela tarde. Segurei aberto depois de ter entrado, para os cães seguirem. Mas, lá eles ficaram, a uma jarda ou algo assim, nenhum deles se moveu.

"Vamos, cachorros", disse, e Fifi, a fox-terrier, veio um passo mais perto e, depois, com um pouco de lamento, recuou novamente.

"Eles sempre fazem isso", disse Hugh, "nem um deles vai adentrar no bosque. Veja!"

Ele assobiava e chamava, repreendia e repreendia, mas não funcionava. Lá ficaram os cães, com pequenos sorrisos apologéticos e sinalização de rabos, mas bastante determinados a não vir.

"Mas, por quê?", perguntei.

"A mesma razão que as aves, suponho, o que quer que isso seja. A Fifi, por exemplo, a pequena dama temperamental; uma vez, tentei pegá-la e carregá-la para dentro e ela se irritou comigo. Eles não irão fazer nada no bosque; eles trotarão ao redor fora dele e irão para casa."

Nós os deixamos lá, na luz do pôr do sol que estava agora começando a desbotar a passagem. Normalmente, a sensação de miséria desaparece se alguém tem um companheiro, mas, para mim, mesmo com Hugh andando ao meu lado, o lugar parecia ainda mais assustador do que havia sido naquela tarde, uma sensação de intolerável mal-estar, que se tornou uma espécie de pesadelo desperto, me obcecando. Eu tinha pensado, antes, que o silêncio e a solidão dele tinham pregado uma peça em meus nervos; mas, com Hugh aqui não poderia ser e, na verdade, sentia que não era essa noção que estava na raiz desse medo, mas sim, a convicção de que havia alguma coisa presente ali, à espreita, ainda invisível, mas permeando as trevas reunidas. Eu não tinha a menor ideia do que poderia ser, se era material ou fantasmagórica; tudo o que pude diagnosticar, a partir minhas próprias sensações, eram maldade e antiguidade.

Quando chegamos ao terreno aberto, no meio da mata, Hugh parou e, embora a noite estivesse fria, notei que ele limpou sua testa.

"E Nenhum Pássaro Canta"

"Bastante desagradável", disse ele. "Não admira que os cachorros não gostem. Como você se sente sobre isso?"

Antes que pudesse responder, ele levantou sua mão, apontando para o cinturão de árvores que ficavam além.

"O que é isso?", disse ele em um sussurro.

Eu segui o dedo dele e, por meio segundo, pensei ter visto contra o preto do bosque alguma cintilação vaga, cinzenta ou luminosamente tênue. Parecia como se tivesse sido a cabeça e a parte posterior de alguma cobra enorme se criando, mas desapareceu instantaneamente, e meu vislumbre tinha sido tão momentâneo que não podia confiar em minha impressão.

"Foi-se", disse Hugh, ainda olhando na direção que tinha apontado; enquanto estávamos ali, escutei novamente o que eu tinha ouvido naquela tarde, um barulho entre as folhas de faia caídas. Mas, lá não havia vento, nem sopro de brisa agitado.

Ele se virou para mim.

"Que diabos foi isso?", disse ele. "Parecia uma enorme lesma em pé. Você viu isso?"

"Não tenho certeza se sim ou não", eu disse. "Acho que eu acabei de ter a visão do que você viu."

"Mas, o que foi?", disse ele novamente. "Era uma criatura material real, ou foi..."

"Algo fantasmagórico, você quer dizer?", perguntei.

"Algo no meio do caminho entre os dois", disse ele. "Eu vou te dizer o que quero dizer depois, quando sairmos deste lugar."

A coisa, fosse o que fosse, tinha desaparecido entre as árvores para a esquerda de onde estava nosso caminho e, em silêncio, caminhamos através da abertura até chegarmos onde começava como um túnel entre as árvores. Francamente, odiava e temia a ideia de mergulhar na escuridão com o conhecimento de que não estava tão longe de algo cuja natureza não conseguiria nunca tão vagamente conjecturar, mas que, agora não tenho dúvidas, foi a que encheu o bosque de algum inominável terror. Era material, era fantasmagórica, ou eram (algum indício do que Hugh quis dizer começou a se formar em minha mente) alguns seres que jaziam sobre a fronteira entre os dois? De todas as possibilidades sinistras, esta parecia a mais assustadora.

Ao entrarmos novamente nas árvores, percebi que fedia, vivo e ainda danificado, que havia cheirado antes, mas agora era muito mais potente e nos apressamos, engasgando com o cheiro que agora não era a putrescência da decadência, mas a substância viva que rastejou e se ergueu na escuridão do bosque onde nenhum pássaro se abrigaria. Em algum lugar entre aquelas árvores escondia-se a coisa reptiliana que desafiou e ainda assim compeliu a credibilidade.

Foi um alívio abençoado sair daquele túnel escuro, entrar no ar puro do céu aberto e na luz clara da noite. Dentro das portas, quando voltamos, as janelas estavam cortinadas e as lâmpadas acesas. Havia uma pitada de geada e Hugh acendeu um fósforo na lareira em seu quarto, onde os cães, ainda um pouco apologéticos, nos saudavam com batidas de caudas sonolentas.

"Agora, temos que conversar", disse ele, "pensar em nossos planos, pois seja lá o que for que esteja no bosque, temos que dar um fim nisso. E, se você quiser saber o que acho que é, eu te digo."

"Vá em frente", eu disse.

"Você pode rir de mim, se quiser", disse, "mas, eu acredito que seja um elementar. Era isso que queria dizer quando disse que era um ser metade do caminho entre o material e o fantasmagórico. Eu nunca peguei um de relance, até esta tarde; só senti que havia algo horrível lá. Mas, agora que já vi, e é como o que os espiritualistas e esse tipo de gente descreve como um elementar. Uma enorme fosforescente lesma é o que eles nos dizem dela que, à vontade, pode se cercar com escuridão."

De alguma forma, seguro dentro de portas, sob a luz alegre e calor da sala, a sugestão parecia meramente grotesca. Lá fora, na escuridão daquele bosque desconfortável, algo dentro de mim havia tremido e estava preparado para acreditar em qualquer horror, mas, agora, o senso comum se revoltou.

"Mas, você não quer me dizer que acredita em tal besteira?", disse. "Mais vale dizer que era um unicórnio. O que é um elementar, de qualquer forma? Quem já viu um, exceto as pessoas que escutam raps na escuridão e dizem que eles são feitos por suas tias?"

"O que é então?", perguntou ele.

"Eu deveria pensar que são, principalmente, nossos próprios nervos", disse. "Francamente, reconheço que me arrepiei quando passei pelo bosque primeiro e me senti muito pior quando passei por isso com você. Mas, foram apenas nervos; estamos nos assustando."

"E os cães estão assustando a si mesmos e uns aos outros?", ele perguntou. "E os pássaros?"

Isso foi mais difícil de responder; na verdade desisti.

Hugh continuou.

"Bem, só por esse momento vamos supor que algo mais, não a nós mesmos, nos assustou, aos cães e aos pássaros", disse ele, "e que vimos algo como uma enorme lesma fosforescente. Eu não vou chamar isso de elementar, se você se opuser a isso; eu vou chamar de It. Há outra coisa, também, que a existência de It poderia explicar."

"O que é?", eu perguntei.

"Bem, é suposto ser alguma encarnação do mal, é uma forma corpórea do diabo. Não é apenas espiritual, é material a tal ponto que pode ser visto na forma, ouvido e, como você notou, inalado, e, Deus me livre, manuseado. Tem que ser mantido vivo pela alimentação. E isso, talvez, explique por que, todos os dias desde que cheguei aqui, tenho encontrado naquela escadaria que subimos um pouco, meia dúzia de coelhos mortos."

"Arminho e fuinha", disse eu.

"Não, não é arminho e fuinha". Os arminhos matam suas presas e as comem. Esses coelhos não foram comidos; eles foram bebidos."

"Que diabos você quer dizer com isso?", perguntei.

"Examinei vários deles. Havia apenas um pequeno buraco nas suas gargantas e eles foram drenados de sangue. Apenas pele e ossos, uma espécie de mistura de fibra cinza, como a fibra de uma laranja que tenha sido sugada. Também, havia um cheiro horrível que se prolongava neles. E foi o que você teve um vislumbre de como um arminho ou uma fuinha?"

Veio um guizo na maçaneta da porta.

"Nem uma palavra para Daisy", disse Hugh enquanto ela entrava.

"Eu ouvi você entrar", disse ela. "Aonde você foi?"

"Por todo o lugar", disse eu, "e voltei através do bosque. É estranho; não vimos um pássaro, mas isso é parcialmente contabilizado porque estava escuro."

Eu vi os olhos dela procurar os de Hugh, mas não encontrou comunicação lá. Achei que ele estava planejando um ataque no dia seguinte e não queria que ela soubesse que algo estava em pé.

"O bosque é impopular", disse ele. "Os pássaros não vão lá, cachorros não vão lá e a Daisy não vai lá. Sou obrigado a dizer que compartilho desse sentimento também, mas tendo enfrentado seus terrores no escuro, quebrei o feitiço."

"Tudo calmo, não é?", perguntou ela.

"Quieto não era a palavra para isso. A menor agulha poderia ser ouvida caindo a meia milha de distância."

Conversamos sobre nossos planos naquela noite, depois que ela tinha ido para cama. A história de Hugh sobre os coelhos sugados foi bastante horrível, embora não houvesse uma certa conexão entre aquelas vazias cascas de animais e o que tínhamos visto, parecia haver uma certa razoabilidade sobre isso. Mas, qualquer coisa, como ele apontou, que se alimentasse assim, claramente, não poderia ser do lado material - os fantasmas não jantam e, se era material, era vulnerável.

Nossos planos, portanto, eram muito simples; nós íamos vagar através do bosque, enquanto se anda por perdizes em um campo de nabos, cada um com uma espingarda e um suprimento de cartuchos. Eu não posso dizer que aguardava ansiosamente pela expedição, pois odiava a ideia de me aproximar daquele misterioso habitante do bosque; mas, havia uma certa excitação sobre isso, suficiente para me manter acordado por muito tempo e, quando durmo, acontecem sonhos muito vívidos e terríveis.

A manhã falhou em cumprir a promessa do claro pôr do sol; o céu estava cinzento, nublado e uma fina chuva estava caindo. Daisy

"E Nenhum Pássaro Canta"

tinha compras que a levaram para a cidadezinha e, assim que ela partiu, começamos nossa empreitada. O retriever amarelo, louco de alegria com a visão das armas, veio conosco do outro lado do jardim, mas, ao entrarmos no bosque, ele se afastou para casa novamente.

O bosque tinha forma grosseiramente circular, com um diâmetro, talvez, de meia milha. No centro, como já disse, havia uma clareira, com cerca de um quarto de milha de largura, que era cercada por um cinturão de árvores grossas e copulares. Nosso plano era caminharmos juntos pela trilha que conduzia através do bosque, com toda a furtividade possível, na esperança de ouvir algum movimento da parte do que viemos buscar. Na falta disso, combinamos vagar pelo bosque na distância de cerca de cinquenta jardas um do outro, fazendo um caminho circular; dois ou três desses circuitos cobririam bem o solo. Da natureza da nossa presa, se tentasse nos roubar, ou possivelmente atacar, não tínhamos ideia; parecia, no entanto, ontem, ter-nos evitado.

A chuva estava caindo constantemente há uma hora quando entramos no bosque; assobiava um pouco na copa das árvores acima; mas, a cobertura era tão grossa que o solo abaixo ainda não estava mais do que úmido. Era uma manhã escura lá fora; aqui, você diria que o sol já tinha se posto e a noite estava caindo. Muito silenciosamente, subimos o caminho gramado, onde nossos passos eram silenciosos e, uma vez, sentimos um cheiro de desintegração viva; mas, embora parados, não ouvimos um som de nada agitado, exceto a chuva sibilante sobre nossas cabeças. Atravessamos a clareira até o portão distante e, ainda, não havia sinal algum.

"Então, vamos entrar nas árvores", disse Hugh. "Começaremos melhor onde conseguimos seguir esse cheiro."

Voltamos para o local, que ficava no meio das árvores abrangentes. O cheiro ainda persistia nas árvores, sem vento.

"Continue cerca de cinquenta jardas", disse ele, "depois, vamos entrar. Se qualquer um de nós o vir no caminho, vamos gritar um para o outro."

Caminhei até que tivesse percorrido a distância certa, sinalizei para ele, e caminhamos no meio das árvores.

Eu nunca conheci a sensação de tanta solidão. Sabia que Hugh estava andando paralelamente comigo, apenas 50 jardas e, se suspendesse meus passos, poderia ouvir o seu rastro entre as folhas de faia. Mas, neste lugar obscuro, senti como se estivesse muito dividido de toda companhia do homem; a única coisa viva que espreitava aqui era aquela monstruosa criatura misteriosa do mal. Tão grossas eram as árvores que não podia ver mais que uma dúzia em qualquer direção; todos os lugares fora do bosque pareciam infinitamente remotos e, infinitamente remoto, também, tudo o que tinha ocorrido em minha vida humana normal. Neste lugar antigo e maligno, eu tinha sido retirado de todas as experiências saudáveis. A chuva havia cessado, não sussurrava mais nas copas das árvores, testemunhando que existia um mundo e um céu lá fora e, apenas alguns gotas caiam de cima das folhas de faia.

De repente, ouvi o estopim da arma do Hugh, seguido de sua voz gritando.

"Eu perdi", ele gritou; "Está indo na sua direção."

Eu o ouvi correndo em minha direção, o barulho das folhas de faia e, sem dúvida, seus passos afogaram um barulho mais furtivo que estava perto de mim. Tudo isso aconteceu agora, até que, mais uma vez, ouvi outro estopim da arma do Hugh, aconteceu, suponho eu, em menos de um minuto. Se tivesse demorado muito mais, não imagino que estaria contando hoje.

Eu fiquei lá, então, tendo ouvido o grito do Hugh, com a minha arma destravada, pronto para colocá-la em meu ombro, escutei seus passos de corrida. Mas, ainda assim, não vi, nem ouvi nada em que pudesse atirar. Então, entre duas faias, bem perto de mim, vi o que eu só posso descrever como uma bola de escuridão. Ela rolou muito rapidamente em direção a mim e, então, tarde demais, ouvi as folhas mortas de faia a rugir abaixo disso. Pouco antes de chegar a mim, meu cérebro percebeu o que era ou o que poderia ser, mas antes que pudesse levantar minha arma para atirar nisso, estava sobre mim. Minha arma foi sacudida e estava envolto nessa escuridão, que era a própria essência da perversão. Isso me derru-

"E Nenhum Pássaro Canta"

bou, espalhou-se sobre mim, enquanto estava deitado, senti o peso deste assaltante invisível.

Apalpei loucamente com minhas mãos e elas agarraram algo frio, viscoso e peludo. Elas escorregaram dele e, no momento seguinte, havia algo que sentia em meu ombro e pescoço como um tubo de borracha da Índia. A ponta do tubo prendeu-se ao meu pescoço como uma cobra, senti a pele subir por baixo dela. Novamente, com mãos atadas, tentei arrancar essa força obscena de mim, enquanto lutava com isso, ouvi os passos de Hugh perto, através desta camada de escuridão que escondeu tudo.

Minha boca estava livre e eu gritei para ele.

"Aqui, aqui!", eu gritei. "Perto de você, onde está mais escuro."

Eu senti suas mãos nas minhas e isso acrescentou força do meu pescoço que o sugador puxou para ele. O espiral que estava pesado nas minhas pernas e no meu peito, se retorcia, lutava e relaxava. Tanto faz que as nossas quatro mãos se agarraram, escorregaram umas das outras, vi que Hugh está perto de mim. Uma jarda ou duas fora, desaparecendo entre os troncos de faia, era aquela escuridão que havia derramado sobre mim. Hugh levantou sua arma e com seu segundo cano, disparou.

A escuridão se dispersou e lá, se agitando e torcendo como uma enorme minhoca, derrubamos o que tínhamos vindo procurar. Ainda estava vivo, peguei a arma que estava ao meu lado e disparei duas vezes mais. Os contorcidos diminuíram em mero estremecimento e, então, ficou imóvel.

Com a ajuda do Hugh, levantei-me, nós dois recarregamos antes de ir mais perto. No chão, havia uma coisa monstruosa, meio lesma, meio minhoca. Não havia cabeça; terminava em um tosco ponto com um orifício. Na cor cinza, era coberta por esparsos cabelos pretos; seu comprimento, suponho, era de cerca de quatro pés, sua espessura, na parte mais ampla, era da coxa de um homem, afinando para cada ponta. Foi estilhaçada por um tiro no meio. Havia balas desgarradas que tinham atingido em outro lugar e, dos buracos que elas fizeram ali, não escorria sangue, mas alguma matéria viscosa, cinza.

Enquanto estávamos ali, houve um rápido processo de desintegração e começou a decadência. Perdeu o contorno, derreteu, liquidificou e, em um minuto mais, estávamos olhando para uma massa de faia manchada e folhas coaguladas. Mais uma vez, aquele licor de perversão se desvaneceu e não havia vestígios do que lá tinha estado. O avassalador odor faleceu e veio do chão apenas o doce sabor da terra molhada na primavera. De cima, o brilho de um raio de sol que perfura as nuvens. Então, de repente, um tamborilar entre as folhas mortas mandou meu coração para dentro da minha boca novamente, peguei minha arma. Mas, era só o retriever amarelo do Hugh que se juntou a nós. Nós olhamos um para o outro.

"Você não está ferido?", disse ele.

Eu levantei o queixo.

"Nem um pouco", disse. "A pele não está cortada, está?"

"Não; apenas uma marca vermelha redonda. Meu Deus, o que foi isso? O que foi aconteceu?"

"Sua vez primeiro", disse eu. "Comece pelo início."

"Eu me deparei com isso muito de repente", disse ele. "Estava enrolada, deitada como um cão adormecido atrás de uma grande faia. Antes que pudesse atirar, ela deslizou na direção em que sabia que você estava. Eu dei um tiro entre as árvores, mas devo ter falhado, pois a ouvi apressando-se. Gritei para você e corri atrás dela. Havia um círculo de escuridão absoluta no chão e sua voz veio de no meio dela. Eu não consegui ver você, de jeito nenhum, mas me agarrei a negrura e minhas mãos conheceram as suas. Elas encontraram outra coisa, também."

Voltamos para a casa e tínhamos guardado as armas antes que a Daisy voltasse das compras. Também tínhamos nos esfregado, escovado e lavado. Ela entrou na sala de fumo.

"Que povo preguiçoso", disse ela. "O dia está limpo, por que vocês ainda estão dentro de casa? Vamos sair de uma vez."

Eu me levantei.

"Hugh me disse que você não gosta do bosque", eu disse, "e é um belo bosque. Venha e veja; ele e eu vamos andar ao seu lado e segurar suas mãos. Os cães devem proteger você também."

"Mas, nenhum deles vai do quintal para o bosque", disse ela.

"Oh sim, eles irão. Pelo menos, vamos tentar. Você promete vir se eles vierem?"

Hugh assobiou para eles e fomos até o portão. Eles sentaram-se ofegando até que Hugh abrisse o portão e adentrarem na mata em busca de cheiros interessantes.

"E quem diz que não há pássaros nele?", disse Daisy. "Olha só aquele pisco! Ora, eles são dois. Evidentemente, em busca de um lar."

E o Morto Falou

por E. F. Benson

NÃO há, em toda Londres, um lugar mais calmo ou um, aparentemente, mais retirado do calor e da azáfama da vida do que o Terraço Newsome. É um beco sem saída, pois na parte superior, a estrada entre as suas duas linhas de quadrado, residências pouco compactas, são terminadas por um muro de tijolos alto, enquanto, na parte de baixo, o único acesso a ele é através do Newsome Square, um pequeno oblongo discreto de casas georgianas, uma relíquia da época em que Kensington era um vilarejo suburbano, vindo da metrópole por um trecho de pastagens que se estendem até o rio. Ambos quadrados e terraço estão situados de forma mais inconveniente para aqueles cujo ambiente ideal inclui um posto de táxi imediatamente oposto à porta deles, uma série de ônibus rugiam pela rua abaixo e uma procissão de trens subterrâneos, acessível por uma estação a poucos a metros de distância, sacudindo e balançando os talheres e a prata em suas mesas de jantar. Em consequência, o Terraço Newsome havia chegado, dois anos atrás, para ser habitado por gente livre e aposentada ou por aqueles que desejavam prosseguir seu trabalho em quietude e tranquilidade. Crianças com arcos e patinetes são fenômenos raros no Terraço e os cães são igualmente incomuns.

Em frente de cada uma das dezenas de casas que compõem o Terraço encontra-se um pequeno quadrado de jardim com grades em que você costuma ver moradoras de meia-idade ou idosas empregadas em horticultura. Às cinco horas de uma tarde de inverno, as calçadas, geralmente, estarão vazias de todos os pedestres, exceto policiais que, com passos feltrados, em intervalos durante toda à noite, com olhos de touro dentro destes pequenos jardins da frente, nunca encontram nada mais suspeito lá do que um açafrão precoce ou um acônito. Pois, quando escurece, os habitantes do Terraço chegam em casa onde, atrás de cortinas trefiladas e persianas aparafusadas, passarão uma noite doméstica e ininterrupta. Sem funeral (até o momento, digo) nunca tinha visto no Terraço uma festa de casamento que espalhasse confetes pela calçada e os andarilhos eram desconhecidos ali. Ele e seus habitantes pareciam estar, calmamente, amadurecendo, como as garrafas de vinho descansando. Sem dúvida, haviam armazenado o sol e o verão da juventude há muito tempo e, agora, cochilavam em um lugar frio, esperando a virada da chave na porta da adega e a entrada de quem as tiraria de lá para ver o que valiam.

No entanto, após o tempo de que falarei agora, nunca passei pela sua calçada sem me perguntar se cada casa, tão aparentemente tranquila, não é, como algum dínamo, suave e fofa, trazendo à existência forças vastas e terríveis, tais como aquelas que, uma vez, vi no trabalho na última casa na parte superior do Terraço, a mais quieta, diria você, de toda a fileira. Se tivesse observado com escrutínio contínuo, por toda a extensão de um dia de verão, é bem possível que você só tivesse visto, de manhã, uma mulher idosa a quem você teria conjecturado, com razão, ser a governanta, com uma cesta no braço, que voltaria uma hora depois. Exceto por ela, o dia inteiro passaria, muitas vezes, sem alguém entrar ou sair pela porta. Ocasionalmente, um homem de meia-idade, magro e rijo, descia rapidamente pela calçada, mas a sua saída não era, de forma alguma, uma ocorrência diária, na verdade, quando ele surgia, quebrava o hábito quase universal do Terraço por suas aparições acontecerem quando eram entre nove e dez da noite. Naquela hora, às vezes, ele vinha até minha casa na Newsome Square para ver se estava em casa e inclinava-se para uma conversa um pouco mais longa. Por uma questão de ar e de exercitar-se, ele teria, então, uma hora de vagabundagem através das ruas iluminadas e barulhentas e voltava por volta das dez, ainda pálido e não lavado, para uma daquelas conversas que crescem com um fascínio absorvente sobre mim. Mais raramente, através do telefone, propus que deveria sair com ele, não o fiz com frequência, pois descobri que se ele saía sozinho, implicava que estava ocupado com alguma investigação e, embora me fizesse bem-vindo, poderia, facilmente, ver que ele evitava que eu fosse junto para que ele pudesse ficar ocupado com suas batidas e pedaços de provas na pista de descobertas que ainda não tinham sido apresentadas à mente do homem.

Minha última frase pode ter levado o leitor a adivinhar que estou, de fato, falando de ninguém menos do que aquele recluso e misterioso médico Sir James Horton, cuja morte cem possibilidades e meio caídas na floresta escura de onde a vida vem devem esperar a conclusão até que outro pioneiro seja tão ousado quanto ele pegue o machado que até agora ninguém, senão ele próprio, era capaz de manejar.

Provavelmente, nunca existiu um homem a quem a humanidade devesse mais e de quem a humanidade soubesse menos. Ele parecia, absolutamente, independente da raça a quem (embora sem nenhum serviço de amor) se dedicou: por anos, viveu distante e separado em sua casa no final do Terraço.

Para ele, homens e mulheres eram como fósseis para o geólogo, coisas a serem batidas, marteladas, dissecadas e estudadas com um olhar não apenas para a reconstrução de épocas passadas, mas para a construção do futuro. É sabido, por exemplo, que fez um ser sendo formado de tecido, ainda vivo, de animais recém-mortos, com o cérebro de um macaco, o coração de um touro, a tireoide de ovelha e, assim por diante. Disso, eu não posso contar em primeira mão; Horton, é verdade, disse-me algo sobre isso, e, em seu testamento, direcionou que certos memorandos sobre o assunto deveriam, sobre o leito de sua morte, ser enviados para mim. Mas, no envelope volumoso, havia uma ordem, "Não ser aberto até janeiro de 1925". Ele falou com alguma reserva e, assim acho, com leve horror de estranhas coisas que tinham acontecido com a realização desta criatura. Ficou, evidentemente, desconfortável ao falar sobre isso e, porque gostaria que fosse colocada, então, uma data bastante remota para o dia em que seu registro devesse chegar aos meus olhos. Finalmente, nestas preliminares, durante os últimos cinco anos antes da guerra, ele mal tinha entrado, por motivos de companheirismo, em qualquer casa que não a sua própria e a minha. Nossa amizade datava dos dias de escola, que ele nunca abandonou totalmente, mas duvido que naqueles anos ele tenha falado, exceto sobre negócios, para meia dúzia de outras pessoas. Ele já havia se aposentado da prática cirúrgica porque suas habilidades já não eram apropriadas e isso fez com que ele evitasse seus colegas, os quais considerava pedantes, ignorantes, sem coragem ou sem os elementos do conhecimento. De vez em quando, escrevia uma pequena monografia de época, que atirava para eles como um osso para um faminto cão, mas na sua maior parte, era totalmente absorvido por suas próprias investigações. Ele, francamente, disse que gostava de falar comigo sobre tais assuntos, já que não estava totalmente familiarizado com eles. Esclarecia-lhe a mente ser obrigado a colocar suas teorias, palpites e confirmações com tal simplicidade que qualquer um poderia entendê-las.

Eu me lembro bem da sua visita na noite do dia 4 de agosto de 1914.

"Então, a guerra irrompeu", disse ele, "e as ruas estão intransitáveis com multidões excitadas."

"Estranho, não é? Como se cada um de nós já não fosse um campo de batalha muito mais assassino do que qualquer outro que possa ser concebido entre nações em guerra."

"Como é isso?", eu disse.

"Deixe-me tentar colocar isso claramente, embora não seja sobre isso que eu quero falar. Seu sangue é um eterno campo de batalha. Está cheio de exércitos marchando eternamente e contramarchando. Desde que os exércitos amigáveis a você estejam em uma posição superior, você permanece em boa saúde; se um desprendimento de micróbios se estabelecer, você tem um resfriado, então, o comandante-

-chefe envia um regimento e os expulsa. Ele não dá suas ordens do seu cérebro, lembre-se – essa não é sua matriz, pois seu cérebro não sabe nada sobre a aterrissagem do inimigo até eles darem a você uma gripe."

Ele parou por um momento.

"Não há uma única matriz dentro de você", disse ele, "há muitas. Por exemplo, matei um sapo esta manhã; pelo menos a maioria das pessoas diria que eu o matei. Mas, se eu o tivesse matado, sua cabeça estaria em um lugar e seu corpo cortado em outro? Não: teria apenas matado um pedaço dele. Pois, abri o corpo e tirei o coração, que coloquei em uma câmara esterilizada de temperatura adequada, para que não arrefecesse ou ficasse infectado por qualquer micróbio. Isso foi por volta das 12 horas de hoje. E, quando cheguei, agora mesmo, o coração ainda estava batendo. Estava vivo, na verdade."

"Isso está cheio de alusões, você sabe. Venha e veja."

O Terraço tinha sido agitado em atividade vulcânica pelas notícias de guerra: o fornecedor de alguma edição tardia havia penetrado em sua quietude e havia meia dúzia de empregadas agitadas como mariposas pretas e brancas. Mas, uma vez dentro da porta de Horton, o isolamento como de uma noite ártica parecia fechar ao meu redor. Ele tinha esquecido sua chave na trava, mas sua governanta, então, veio abri-la, antes mesmo que ele tocasse a campainha, pois, de tão regular e familiar no Terraço, ela deve ter ouvido seus passos.

"Obrigado, Sra. Gabriel", disse ele, sem um som de porta fechando atrás de nós. Tanto seu nome quanto seu rosto, conforme reproduzido em alguns diários ilustrados, parecia familiar, bastante familiar, mas, antes de ter tempo de tatear para um assunto, Horton o forneceu.

"Tentou o assassinato de seu marido há seis meses", disse ele. "Caso estranho. A questão é que ela é a única e perfeita governanta. Uma vez, tive quatro criados e tudo estava muito imundo, como nós costumávamos dizer na escola. Agora, vivo em uma incrível e confortável propriedade. Ela faz de tudo. Ela é cozinheira, arrumadeira, empregada doméstica, mordomo e não tem ninguém para ajudá-la. Sem dúvida, ela matou seu marido, mas planejou tudo tão bem que não pôde ser condenada. Ela me disse, francamente, quem era quando a contratei."

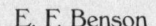

Claro que agora me lembrei de todo o julgamento de forma vívida. Seu marido, um companheiro moreno e briguento, tão bêbado quanto sóbrio, tinha, de acordo com a defesa, cortado a própria garganta ao fazer a barba; de acordo com a acusação, ela tinha feito isso por ele. Ali, era a habitual discrepância de provas sobre se a ferida poderia ter sido auto-infligida, a acusação tentou provar que o rosto tinha sido ensaboado depois de sua garganta ter sido cortada. Tão singular que uma exibição de premeditação e nervos atrapalhou mais do que ajudou seu caso e, depois de prolongada deliberação por parte do júri, ela foi absolvida. No entanto, não menos singular foi a seleção de Horton de uma provável assassina, ainda que eficiente, como governanta.

Ele antecipou esta reflexão.

"Além do maravilhoso conforto de ter uma casa arrumada e absolutamente silenciosa", disse ele, "considero a Sra. Gabriel como uma espécie de seguro contra o meu assassinato. Se você tivesse sido julgado por sua vida, você tomaria um cuidado muito especial para não se encontrar na proximidade da suspeita de assassinato novamente: sem mais mortes em sua casa, se você pudesse ajudar com isso. Venha até o meu laboratório e olhe para o meu pequeno exemplo de vida após a morte."

Certamente, foi incrível ver aquele pedacinho de tecido ainda pulsando com o que deve ser chamado de vida; contraia e expandia-se de forma tênue, mas perceptível, embora por nove horas, agora, tinha sido cortado do resto de seu organismo. Tudo por ele mesmo, continuou a viver e, se o coração pudesse continuar a viver com nada, você diria, para alimentar e estimular sua energia, deve também, assim havia argumentado Horton, residir em todos os outros órgãos vitais de corpos com outros focos independentes de vida.

"É claro que um órgão cortado como esse", disse ele, "vai correr mais rápido do que se tivesse a cooperação dos outros e, nesse momento, devo aplicar-lhe um suave estímulo elétrico. Se puder manter o recipiente de vidro sob o qual bate à temperatura do corpo de um sapo, em ar esterilizado, não vejo por que não continuar vivendo. Comida - é claro que há a questão da alimentação. Você vê o que isso abre no caminho da cirurgia? Imagine uma loja com estojos de vidro contendo órgãos saudáveis tirados dos mortos. Digamos que um homem morre de pneumonia. Ele deveria, assim que a respiração sair do seu corpo, ser dissecado e, embora, é claro, seus pulmões estarão destruídos, cheios de pneumococos, seu fígado e órgãos digestivos estarão, provavelmente, saudáveis. Leve-os para fora, mantenha-os em uma esterilização atmosférica com a temperatura a 98,4° F e venda o fígado, vejamos, para outro pobre diabo que tem câncer lá. Encaixe ele com um novo fígado saudável, hein?"

"E inserir o cérebro de alguém que tenha morrido de doença cardíaca no crânio de um doente congênito?", eu perguntei.

"Sim, talvez; mas o cérebro é cansativamente complicado em suas conexões e na união dos nervos. O cirurgião terá que aprender muito antes de encaixar cérebros novos. E o cérebro tem um monte de funções. Todos os pensamentos, todas as invenções parecem pertencer a ele, no entanto, como você já viu, o coração pode se virar muito bem sem ele. Mas, existem outras funções do cérebro que gostaria de estudar primeiro. Já estou tentando algumas experiências."

Ele fez alguns pequenos ajustes na chama da lâmpada que mantinha na temperatura certa a água que rodeava o recipiente esterilizado no qual o coração do sapo batia.

"Comece com os usos mais simples e mecânicos do cérebro", disse ele. "Principalmente, é uma espécie de escritório de lembranças, um diário. Diga que eu bato nas articulações dos seus dedos com essa régua. O que acontece? Os nervos enviam uma mensagem para o cérebro, é claro, dizendo - como posso colocar de forma mais simples - dizendo: 'Alguém está me machucando'. E os olhos mandam outra, dizendo: 'Eu percebo uma régua batendo nas articulações dos dedos', o ouvido manda outra, dizendo 'eu ouço a batida dela'. Mas, deixando tudo isso sozinho, o que mais acontece? Porque o cérebro grava isso. Anota que as suas articulações dos dedos foram atingidas."

Ele se movia pela sala enquanto falava, tirando seu casaco e colete, colocando em seu lugar um fino cobre pó preto e, agora, ele já estava sentado com as pernas cruzadas, no centro do tapete, parecendo um mágico ou, talvez, a posição que um mágico das artes negras usaria para aparecer. Ele estava, agora, pensando atentamente, passando por seus dedos seu fio de contas de âmbar e falando mais para si mesmo do que para mim.

"E como é que isso faz essa nota?", ele continuou. "Porque, na forma como são feitos os registros fonográficos, são milhões de pontos minúsculos, depressões, marcas de pústula em seu cérebro que, certamente, registram o que você se lembra, do que você gostou ou não gostou, fez ou disse."

"A superfície do cérebro, de qualquer maneira, é grande o suficiente para preencher papel escrito para o registro de todas essas coisas, de todas as suas memórias. Se a impressão de uma experiência não tiver sido aguda, o ponto não fica bem impresso e a memória se desvanece: em outras palavras, você vai esquecê-la. Mas, se ficou vividamente impresso, o registro nunca é obliterado. A Sra. Gabriel, por exemplo, não perdeu a impressão de como ela ensaboou o rosto de seu marido depois de cortar a garganta dele. Isto é, se ela o fez."

"Agora, você vê onde estou focado? Claro que você vê. Ali é armazenado dentro da cabeça de um homem o registro completo de todas as coisas memoráveis que ele fez e disse: aí estão todos os seus pensamentos, todos os seus discursos, mais bem marcados de todos, os seus pensamentos habituais e as coisas que tem dito com frequência; por hábito, há uma razão para acreditar, usa uma espécie de rotina no cérebro, para que o princípio de vida, seja ele qual for, pois apalpa e avança sobre o cérebro, está, continuamente, tropeçando nele. Aí está a sua memória, a sua placa de gramofone completa. O que nós queremos e o que estou tentando alcançar é uma agulha que, ao traçar seu minúsculo caminho, estes pontos encontrarão as palavras ou sentenças que os mortos pronunciaram e irão reproduzi-las. Minha palavra, que Livro de Juízo! Que ressurreição!"

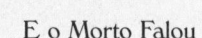

Aqui, nesta situação retirada, não há eco mais remoto da excitação que estava se infiltrando pelas ruas; através da janela aberta entrou apenas a maré do silêncio da meia-noite. Mas, de algum lugar mais perto, através do muro do laboratório veio, um pouco baixo, um murmúrio persistente.

"Talvez a nossa agulha - infelizmente ainda não inventada - passando por cima do registro da fala no cérebro, possa induzir até a expressão facial", disse ele. "O prazer ou o horror poderia até passar sobre características mortas. Pode até haver gestos e movimentos com as palavras sendo reproduzidas em nosso gramofone dos mortos. Algumas pessoas, quando querem pensar intensamente, andam por aí: algumas, há um exemplo agora audível, falam sozinhas."

Ele ergueu o dedo por silêncio.

"Sim, essa é a Sra. Gabriel", disse ele. "Ela fala sozinha por horas. Ela sempre fez isso, ela me disse. Eu não deveria imaginar se ela tem muito o que falar."

Foi naquela noite em que, inicialmente, a noção de atividade intensa que se passava por baixo das plácidas frentes da casa do Terraço ocorreram para mim. Nada parecia mais quieto do que isso e, ainda assim, havia algo aqui, uma atividade vulcânica e intensidade de vida tanto no homem que se sentou de pernas cruzadas no chão quanto atrás daquela voz apenas audível da parede divisória. Mas, não pensei mais nisso, pois Horton começou a falar novamente do cérebro-gramofone... Era possível traçar esses pontos infinitesimais e marcas de pústulas no cérebro por alguma agulha requintadamente fina, seria possível seguir com a ajuda de alguns artifícios como a tradução das marcas de gravação de gramofone em som, alguma renderização audível da fala poderia ser recuperada do cérebro de um homem morto. Era necessário, então, ele apontou, que este estranho disco gramofone fosse novo; deve ser o de um morto recente, pois a desintegração e a decadência iriam logo obliterar essas marcas infinitesimais. Ele não achava que o pensamento não dito pudesse ser recuperado: o máximo que esperava do seu trabalho pioneiro era poder recapturar o discurso real, especialmente quando tal discurso tivesse habituado a um assunto e, assim, tivesse usado um sulco sobre aquela parte do cérebro conhecida como o centro da fala.

"Deixe-me pegar, por exemplo", disse ele, "o cérebro de um porteiro ferroviário, recém-morto, que está acostumado, há anos, a chamar o nome de uma estação, eu não desistiria de ouvir sua própria voz através do meu trompete do gramofone. Ou ainda, tendo em vista que a Sra. Gabriel, em todas as suas intermináveis conversas com ela mesma, fala sobre um assunto, poderia, em circunstâncias similares, recapturar o que vem dizendo constantemente. É claro que o meu instrumento deve ter um poder e delicadeza ainda desconhecidos, um dos quais a agulha poder traçar as irregularidades mais minúsculas da superfície e a trombeta ter imenso poder de ampliação, capaz de traduzir o menor sussurro em um grito. Mas, assim como um microscópio irá mostrar-lhe os detalhes de um objeto invisível aos olhos, existem instrumentos que agem da mesma forma no som. Aqui, por exemplo, é um instrumento de notável poder de ampliação. Experimente se quiser."

Ele me levou para uma mesa sobre a qual estava uma bateria elétrica conectada a um globo de aço redondo, fora da lateral do qual surgiu uma trombeta gramofônica, de construção curiosa. Ele ajustou a bateria e me direcionou para clicar meus dedos muito suavemente em frente a uma abertura no globo e o ruído, normalmente imperceptível, ressoava pela sala como um trovão.

"Algo desse tipo pode nos permitir ouvir o disco em um cérebro", disse ele. Depois dessa noite, minhas visitas a Horton se tornaram muito mais comuns do que antes.

Tendo, uma vez, me admitido na região de suas estranhas explorações, ele parecia me receber com prazer. Parcialmente, como tinha dito, esclareceu seu próprio pensamento para colocá-lo em linguagem simples e, em parte, como posteriormente admitiu, estava começando a penetrar em campos tão solitários de conhecimento, por caminhos tão despropositados, que até ele, o mais distante e independente da humanidade, queria alguma presença humana por perto. Apesar de sua total indiferença para as questões da guerra – pois, a seu ver, questões muito mais cruciais exigiam suas energias – ofereceu-se como cirurgião para um hospital em Londres para operações no cérebro e seus serviços, naturalmente, foram bem-vindos, pois nenhum outro trouxe conhecimento ou habilidade como a dele para tal trabalho. Ocupado o dia todo, ele fazia milagres de cura com ousadas e destemidas excisões que ninguém teria desafiado tentar. Ele operava, muitas vezes, com sucesso, lesões que, certamente, pareciam fatais e, o tempo todo, estava aprendendo. Recusou-se a aceitar qualquer salário; só pediu, nos casos em que tivesse removido pedaços de matéria cerebral, para levá-los embora, em ordem de examinar e dissecar, para somar ao conhecimento e à habilidade manipuladora que dedicou aos feridos. Ele embrulhava estes pedaços em cotão esterilizado e os levava de volta ao Terraço em uma caixa, aquecida eletricamente para manter a temperatura normal do sangue de um homem. O fragmento dele podia, então, assim raciocinou, manter algum tipo de vida independente, como o coração cortado de um sapo tinha continuado a bater durante horas sem ligação com o resto do corpo. Então, pela metade da noite, ele continuaria a trabalhar nesses pedaços de tecido quase mortos. Simultaneamente, estava ocupado com a agulha que deveria ser de tão infinita delicadeza.

Uma noite, cansado de um longo dia de trabalho, tinha acabado de ouvir, com um certo tremor de antecipação desconfortável, os apitos de aviso que anunciavam um ataque aéreo, quando a campainha do meu telefone tocou. Meus criados, de acordo com o costume, já tinham se refugiado para o porão e fui ver quem estava chamando, de qualquer forma, determinado a não sair para as ruas. Reconheci a voz de Horton. "Gostaria de te ver", disse ele.

"Mas, os apitos de aviso tocaram", disse. "E não gostaria de tomar uma chuva de estilhaços."

"Oh, não importa isso", disse ele. "Você deve vir. Estou tão entusiasmado que desconfio das evidências dos meus próprios ouvidos. Eu quero uma testemunha. Apenas venha."

Ele não parou para minha resposta, pois ouvi o clique do seu receptor voltando para o seu lugar.

Claramente, ele presumiu que estava vindo e suponho que tivesse o efeito de curiosidade em minha mente. Disse a mim mesmo que não iria, mas, em alguns minutos, sua certeza de que estava chegando aliada à perspectiva de estar interessado em algo mais do que os ataques aéreos, me fez mexer da minha cadeira e, eventualmente, ir para a porta da rua e olhar para fora. A lua estava brilhantemente clara, a praça bem vazia e longe, o som de armas. No momento seguinte, quase contra a minha vontade, estava correndo para baixo, nas calçadas desertas do Terraço Newsome. Meu chamado à sua campainha foi respondido por Horton, antes que a Sra. Gabriel pudesse vir, ele me arrastou para dentro.

"Eu não vou dizer uma palavra do que estou fazendo", disse. "Quero você para me dizer o que ouve. Venha para o laboratório."

As armas remotas estavam em silêncio novamente enquanto me sentava, como me foi dirigido, em uma cadeira perto do trompete do gramofone, mas, de repente, através da parede, ouviu o murmúrio familiar da voz da Sra. Gabriel. Horton, já ocupado com sua bateria, saltou para os seus pés.

"Isso não vai adiantar", disse ele. "Eu quero silêncio absoluto."

Ele saiu da sala e chamou por ela. Enquanto ele tinha ido embora, observei mais de perto o que estava na mesa. Bateria, globo de aço redondo e o trompete de gramofone estavam lá, algum tipo de agulha em uma mola espiral de aço ligada com a bateria e o recipiente de vidro, no qual tinha visto o batimento cardíaco do coração do sapo. Nele, agora, havia um fragmento de matéria cinzenta.

Horton voltou em um minuto ou dois e ficou no meio da sala escutando.

"Assim é melhor", disse ele. "Agora, quero que você ouça na boca da trombeta. Responderei a qualquer pergunta depois."

Com meu ouvido voltado para a trombeta, não pude ver nada do que ele estava fazendo e escutei até que o silêncio se tornou um sussurro em meus ouvidos. Então, de repente, aquele barulho cessou, pois foi superestimado por um sussurro que, sem dúvida, veio da abertura em que minha atenção auricular foi fixada. Não era mais do que o murmúrio muito fraco, embora nenhuma palavra fosse audível, ele tinha o timbre de uma voz humana.

"Bem, você ouve alguma coisa?", perguntou Horton.

"Sim, algo muito tênue, pouco audível."

"Descreva-o", disse ele.

"Alguém sussurrando."

"Vou tentar um lugar novo", disse ele.

O silêncio voltou; o murmúrio das armas distantes ainda estava mudo e um leve rangido na frente da minha camisa, quando respirei, parou sozinho. E, então, o sussurro do trompete do gramofone começou novamente, desta vez, muito mais alto que antes - era como se o orador (ainda sussurrando) estivesse avançando uma dúzia de jardas - mas ainda assim estava embaçado e indistinto.

Mais inconfundível, também, era que o sussurro era de uma voz humana e, de vez em quando, fantasiosamente ou não, pensei ter entendido uma palavra ou duas. Por um momento, ficou em silêncio e, então, com um súbito indício do que estava ouvindo, escutei algo começar a cantar. Embora as palavras ainda estivessem inaudíveis, havia uma melodia e a melodia era "Tipperary."

Daquele trompete em forma de convólvulo vieram dois lingotes dele.

"E o que você ouve agora?", gritou Horton com uma rachadura de exultação em sua voz. "Cantando, cantando! Essa é a melodia que todos eles cantam. Música fina de um homem morto. Bis! Você diz? Sim, espere um segundo e ele vai cantá-la novamente para você. Confundi, não posso ir para o lugar. Ah! Já sei: escute novamente."

Certamente, essa foi a maneira mais estranha de canção já ouvida até hoje na terra, esta melodia do cérebro dos mortos. Horror e fascínio se espalharam dentro de mim e, suponho que o primeiro para o momento prevaleceu, pois com um arrepio saltei.

"Pare com isso!", disse. "É terrível."

Seu rosto, fino e ávido, brilhava no raio forte da lâmpada que havia colocado perto dele. Sua mão estava sobre a haste de metal da qual dependia a mola espiral e a agulha, que apenas descansou sobre aquele fragmento de coisa cinza que tinha visto no vaso de vidro.

"Sim, vou parar agora", disse ele, "ou os germes vão chegar à minha gravação gramofônica ou a gravação vai ficar fria. Veja, borrifo com vapor carbólico, coloco-o de volta na sua boa cama quente. Ele vai cantar para nós novamente. Mas, terrível? O que você quer dizer por terrível?"

Na verdade, quando ele perguntou, mal sabia o que significava mesmo. Eu tinha sido testemunha de uma nova maravilha da ciência, tão maravilhosa, talvez, como qualquer um que, alguma vez, espantou o espectador e os meus nervos – esses choramingos infantis – haviam gritado na escuridão e nas profundezas.

Mas, o horror diminuiu, o fascínio aumentou à medida que ele logo me contou a história deste fenômeno. Ele tinha atendido e operado, naquele dia, um jovem soldado que tinha um estilhaço embutido em seu cérebro. O menino estava em estado terminal, mas Horton esperava salvá-lo. Extrair os estilhaços era a única chance e isso envolveu o corte de um pedaço de cérebro conhecido como o centro da fala e foi, a partir dele, o que estava embutido ali. Mas, a esperança não foi concretizada e, duas horas depois, o menino morreu. Foi neste fragmento de cérebro que, quando Horton voltou para casa, tinha aplicado a agulha de seu gramofone e tinha obtido os sussurros tênues que havia feito com que me ligasse, para que ele pudesse ter uma testemunha desta maravilha. Testemunha que tinha sido, não destes sussurros sozinho, mas de ver o fragmento cantar.

"E este é apenas o primeiro passo no novo caminho", disse ele. "Quem sabe aonde pode levar ou que novo templo do conhecimento pode ser essa via? Bem, já é tarde: não farei mais hoje à noite."

"E o ataque, a propósito?"

Para meu espanto, vi que era quase meia-noite. Tinham se passado duas horas desde que ele me deixou entrar à sua porta; elas tinham passado como se fossem alguns minutos. Na manhã seguinte, alguns vizinhos falavam do tiroteio prolongado que tinha passado, do qual eu havia estado totalmente inconsciente.

E o Morto Falou

Semana após semana, Horton trabalhou nesse novo caminho de pesquisa, aperfeiçoando a sensibilidade e sutileza da agulha e, aumentando enormemente a potência de suas baterias, aumentou o poder de ampliação de sua trombeta. Muitas e muitas noites durante o ano seguinte, ouvi vozes que eram mudas na morte, os sons que tinham sido embaçados e murmúrios ininteligíveis nos experimentos anteriores, desenvolvidos, como a delicadeza de seus dispositivos mecânicos aumentaram, em coerência e articulação em clareza. Não era mais necessário impor silêncio à Sra. Gabriel quando o gramofone estava no trabalho ou, agora, a voz que estávamos escutando havia subido ao tom da expressão humana comum, enquanto que, quanto à fidelidade e individualidade destes registros, testemunho marcante foi dado mais de uma vez por alguns vivos, amigos dos mortos, que, sem saber o que estavam prestes a ouvir, reconheciam os tons do orador. Mais de uma vez, também, a Sra. Gabriel, trazendo sifões e uísque, nos forneceu três copos, pois ela tinha ouvido, então, nos disse, três diferentes vozes na conversa. Mas, por enquanto, não ocorreu nenhum fenômeno novo; Horton estava apenas aperfeiçoando o mecanismo de suas vozes anteriormente descobertas e, com algum rancor da época, estava rabiscando em uma monografia que, atualmente, atirava para os colegas sobre os resultados que já havia obtido. Então, mesmo enquanto Horton estava no limiar de novas maravilhas, que já tinha previsto e falado como teoricamente possível, lá veio uma noite de maravilha e de rápida catástrofe.

Eu tinha jantado com ele naquele dia, a Sra. Gabriel servindo habilmente a refeição que havia preparado de forma deliciosa e, no final, como ela estava limpando a mesa para nossa sobremesa, tropeçou, ao que pareceu, sobre uma borda solta do tapete, recuperando-se rapidamente. Mas, no mesmo instante, Horton checou algumas sentenças semiacabadas e voltou-se para ela.

"A senhora está bem, Sra. Gabriel?", perguntou ele rapidamente.

"Sim, senhor, obrigada", disse ela, e prosseguiu com o seu serviço.

"Como eu estava dizendo", recomeçou Horton, mas a atenção dele, claramente e, sem concluir sua narrativa, recaiu em silêncio, até que a Sra. Gabriel nos deu nosso café e deixou a sala.

"Tenho medo de que minha felicidade doméstica seja perturbada", disse. "A Sra. Gabriel teve um ataque epiléptico ontem e confessou, quando se recuperou, que tinha sido sujeita a eles quando criança e desde então, de vez em quando, os experimenta."

"Perigoso, então?", eu perguntei.

"Não em si mesmos, no mínimo", disse ele. "Se ela estivesse sentada em sua cadeira ou deitada na cama quando um ocorresse, não haveria nada para se preocupar. Mas, se um ocorresse enquanto está cozinhando meu jantar ou começando a descer as escadas, ela pode cair no fogo ou tombar em todo o percurso. Esperamos que tal calamidade deplorável não vá acontecer. Agora, se você estiver terminado seu café, vamos ao laboratório. Não que tenha alguma coisa muito interessante no caminho de novos registros. Mas, conectei uma segunda bateria com uma bobina de indução muito forte nos meus aparelhos. Acho que se o ligar, minha gravação, dado que é nova, estimulará certos centros nervosos. É estranho, não é, que as mesmas forças que estimulam os mortos a viver, certamente, encorajariam os vivos a morrer, se um homem recebesse a corrente completa. É preciso ter cuidado ao manuseá-la. Sim, e o que, então? Você pergunta."

A noite estava muito quente e ele abriu as janelas largas antes de se instalar de pernas cruzadas no chão.

"Vou responder à sua pergunta", disse ele, "embora eu acredite que já tenhamos falado sobre isso antes.

"Supondo que não tivesse apenas um fragmento de tecido cerebral, mas uma cabeça inteira, digamos, ou o melhor de tudo, um cadáver completo, acho que poderia esperar produzir mais do que mera fala através do gramofone. Os próprios lábios mortos talvez pudessem pronunciar... Deus! o que é isso?"

Do lado de fora, ao fundo das escadas que conduzem da sala de jantar que tínhamos acabado de deixar para o laboratório onde agora estávamos sentamos, veio um barulho de vidro caindo a partir de algo pesado, que bateu de degrau em degrau e foi, finalmente, atirado na soleira contra a porta com o som de ossos se partindo e exigindo a sua admissão. Horton saltou, se jogou à porta aberta e lá estava, metade dentro do cômodo e metade do lado de fora, o corpo da Sra. Gabriel. Ao redor dela estavam lascas de garrafas e copos quebrados e, de um corte na testa, enquanto ela se deitava com o rosto virado para cima, o sangue derramado em seus espessos cabelos grisalhos.

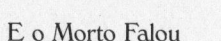

Horton estava de joelhos ao lado dela, usando o seu lenço na testa dela.

"Ah! Isso não é sério", disse ele; "não há veia nem artéria cortada. Vou só amarrar isso primeiro."

Ele rasgou seu lenço em tiras, as amarrou e fez um curativo extenso cobrindo a parte inferior de sua testa, mas deixando seus olhos desobstruídos. Eles se olharam com uma firmeza sem sentido e os escrutinou de perto.

"Mas, ainda há coisa pior", disse ele. "Sofreu alguns golpes severos na cabeça. Ajude-me a levá-la para o laboratório. Pegue ao redor de seus pés e levante debaixo dos joelhos quando estiver pronto. Pronto! Agora, coloque seu braço bem embaixo dela e carregue-a."

A cabeça dela balançou coxeando para trás enquanto ele levantava os ombros dela e os encostou ao joelho, onde acenou, silenciosamente e curvado, enquanto sua perna se movia, como se estivesse em silêncio, e a boca, onde havia um pouco de espuma, roncou aberta. Ele ainda a apoiava nos ombros enquanto eu pegava uma almofada para colocar a cabeça dela e, atualmente, ela estava deitada perto da mesa baixa sobre a qual estava o gramofone dos mortos. Depois, com dedos leves, ele passou suas mãos sobre o crânio dela, pausando enquanto chegava ao local apenas acima e atrás da orelha direita. Duas vezes e, novamente, seus dedos apalpados e levemente pressionados, enquanto com os olhos fechados e concentrados em atenção, ele interpretou o que seu toque treinado revelou.

"Seu crânio está quebrado em fragmentos só aqui", disse ele. "No meio, há uma peça completamente cortada do resto e as bordas dos pedaços rachados devem estar pressionando o cérebro dela."

Seu braço direito estava deitado com a palma da mão para cima, no chão e, com uma mão, ele sentiu o pulso dela com a ponta dos dedos.

"Nenhum sinal de pulso", disse ele. "Ela está morta no comum sentido da palavra. Mas, a vida persiste de uma maneira extraordinária, você deve se lembrar. Ela não pode estar totalmente morta: ninguém está totalmente morto em um momento, a menos que todos os órgãos sejam explodidos em pedaços. Mas, logo estará morta se não aliviarmos a pressão sobre o cérebro. Essa é a primeira coisa a ser feita. Enquanto estiver ocupado com isso, feche a janela e acenda um fogo. Neste tipo de caso, o calor vital, seja qual for, deixa o corpo muito rapidamente. Faça o cômodo o mais quente que você puder – pegue um óleo e ligue o aquecedor elétrico, acenda uma fogueira crepitante. Quanto mais quente a sala, mais lentamente o calor da vida a deixará."

Ele já tinha aberto seu gabinete de instrumentos cirúrgicos e tirou duas gavetas cheias de aço brilhante, que colocou no piso, ao lado dela. Ouvi a rachadura da tesoura cortando seus longos cabelos grisalhos e, enquanto me ocupava com a arrumação e a iluminação do fogo na lareira e o ensopando de óleo, que encontrei pelas instruções de Horton, na despensa, vi que sua lanceta era ocupada com pele exposta. Ele tinha colocado algum spray vaporizador, aquecido por uma lâmpada, perto de sua cabeça e, enquanto trabalhava, seu bocal com gás encheu o ar com um odor limpo e aromático. De vez em quando, ele soltava uma ordem.

"Traga-me aquela lâmpada elétrica no cabo longo", disse ele. "Eu não tenho luz suficiente. Não olhe para o que estou fazendo se você está reticente, pois se isso o fizer sentir fraco, não poderei atendê-lo."

Suponho que o interesse violento no que ele estava fazendo tenha superado qualquer problema que pudesse ter tido, pois parecia bastante inabalável sobre o ombro dele enquanto movia a lâmpada até onde estava, num lugar que atirou seu feixe, diretamente, num buraco escuro na borda do qual dependia de um retalho de pele. Nisso, ele colocou o fórceps e, enquanto ele os retirava, eles agarravam um pedaço de osso manchado de sangue.

"Assim está melhor", disse ele, "e a sala está esquentando bem". Mas, ainda não há sinal de pulso.

"Continue a fumegar, vá até o termômetro na parede registrar uma centena de graus."

Quando a seguir, na minha jornada desde a cela do carvão, olhei, mais dois pedaços de osso estavam ao lado daquele que tinha visto ser extraído e, atualmente, referindo-me ao termômetro, vi que entre o fogo crepitante e o aquecedor elétrico tinha levado o quarto à temperatura que ele queria. Logo, espreitando fixamente sua operação, ele sentiu o pulso dela novamente.

"Não há um sinal de retorno de vitalidade", disse ele, "e eu fiz tudo o que pude. Não há nada mais possível que possa ser pensado para reanimá-la."

Enquanto ele falava, o zelo do inigualável cirurgião relaxou e, com um suspiro e um encolher de ombros, levantou-se e limpou o rosto. De repente, o fogo e a ânsia voltaram a acender-se. "O gramofone!", disse ele. "O centro da fala está perto de onde tem funcionado e está bastante ileso. Meu Deus, que maravilhosa oportunidade. Ela me serviu bem vivendo e deve me servir morta. Posso estimular o centro nervoso motor também, com a segunda bateria. Podemos ver uma nova maravilha hoje à noite."

Um pouco de horror me abalou.

"Não, não faça isso!", disse. "É terrível: ela está apenas morta. Eu irei se você fizer."

"Mas, tenho exatamente todas as condições que há muito estava querendo", disse ele. "E, simplesmente, não posso poupá-lo. Você deve ser testemunha: tenho que ter uma testemunha. Porque, homem, não há um cirurgião ou um médico do reino que não daria um olho ou uma orelha para estar em seu lugar agora.

"Ela está morta. Dou-lhe minha palavra e é grandioso estar morto se você puder ajudar os vivos."

Mais uma vez, em uma luta muito mais feroz, horror e a mais intensa curiosidade explodiram em mim.

"Seja rápido, então", eu disse.

"Ha! É isso mesmo", exclamou Horton. "Ajude-me a levantá-la para a mesa do gramofone. A almofada também; posso chegar ao lugar mais facilmente com a cabeça um pouco levantada."

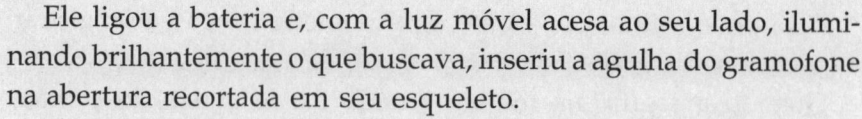

Ele ligou a bateria e, com a luz móvel acesa ao seu lado, iluminando brilhantemente o que buscava, inseriu a agulha do gramofone na abertura recortada em seu esqueleto.

Durante alguns minutos, enquanto ele apalpava e explorava lá, houve silêncio e, de repente, a voz da Sra. Gabriel, clara e inconfundível, de sonoridade normal da fala humana, emitida da trombeta. "Sim, sempre disse que ficaria quite com ele", vieram as sílabas articuladas. "Ele costumava me bater, costumava, quando chegava em casa bêbado e, muitas vezes, eu ficava preta e azul com hematomas".

"Mas, vou dar-lhe uma vermelhidão pelo preto e azul."

A gravação ficou embaçada; ao invés de palavras articuladas, veio dela um ruído de engolir. Aos poucos, desobstruíam-se e nós estávamos ouvindo algum tipo de riso horrível, suprimido, hediondo. E assim foi.

"Eu entrei em algum tipo de sulco", disse Horton. "Ela deve estar rindo muito para si mesma."

Por muito tempo, não tivemos mais nada, exceto a repetição das palavras que já tínhamos ouvido e o som daqueles risos suprimidos. Então, Horton puxou para ele a segunda bateria.

"Vou tentar uma estimulação dos centros nervosos motores", disse ele. "Cuidado com o rosto dela."

Ele prendeu a agulha do gramofone na posição e inseriu no crânio fraturado dos dois polos da segunda bateria, movendo com muito cuidado. E, enquanto observava seu rosto, vi com um horror gelado que seus lábios estavam começando a se mover.

"A boca dela está se movendo", eu gritei. "Ela não pode estar morta".

Ele examinou o rosto dela.

"Bobagem", disse ele. "Isso é apenas o estímulo da corrente. Ela está morta há meia hora. Ah! o que está vindo agora?"

Os lábios se alongaram em um sorriso, a mandíbula inferior caiu, da boca dela veio a risada que tínhamos ouvido há pouco, através do gramofone. E, então, a boca morta falou, com um murmúrio de palavras ininteligíveis, uma torrente borbulhante de sílabas incoerentes.

"Vou ligar a corrente total", disse ele.

A cabeça sacudiu e se levantou, os lábios lutaram e, de repente, ela falou rápida e distintamente.

"Logo quando ele tirou a navalha", ela disse, "eu subi para trás dele e coloquei minha mão sobre seu rosto, dobrei o pescoço dele de volta em sua posição com todas as minhas forças. Peguei sua navalha e, com um corte – ha, ha, que era a maneira de apagá-lo. E não perdi minha cabeça, mas fiz uma boa espuma no queixo dele, coloquei a lâmina de barbear na mão e o deixei lá, desci as escadas e cozinhei seu jantar, então, uma hora depois, como ele não desceu, subi para ver o que o mantinha. Foi um horrível corte no seu pescoço que havia deixado..."

Horton retirou, de repente, os dois polos da bateria de sua cabeça e, mesmo no meio da sua palavra, a boca cessou o trabalho, ficou rígida e aberta.

"Por Deus!", disse ele. "Há uma história para os lábios mortos contarem. Mas, nós vamos conseguir mais ainda."

Exatamente o que aconteceu, então, nunca soube. Pareceu-me que, enquanto ele ainda se inclinava sobre a mesa com os dois polos da bateria na mão, o pé escorregou e caiu para a frente, através disso.

Veio uma rachadura afiada, um flash de luz azul deslumbrante e lá estava ele, deitado de barriga para baixo, com os braços que apenas mexiam e estremeciam. Com sua queda, os dois polos que, momentaneamente, devem ter tido contato com a mão dele, foram sacudidos de novo, levantaram-no e deitaram-no no chão. Mas, seus lábios, assim como aqueles da mulher morta, tinham falado pela última vez.

Um Alerta aos Curiosos

por M. R. James

O LUGAR na costa leste o qual o leitor é solicitado a considerar é Seaburgh. Não é muito diferente, agora, do que me lembro de ter sido quando eu era criança. Pântanos entrecortados por diques para o sul, lembrando os capítulos iniciais de *Grandes Expectativas*; campos planos ao norte, fundindo em urze; urze, bosques de pinheiros e, sobretudo, tojo no interior. Um longo beira-mar e uma rua: atrás dela, uma espaçosa igreja de pedra com uma torre ocidental ampla e sólida, um badalar de seis sinos. Quão bem me lembro do som deles em um domingo quente de agosto, como nossa procissão subiu, devagar, pela estrada branca e empoeirada em direção a eles, pois a igreja fica no topo de uma inclinação curta e íngreme. Eles tocaram com uma espécie de som de tacada plana naqueles dias quentes, mas quando o ar era mais suave, eles também eram suaves. A linha férrea corria ao seu pequeno terminal mais distante ao longo da mesma estrada. Havia um alegre moinho branco pouco antes de você chegar à estação e outro, perto do cascalho, no extremo sul da cidade e outros em terreno mais elevado, ao norte. Havia chalés de tijolos vermelho vivo com telhados de ardósia... Mas, por que sobrecarregá-lo com estes detalhes comuns? O fato é que eles vêm se aglomerando para a ponta do lápis quando começo a escrever de Seaburgh. Eu deveria ter certeza de que tinha permitido que os certos chegassem ao papel. Mas, eu me esqueci. Eu ainda não terminei o negócio de palavras pintadas.

M. R. James

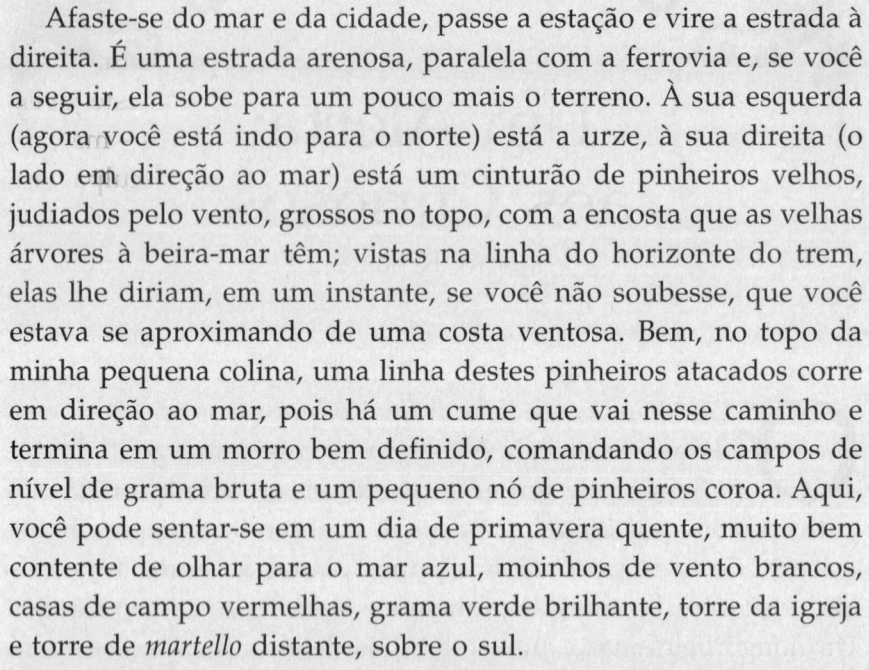

Afaste-se do mar e da cidade, passe a estação e vire a estrada à direita. É uma estrada arenosa, paralela com a ferrovia e, se você a seguir, ela sobe para um pouco mais o terreno. À sua esquerda (agora você está indo para o norte) está a urze, à sua direita (o lado em direção ao mar) está um cinturão de pinheiros velhos, judiados pelo vento, grossos no topo, com a encosta que as velhas árvores à beira-mar têm; vistas na linha do horizonte do trem, elas lhe diriam, em um instante, se você não soubesse, que você estava se aproximando de uma costa ventosa. Bem, no topo da minha pequena colina, uma linha destes pinheiros atacados corre em direção ao mar, pois há um cume que vai nesse caminho e termina em um morro bem definido, comandando os campos de nível de grama bruta e um pequeno nó de pinheiros coroa. Aqui, você pode sentar-se em um dia de primavera quente, muito bem contente de olhar para o mar azul, moinhos de vento brancos, casas de campo vermelhas, grama verde brilhante, torre da igreja e torre de *martello* distante, sobre o sul.

Como eu já disse, comecei a conhecer Seaburgh quando criança; mas uma lacuna de muitos anos separa os meus primeiros conhecimentos disso do que é mais recente. Ainda mantém o seu lugar nos meus afetos e, qualquer história que capte, tem interesse para mim. Uma dessas histórias é esta: ela veio até mim em um lugar muito distante de Seaburgh e muito acidentalmente, de um homem que tinha sido capaz de compelir – o suficiente em sua opinião para justificar que me fizesse seu confidente a esta extensão.

Eu conheço todo aquele lugar mais ou menos (disse ele). Eu costumava ir para Seaburgh muito regularmente para jogar golfe, na primavera. Geralmente, hospedava-me no The Bear com um amigo - Henry Long, talvez você o conheça - ("Ligeiramente", disse) nós costumávamos ter uma sala de estar e ser muito felizes lá. Desde que ele morreu, não voltei lá. E não sei se deveria, de qualquer forma, depois da coisa particular que aconteceu em nossa última visita.

Foi em 19 de abril, nós estávamos lá e, por acaso, nós éramos quase as únicas pessoas no hotel. Então, os quartos para o público

Um Alerta aos Curiosos

comum estavam praticamente vazios e nós ficamos mais surpresos quando, após o jantar, nossa porta da sala se abriu e um homem jovem meteu a cabeça dentro. Nós estávamos cientes deste jovem. Ele era um ser bastante anêmico - cabelos e olhos claros – mas, não era desagradável. Então, quando ele disse: "Peço desculpas, isto é um quarto privado?", não rosnamos e dissemos: "Sim, é", mas, Long disse, ou eu - não importa quem: "Por favor, entre". "Oh, posso?" disse ele, e parecia aliviado. É claro que era óbvio que ele queria companhia e, como era um tipo de pessoa razoável – não do tipo de dar toda a sua história familiar a você - nós pedimos para se sentir em casa. "Eu ouso dizer que você encontra os outros quartos bastante sombrios", eu disse. Sim, ele disse: mas, o nosso era melhor e assim por diante. Tendo superado isso, ele fez de conta que estava lendo um livro. Há muito tempo estava brincando de paciência e eu estava escrevendo. Tornou-se claro para mim, depois de alguns minutos, que este nosso visitante estava em um estado de inquietude ou nervosismo, guardei minha escrita e me virei para engajar em conversas.

Depois de algumas observações, das quais me esqueci, ele se tornou um confidente. "Você vai achar muito estranho da minha parte" (assim ele começou), "mas o fato é que tive algo de chocante." Bem, recomendei uma bebida de algum tipo encorajador. O garçom que entrava fez uma interrupção (e pensei que o nosso jovem parecia muito nervoso quando a porta se abriu) mas, depois de um tempo, ele voltou aos seus pesares. Não havia ninguém que ele conhecesse no lugar e, por acaso, sabia quem nós dois éramos (acabou havendo algum conhecido comum na cidade) e, realmente, queria uma palavra de conselho, se não nos importássemos. É claro, nós dois dissemos: "De jeito nenhum" ou "Nada disso" e levou um longo tempo guardando suas cartas. Nós nos acomodamos para ouvir qual era a dificuldade dele.

"Começou", disse ele, "há mais de uma semana, quando andei de bicicleta até Froston, apenas cerca de cinco ou seis milhas, para ver a igreja; estou muito interessado em arquitetura e ela tem uma dessas lindas varandas com nichos e escudos. Tirei uma foto e, depois, um velho que estava arrumando o jardim da igreja veio e perguntou se gostaria de olhar dentro dela. Disse que sim e ele introduziu uma chave e me deixou entrar. Não havia muito lá dentro, mas disse a ele que era uma igrejinha legal e que ele a manteve muito limpa, 'Mas", eu disse, "o alpendre é a melhor parte dela". Nós estávamos do lado de fora do alpendre, então, ele disse, "Ah, sim, esse é um bom alpendre; você sabe, senhor, o que significa aquele brasão de armas ali?"

Era aquele com as três coroas e, mesmo que eu não seja um arauto, fui capaz de dizer sim, pensei que era das velhas armas do reino de East Anglia.

"É isso mesmo, senhor", disse ele, "e você sabe o significado das três coroas que estão nele?"

Disse que não duvidaria que era conhecido, mas não poderia me lembrar de ter ouvido.

"Bem, então", disse ele, "por mais que você seja um estudioso, posso dizer-lhe algo que você não sabe. Elas são as três coroas que foram enterradas perto da costa para manter os alemães longe do reino - ah, vejo que você não acredita nisso. Mas, lhe digo, se não fosse por uma dessas coroas ainda estar lá, os alemães desembarcariam aqui várias e várias vezes. Ancorados com seus navios, matando homem, mulher e criança em suas camas. Agora, então, essa é a verdade e se você não acredita em mim, pergunte ao pároco. Lá vem ele: pergunte."

Eu olhei em volta e lá estava o pároco, um homem bem conservado, subindo o caminho e, antes que pudesse começar a me assegurar do meu velhote, que estava ficando muito animado por eu não ter duvidado dele, o pároco entrou, avançou e disse:

"De que se trata tudo isto, John? Bom dia para você, senhor. Você já tinha visto a nossa igrejinha?"

Então, houve uma pequena conversa que permitiu ao velho acalmar-se e o pároco perguntou novamente qual era o problema.

"Oh", ele disse, "não se preocupe, só estava dizendo ao cavalheiro que ele deveria lhe perguntar sobre essas coroas."

"Ah, sim, com certeza", disse o pároco, "isso é assunto muito curioso, não é? Mas, não sei se o cavalheiro é interessado em nossas antigas histórias, é?"

"Oh, ele vai se interessar rápido o suficiente", disse o velho, "ele vai colocar sua confiança no que você disser, senhor; porque você mesmo conhecia William Ager, pai e filho também."

Então, coloco uma palavra para dizer o quanto gostaria de ouvir tudo sobre isso e, em alguns minutos, estava andando pela vila com o pároco, que tinha uma ou duas palavras a dizer a paroquianas e, depois, fomos para a igreja, onde ele me levou para os seus estudos. Ele tinha visto, no caminho, que eu realmente era capaz de me interessar por um pedaço de folclore e que não era um viajante comum. Então, ele estava muito disposto a falar e é um pouco surpreendente para mim que a lenda que me contou não tenha sido divulgada antes. O relato dele foi este: "Sempre houve uma crença nestas três coroas sagradas. Os velhos dizem que foram enterradas em lugares diferentes, perto da costa, para mantê-la longe dos dinamarqueses, franceses ou dos alemães. E, dizem que uma das três foi desenterrada há muito tempo, outra desapareceu com a invasão do mar e ainda resta uma fazendo o seu trabalho, mantendo os invasores afastados. Bem, agora, se você já leu os guias e histórias comuns deste município, você se lembrará, talvez, de que em 1687 uma coroa, que foi prometida para ser a coroa de Redwald, Rei dos Ângulos Orientais, foi desenterrada em Rendlesham, e ai! Ai! Derreteu antes mesmo de ser devidamente esculpida ou desenhada. Bem, Rendlesham não está na costa, mas não é tão longe no interior e fica em uma via muito importante de acesso. Acredito que essa seja a coroa a que o povo se refere quando conta que uma foi desenterrada. Então, no Sul, você não quer que eu diga onde havia um palácio real saxão que agora está debaixo do mar, hein? Bem, lá estava a segunda coroa, presumo. E, além destas duas, dizem eles, jaz a terceira."

"Será que eles dizem onde está?", é claro que perguntei.

Ele disse: "Sim, de fato, eles dizem, mas não dizem", e a sua maneira não me encorajou a fazer a pergunta óbvia. Ao invés disso, esperei um momento e disse: "O que significa quando o velhote disse que você conhecia William Ager, o que isso tem a ver com as coroas?"

"Com certeza", disse ele, "agora, essa é outra história curiosa. Os Agers são um nome muito antigo por estas bandas, mas não consigo achar que eles sempre foram pessoas de qualidade ou grandes proprietários, o que dizem dos Angers, ou disseram, é que seu ramo da família foram os guardiões da última coroa. Um certo velho Nathaniel Ager foi o primeiro que conheci - nasci e cresci muito perto daqui - e ele, acredito, acampou no local durante toda a guerra de 1870. William, seu filho, fez o mesmo durante a Guerra Sul Africana e o jovem William, seu filho, que só morreu bastante recentemente, alojou-se no chalé mais próximo do local; o que, sem dúvida, apressou seu fim por exposição e observação noturna, pois ele era um tuberculoso. Ele foi o último desse ramo. Foi uma dor terrível para ele pensar que era o último, mas não podia fazer nada, as únicas relações próximas a ele estavam nas colônias. Eu escrevi cartas implorando a eles que viessem, mas não tive respostas. Portanto, a última das coroas sagradas, se estiver lá, não tem guardião agora."

Isso foi o que o pároco me disse e você pode imaginar quão interessante eu achei. A única coisa em que consegui pensar quando o deixei era como encontrar o local onde a coroa, supostamente, estava. Quem me dera tê-la deixado em paz.

Mas, havia uma espécie de destino nisso, pois, quando passei de bicicleta por trás do muro do jardim da igreja, meu olho se prendeu em uma lápide bastante nova e, sobre ela, estava o nome de William Ager. É claro que desci e li isso. Dizia "desta paróquia, morreu em Seaburgh, 19-, 28 anos."

Lá estava, você vê. Um pequeno questionamento criterioso no lugar certo e deveria, ao menos, encontrar o chalé mais próximo do local. Só que não sabia bem qual era o lugar certo para começar os meus questionamentos. Novamente, o destino agiu: me levou à uma loja curiosa naquele caminho - você sabe - comprei alguns velhos livros, um deles, um livro de orações de 1740, mais ou menos, em uma encadernação bastante bonita: "Vou buscá-lo, está no meu quarto".

Ele nos deixou num estado de alguma surpresa, mas mal tivemos tempo para trocar qualquer comentário e ele já estava de volta, ofegante, nos entregando o livro aberto numa página em que se lia:

"Nathaniel Ager é meu nome e a Inglaterra é a minha nação,

Seaburgh é a minha morada e Cristo é a minha salvação,

Quando eu estiver morto, na minha cova, quando todos os meus ossos estiverem podres,

Espero que o Senhor pense em mim quando estiver completamente esquecido."

Este poema foi datado de 1754 e havia muitos outros verbetes dos Agers, Nathaniel, Frederick, William e assim por diante, terminando com William, 19-.

"Vejam," ele disse, "qualquer um chamaria isso de sorte. Eu tive, mas agora não tenho. É claro que perguntei ao lojista sobre William Ager e é claro que ele se lembrou que havia se alojado em um chalé no Campo Norte, onde morreu. Isto foi só riscando a estrada para mim. Sabia qual deveria ser a casa de campo: só há uma de tamanho considerável lá. A próxima coisa era arrancar algum tipo de conhecimento com as pessoas e peguei um caminho por ali, imediatamente. Um cachorro fez o serviço por mim: ele veio em minha direção tão ferozmente que tive que fugir e bater nele, então, naturalmente, implorei meu perdão e começamos a conversar. Eu só tinha que trazer o nome dos Ager e fingir que sabia ou pensava que sabia algo dele, então, uma mulher disse o quão triste ele era morrendo tão jovem, e tinha certeza de que ele havia passado a noite fora, com o tempo frio. Então, eu tive que dizer: 'Será que ele saiu para o mar, à noite?' e ela disse: 'Oh, não, foi para a colina, além das árvores sobre ela'. E lá estava eu."

"Eu sei algo sobre cavar nestes túmulos: abri muitos deles no país. Mas, isso foi com a saída dos donos, em plena luz do dia e com homens para ajudar. Tinha que prospectar com muito cuidado aqui antes de colocar a pá: não consegui entrincheirar através do morro, com aqueles velhos pinheiros crescendo lá, sabia que haveria raízes incômodas de árvores. Ainda assim, o solo era muito leve, arenoso, fácil e havia uma toca de coelho ou algo do tipo que pode ter desenvolvido em uma espécie de túnel. A saída e volta ao hotel em horas estranhas seria a parte mais constrangedora. Quando decidi sobre o caminho a escavar, disse às pessoas que havia um chamado distante por uma noite e passaria isso lá. Fiz o meu túnel: não vou aborrecê-los com os detalhes de como o apoiei e o preenchi quando o fiz, mas o principal é que tenho a coroa."

Naturalmente, nós dois irrompemos em exclamações de surpresa e interesse. Já sabia, há muito tempo, da descoberta da coroa em Rendlesham e tinha lamentado, muitas vezes, o seu destino. Ninguém jamais tinha visto uma coroa anglo-saxônica. Mas, o nosso homem nos olhava com um olhar de pesar. "Sim", disse ele, "e o pior é que não sei como colocá-la de volta".

"Colocar de volta?", nós gritamos. "Porque, meu caro senhor, você fez uma das descobertas mais emocionantes já ouvidas neste país. Claro que deve ir para as Joias da Coroa na Torre. Qual é sua dificuldade? Se você está pensando no dono do terreno e na grande descoberta do tesouro, tudo isso, nós, certamente, podemos ajudá-lo a passar. Ninguém vai fazer alarde sobre tecnicidades em um caso de deste tipo."

Provavelmente, mais foi dito, mas tudo o que fez foi colocar a sua cara em suas mãos e murmurar: "Eu não sei como colocar isso de volta".

Finalmente, disse Long: "Você vai me perdoar, espero, se parecer impertinente, mas você tem certeza de que tem que fazer isso?". Eu estava querendo fazer a mesma pergunta, pois é claro que a história parecia o sonho de um lunático quando se pensava sobre isso. Mas, não tinha ousado dizer o que poderia ferir os sentimentos do pobre rapaz. No entanto, ele retomou com muita calma - com a calma do desespero, poderia dizer. Ele se sentou e disse: "Oh, sim, não há dúvida disso: Tenho-a aqui, no meu quarto, trancada na minha mala. Vocês podem vir e olhar se quiserem: não vou me oferecer para trazê-la aqui".

Não era provável que deixássemos escapar a chance. Nós fomos com ele; o quarto dele estava apenas a algumas portas de distância. Nosso visitante - seu nome era Paxton - estava em um estado pior e tremeu mais do que antes, entrou apressadamente no quarto, acenou para nós depois dele, acendeu a luz e fechou a porta com cuidado. Então, destrancou sua mala, aparecendo um feixe de lenços de bolso em que algo estava embrulhado, colocando na cama e o desfazendo. Agora, posso dizer que vi uma verdadeira coroa anglo-saxônica. Era de prata - como sempre disseram que era a de Rendlesham - foi feita com algumas gemas, a maioria antigos intaglios e camafeus e era bastante simples, quase um trabalho bruto. Na verdade, era como aqueles que você vê nas moedas e nos manuscritos. Não achei motivo para pensar que fosse mais antiga do que o século IX. Estava intensamente interessado, é claro, queria virá-la em minhas mãos, mas Paxton me impediu. "Não toque nisso", disse ele, "Eu faço isso". E, com um suspiro terrível de ouvir, pegou e virou para que pudéssemos ver cada parte dela. "Viram o suficiente?", disse finalmente, e nós acenamos com a cabeça. Ele a embrulhou, trancou em sua mala e ficou olhando fixamente para nós, de pé. "Voltemos para o nosso quarto", disse Long, "e nos diga qual é o problema". Ele nos agradeceu e disse: "Vão vocês primeiro e vejam se a costa está livre". Isso não era muito inteligível, pois nossos procedimentos não haviam sido, afinal, muito suspeitos e o hotel, como disse, estava praticamente vazio. No entanto, começamos a ter pressentimentos - e não sabíamos de quê, de qualquer forma, os nervos estavam inflamados. Então, fomos primeiro, espreitando enquanto abrimos a porta e fantasiando (acho que ambos tivemos a fantasia) de que uma sombra ou mais do que uma sombra - mas não fez nenhum som - passou antes de nós para um lado, pois saímos para o corredor. "Está tudo bem", nós sussurrámos para Paxton - o sussurro pareceu o tom certo - e nós fomos, com ele entre nós, de volta à nossa sala de estar. Estava me preparando quando chegássemos lá para ficarmos extasiados com o interesse único do que havíamos visto, mas quando olhei para Paxton, vi que seria terrivelmente fora de contexto e deixei que ele começasse.

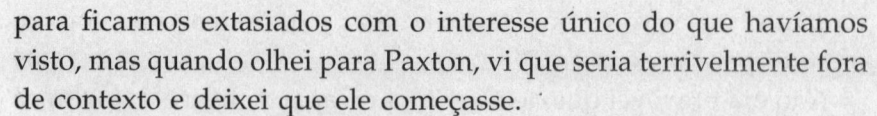

"O que deve ser feito?", foi a sua abertura. Long achava certo (como ele me explicou depois) ser obtuso e disse: "Por que não descobrir quem é o dono do terreno e informar?". "Oh, não, não!", Paxton interrompeu impaciente: "Desculpe-me: vocês têm sido muito gentis, mas não veem que tem que voltar e não ouso estar lá à noite, mas durante o dia é impossível. Talvez, no entanto, vocês não vejam: bem, então, a verdade é que nunca mais estive sozinho desde que a toquei". Eu estava começando um comentário bastante estúpido, mas Long me chamou a atenção e parei. Long disse: "Acho que estou vendo, talvez: mas não seria um alívio dizer-nos um pouco mais claramente qual é a situação?".

Depois, saiu tudo: Paxton olhou por cima do seu ombro e nos acenou para chegarmos mais perto dele e começou a falar, em voz baixa: ouvimos com muita atenção, é claro, comparamos anotações depois e escrevi nossa versão, então, estou confiante de que tenho o que ele nos disse quase que palavra por palavra. Ele disse: "Começou quando estava prospectando, pela primeira vez, e voltou de novo e de novo. Havia sempre alguém - um homem - de pé em um dos pinheiros. Isto foi à luz do dia, você sabe. Ele nunca estava na minha frente. Sempre o vi de canto de olho e ele nunca estava lá quando o procurava diretamente. Ia descansar por bastante tempo e tomaria cuidadosas observações, teria certeza de que não havia ninguém, então, quando me levantei e comecei a prospectar novamente, lá estava ele. Ele começou a me dar dicas; onde quer que colocasse o livro de orações – menos trancando-o, o que fiz na última vez - quando voltava ao meu feixe, estava sempre na minha mesa, aberto na página onde os nomes estão e uma das minhas lâminas de barbear para mantê-lo aberto. Estou certo de que ele não pode abrir minha mala ou algo mais teria acontecido. Veja, ele é leve e fraco, mesmo assim, não ouso enfrentá-lo. Bem, então, quando estava fazendo o túnel, é claro que isto era pior, e se não

Um Alerta aos Curiosos

estivesse tão ansioso, deveria ter deixado todas a coisas e ter saído correndo. Foi como se alguém estivesse arranhando as minhas costas o tempo todo. Pensei, por muito tempo, que era apenas o solo caindo em cima de mim, mas, à medida que me aproximava da - da coroa, estava inconfundível. Quando realmente coloquei a mão em algo e fiquei com meus dedos para dentro do anel e o puxei para fora, veio uma espécie de grito atrás - oh, eu não posso dizer o quão desolado foi! E horrivelmente ameaçador também. Estragou todo o prazer da minha descoberta. E se não tivesse sido um tolo miserável que sou, deveria ter colocado a coisa de volta e a deixado lá. Mas, não o fiz. O resto do tempo foi simplesmente horrível. Tinha horas para passar antes que pudesse voltar decentemente para o hotel. Primeiro, passei o tempo enchendo o meu túnel e cobrindo meus rastros e todo esse tempo, ele estava lá, tentando me frustrar. Às vezes, você sabe, você o vê e, às vezes, não, como ele gosta, eu acho: ele está lá, mas tem algum poder sobre seus olhos. Bem, não estava fora do lugar muito antes do nascer do sol e, então, tive que chegar ao cruzamento para Seaburgh e peguei um trem de volta. Embora fosse dia razoavelmente logo, não sei se isso fez com que fosse muito melhor. Sempre houve sebes ou arbustos de tojo ou cercas de parque ao longo da estrada – algum tipo de cobertura, quero dizer - e nunca fui fácil, nem por um segundo. Então, quando comecei a conhecer pessoas que iam trabalhar, elas sempre olhavam para trás de mim de forma muito estranha: pode ter sido que elas ficaram surpresas de ver alguém tão cedo; mas não pensei que fosse somente isso, e agora não: elas não olhavam exatamente para mim. E o porteiro do trem também era assim. O guarda segurava a porta aberta depois de ter entrado na carruagem - como ele faria se houvesse mais alguém vindo, sabe. Oh, vocês podem estar muito certos de que não é a minha fantasia", disse ele com uma risada meio monótona. Então, ele continuou: "E, se eu mesmo conseguir colocá-la de volta, ele não vai me perdoar: posso dizer isso. E eu estava tão feliz há quinze dias". Ele caiu em uma cadeira e começou a chorar.

Nós não sabíamos o que dizer, mas sentimos que devíamos ajudá-lo de alguma forma, e assim - parecia ser a única coisa – nós dissemos que se ele estava tão decidido a colocar a coroa de volta em seu lugar, nós o ajudaríamos. E devo dizer que, depois do que ouvimos, parecia ser a coisa certa. Se essas terríveis consequências chegaram sobre este pobre homem, talvez, não haja, realmente, algo errado na ideia original de que a coroa tem algum poder curioso ligado a ela para guardar a costa? Pelo menos, esse era o meu sentimento e acho que também foi de Long. Nossa oferta foi muito bem-vinda à Paxton, de qualquer forma. Quando poderíamos fazer isso? Estava perto das 10:30 da noite. Poderíamos nos esforçar para tornar plausível uma caminhada tardia para as pessoas do hotel que estava bem tarde? Olhamos para fora da janela: havia uma brilhante lua cheia - a lua pascal. Long comprometeu-se a pegar as botas. Ele deveria dizer que não deveríamos demorar muito mais do que uma hora. Bem, éramos clientes bastante regulares do hotel e não causamos muitos problemas e, assim, as botas foram propiciadas, saímos para o mar e eles permaneceram, como ouvimos mais tarde, cuidando de nós. Paxton tinha um casaco grande no braço, embaixo do qual estava a coroa embrulhada.

Então, nós estávamos fora nessa estranha aventura antes de termos tempo para pensar o quanto estávamos fora da realidade. Eu já contei esta parte muito breve de propósito, pois, realmente, representa a pressa com a qual estabelecemos nosso plano e tomamos providências. "O caminho mais curto era subindo a colina, através do adro da igreja", disse Paxton, pois um momento antes, o hotel parecia para cima e para baixo na nossa frente. Não havia ninguém – ninguém mesmo. Seaburgh fora da estação é um lugar primitivo e tranquilo. "Nós não podemos ir ao longo do dique pelo chalé, por causa do cachorro", disse Paxton também, quando apontava para o que pensava ser um caminho mais curto ao longo da frente e através de dois campos. A razão que ele deu foi boa o suficiente. Nós fomos pelo caminho da igreja, entramos no portão do pátio. Confesso ter pensado que poderia haver alguém mentindo, quem

Um Alerta aos Curiosos

poderia estar consciente do nosso negócio: mas se assim fosse, eles também estavam conscientes de que aquele que estava ao seu lado, por assim dizer, nos tinha sob vigilância, e não vimos nenhum sinal deles. Mas, sob observação, sentimos que estávamos, como nunca senti em outro momento. Especialmente quando deixamos o adro e entramos em um caminho estreito, com sebes altas e próximas, que apressamos como o cristão fez através daquele Vale; e, assim, saímos para os campos abertos. Então, ao longo das sebes, embora disse mais cedo que estávamos em campo aberto, onde pude ver se alguém estava visível atrás de mim; sobre um portão ou dois, e depois uma guinada para à esquerda, levando-nos para o cume que terminava naquele monte.

Ao nos aproximarmos, Henry Long sentiu e também senti, que ali estavam o que só posso chamar de presenças fracas esperando por nós, também como uma definição muito mais real. Da agitação de Paxton, desta vez, não posso lhe dar uma imagem adequada: ele respirava como uma besta caçada e nós dois não podíamos olhar para o seu rosto. Como ele conseguiria que chegássemos ao mesmo lugar que tínhamos pretendido não nos preocupamos em pensar: ele parecia tão certo de que isso não seria difícil. Tampouco foi. Eu nunca vi nada como o traço com o qual ele se atirou para um determinado lugar ao lado do monte e rasgou-o, de modo que, em poucos minutos, a maior parte do seu corpo estava fora de vista. Nós ficamos segurando aquele feixe de lenços e, com aspecto muito temeroso, devo admitir, sobre nós. Não havia nada para ser visto: uma linha de pinheiros escuros atrás de nós fez uma linha do horizonte, mais árvores e a torre da igreja à meia milha; à direita, casas de campo e um moinho de vento no horizonte, à esquerda; mar calmo morto à frente, latido de um cachorro em uma casa de campo em um dique cintilante entre nós e ela; lua cheia fazendo aquele caminho que conhecemos através do mar; o sussurro eterno dos abetos escoceses logo acima de nós e do mar à frente. No entanto, em toda essa quietude, senti uma consciência aguda, acre de uma hostilidade contida muito perto de nós, como um cão com uma trela que pode ser deixado a qualquer momento.

Paxton pulou para fora do buraco e esticou uma mão de volta para nós. "Dá-me", sussurrou ele, "desembrulhado". Nós tiramos os lenços e levamos a coroa. A luz da lua caiu sobre ele enquanto a arrancava. Nós mesmos não tínhamos tocado naquele pedaço de metal. Em outro momento, Paxton estava fora do buraco de novo e ocupado empurrando o solo com as mãos que já estavam sangrando, ele não tinha nenhuma ajuda nossa, embora fosse a mais longa parte do trabalho para conseguir que o lugar parecesse intacto - eu não sabia como - ele fez dele um sucesso maravilhoso. Finalmente, ele estava satisfeito e voltamos para o hotel.

Estávamos a algumas centenas de metros da colina quando Long, de repente, disse a ele: "Eu digo que você deixou o seu casaco lá. Não deixou. Veja?". E certamente vi - o longo casaco escuro deitado onde o túnel havia estado. Paxton não tinha parado, no entanto, ele apenas balançou a cabeça e ergueu o casaco sobre o seu braço. Quando nos juntamos a ele, Paxton disse, sem nenhuma excitação, mas como se nada mais importasse: "Aquele não era o meu casaco." E, de fato, quando olhamos para trás novamente, aquela coisa escura não era para ser vista.

Bem, nós saímos para a estrada e voltamos rapidamente naquele caminho. Era bem antes das 12 hs quando entramos. Long e eu dissemos: "Que linda noite para uma caminhada". Os atendentes estavam à nossa procura e nós fizemos comentários das edificações quando entramos no hotel. Ele deu outra olhada para cima e para baixo na frente do mar antes de trancar a porta da frente, e disse: "Você não conheceu muita gente, suponho, senhor?". "Não, na verdade, nenhuma alma", eu disse; lembro-me de Paxton olhar estranhamente para mim. "Só pensei ver alguém se virar pela estrada da estação depois de vocês, cavalheiros", disse o atendente. "Ainda assim, vocês eram três juntos e suponho que ele não quis fazer travessuras." Eu não sabia o que dizer; Long, simplesmente, disse: "Boa noite", e nós subimos, prometendo apagar todas as luzes e ir para a cama em poucos minutos.

De volta ao nosso quarto, fizemos o nosso melhor para que Paxton parecesse alegre. "Ali está a coroa segura de volta", dissemos;

Um Alerta aos Curiosos

"muito provavelmente você teria feito melhor em não tocá-la", e ele consentiu pesadamente, "mas, nenhum dano real foi feito e nós nunca daremos isto a alguém que seja tão louco a ponto de ir perto dela. Além disso, você também não se sente melhor? Eu não me importo confessar", disse, "que no caminho para lá estava muito inclinado a ter a sua opinião sobre - bem, sobre ser seguido; mas na volta, não foi a mesma coisa, não é?". Não, e não serviria: "Vocês não têm nada com que se preocupar", ele disse, "mas eu não estou perdoado. Eu tenho que pagar por esse sacrilégio miserável ainda. Sei o que você vai dizer. A Igreja pode ajudar. Sim, mas é o corpo que tem que sofrer. É verdade que não estou sentindo que ele está esperando lá fora por mim. Mas--", depois ele parou. Então, ele se virou para nos agradecer e nós respondemos o mais rápido que pudemos. Naturalmente, nós o pressionamos a usar a nossa sala de estar no dia seguinte e disse que deveríamos estar felizes em sair com ele. Ou jogasse golfe, talvez? Sim, ele jogava, mas ele não pensou que deveria se preocupar com isso. Bem, nós recomendamos que se levantasse tarde e fosse ao nosso quarto de manhã, enquanto estávamos jogando, daríamos um passeio mais tarde. Ele era muito submisso e calmo sobre tudo isso: pronto para fazer exatamente o que nós pensávamos ser o melhor, mas, claramente, tinha uma certeza em sua própria mente que não podia ser evitada ou paliada. Você vai se perguntar por que nós não insistimos em acompanhá-lo até sua casa e vê-lo seguro aos cuidados de irmãos ou de alguém. O fato é que ele não tinha ninguém. Ele tinha tido um apartamento na cidade, mas, ultimamente, tinha feito sua mente para viver por um tempo na Suécia, tinha desmontado seu apartamento e despachado seus pertences, estava batendo uma quinzena ou três semanas antes de começar. De qualquer forma, nós não vimos o que poderíamos fazer melhor do que dormir com ele - ou não dormir muito, como foi o meu caso e ver como nos sentiríamos amanhã de manhã.

Nos sentimos muito diferentes, Long e eu, em abril, como uma linda manhã como você poderia desejar; Paxton também parecia muito diferente quando o vimos no café da manhã. "A primeira abordagem a uma noite decente que parece que já tive", foi o que ele disse. Mas, ele ia fazer como nós tínhamos combinado: ficar, provavelmente, toda a manhã e sairia conosco mais tarde. Fomos para os campos; conhecemos alguns outros homens e jogamos com eles pela manhã, almoçamos lá bem cedo, para não chegar tarde. Mas as armadilhas da morte o surpreenderam.

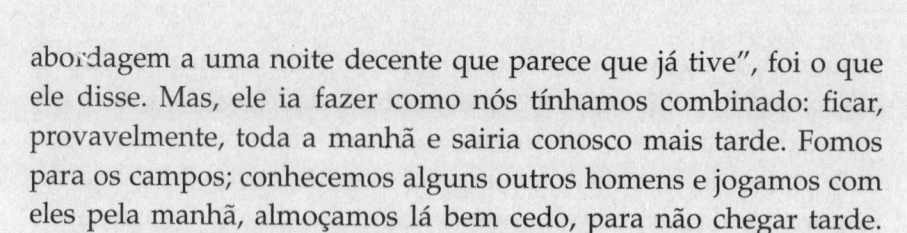

Não sei se poderia ter sido evitado. Eu acho que ele teria conseguido, de alguma forma. De qualquer jeito, foi isto que aconteceu.

Fomos direto para o nosso quarto. Paxton estava lá, lendo de forma bastante pacífica. "Pronto para sair em breve?", disse Long, "digo, daqui a meia hora?". "Certamente", disse ele, e disse que nos trocaríamos primeiro, talvez tomássemos banho e chamaria por ele em meia hora. Eu tomei meu banho primeiro e fui me deitar na minha cama, dormi por cerca de dez minutos. Nós saímos dos nossos quartos ao mesmo tempo, fomos juntos para a sala de estar. Paxton não estava lá - apenas o seu livro. Nem estava em seu quarto, nem nos quartos de baixo da escada. Nós gritamos por ele. Veio um criado e disse: "Porque, pensei que vocês cavalheiros já tinham saído e o outro cavalheiro também. Ele ouviu uma chamada no caminho e saiu correndo, com pressa, olhei para fora da janela do café, mas não vi vocês. Seja lá o que for, ele correu pela praia abaixo naquela direção". Sem uma palavra, nós corremos também - era a direção oposta à da expedição de ontem à noite. Não eram bem quatro horas e o dia estava razoável, embora não fosse tão razoável como tinha sido, então, isso realmente não era razão, você diria, por ansiedade: com as pessoas ao redor, certamente, um homem não poderia sofrer muitos danos.

Mas, algo em nosso olhar enquanto saímos correndo deve ter atingido a criada, pois ela saiu nos degraus, apontou e disse: "Sim, é por esse caminho que ele foi". Nós corremos até o topo do banco de cascalhos e mais para cima. Havia uma escolha de caminhos: passando pelas casas à beira-mar ou ao longo da areia, no fundo da praia que, com a maré baixa, era bastante ampla. Ou, é claro, podemos manter ao longo do cascalho entre estas duas faixas e ter alguma visão de ambas. Escolhemos a areia, pois aquela era a mais solitária e alguém poderia se machucar lá sem ser visto no caminho público.

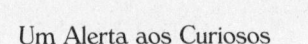

Long disse que havia visto Paxton a alguma distância, à frente, correndo e acenando seu bastão, como se ele quisesse sinalizar para as pessoas que estavam à sua frente. Eu não podia ter certeza: um marinheiro estava vindo muito rapidamente do sul. Havia alguém, isso é tudo que poderia dizer. E havia pegadas na areia a partir de alguém que usava sapatos; e havia outras pistas feitas antes dele - para os sapatos, às vezes, pisados neles e interferidos com eles - de alguém que não estava calçado. Ah, é claro, é só a minha palavra que você tem que aceitar por tudo isso: Long está morto, não teríamos tempo ou meios para fazer esboços ou fazer moldes e a maré seguinte lavou tudo. Tudo o que podíamos fazer era notar estas marcas enquanto nos apressávamos. Mas, lá estavam elas, repetidamente, e não tínhamos dúvidas de que o que vimos era o rastro de um pé nu, que mostrava mais ossos do que carne.

A noção de Paxton correr depois - de algo assim, e supondo que fossem os amigos que ele procurava, era muito horrível para nós. Você pode adivinhar o que nós imaginamos: como a coisa que ele estava seguindo poderia parar, de repente, e virar-se contra ele, e que tipo de rosto mostraria. E, enquanto corria pensando como poderia ter sido o pobre desgraçado atraído a confundir essa outra coisa por nós, lembrei-me dele dizendo: "Ele tem algum poder sobre seus olhos". E, então, me perguntei qual seria o fim, pois não tinha esperança agora que o fim poderia ser evitado, e - bem, não há necessidade de dizer todos os pensamentos sombrios e horríveis que fluíam pela minha cabeça quando corremos para a névoa. Também foi assustador que o sol ainda estava no céu e não conseguíamos ver nada. Nós podíamos dizer, apenas, que já tínhamos passado as casas e tínhamos chegado entre elas e a velha torre *martello*. Quando você está além da torre, você sabe, não há nada além de cascalho por um longo caminho - nenhuma casa, nenhuma criatura humana; apenas cascalho com o rio à sua direita e o mar à sua esquerda.

Mas, pouco antes disso, perto da torre *martello*, há uma barreira velha, perto do mar. Acredito que só há alguns blocos de concreto sobrando agora: o resto foi tudo lavado mas, neste momento, havia muito mais, embora o lugar fosse uma ruína. Bem, quando chegamos lá, nós subimos até o topo o mais rápido que pudemos para respirar e olhar por cima do cascalho, à frente, se por acaso a neblina nos deixasse ver qualquer coisa. Mas, um momento de descanso que devemos ter. Tínhamos corrido, pelo menos, uma milha. Nós estávamos apenas virando para descer e correr desesperadamente, quando ouvimos o que só posso chamar de risada: e se você puder entender o que quero dizer com um riso sem fôlego, um riso sem graça, você vai, mas, suponho que você não pode. Veio de baixo e se desviou na névoa. Isso foi o suficiente. Nós nos dobramos sobre a parede. Paxton estava lá no fundo.

Não é preciso que lhe diga que ele estava morto. Seus rastros mostraram que tinha corrido ao longo da lateral da barreira, tinha ficado estreito e, com uma pequena dúvida, deve ter sido apressado direto para os braços abertos de alguém que estava esperando lá. Sua boca estava cheia de areia e pedras, seus dentes e mandíbulas foram quebrados em pedaços. Eu só dei uma olhada no rosto dele.

No mesmo momento, quando estávamos descendo da barreira para chegar até o corpo, ouvimos um grito, vimos um homem correndo pela margem da torre *martello*. Ele era o zelador estacionado ali, seus velhos olhos aguçados conseguiram observar através da névoa que algo estava errado. Ele tinha visto Paxton cair e tinha nos visto um momento depois, correndo - felizmente, pois de outra forma, dificilmente, poderíamos ter escapado de ser suspeitos desse negócio horrível. Perguntamos a ele, avistou alguém atacando nosso amigo? Ele não poderia ter certeza.

Nós o mandamos pedir ajuda e ficamos com o morto até que vieram com a maca. Foi, então, que nós traçamos como ele tinha vindo, na estreita franja de areia sob a parede da barreira. O resto era um cascalho e era irremediavelmente impossível dizer para onde o outro tinha ido.

Um Alerta aos Curiosos

O que dizer no inquérito? Era um dever, nós sentimos, para não desistir, lá e então, do segredo da coroa, ser publicado em todos os jornais. Eu não sei quanto a você, mas o que nós concordamos foi o seguinte: dizer que tínhamos conhecido Paxton somente na véspera e que ele tinha dito que estava sob alguma apreensão de perigo nas mãos de um homem chamado William Ager. Também, que nós tínhamos visto algumas outras pegadas além das de Paxton quando o seguimos ao longo da praia. Mas, é claro que, naquela época, tudo já tinha ido embora das areias.

Ninguém tinha conhecimento algum, felizmente, de nenhum William Ager morando no distrito. A evidência do homem na torre *martello* nos livrou de todas as suspeitas. Tudo o que podia ser feito era devolver um veredicto de assassinato voluntário por alguma pessoa ou pessoas desconhecidas.

Paxton estava tão totalmente sem conexões que todas as consultas que, posteriormente foram feitas, terminaram em uma "Sem Solução". E nunca mais estive em Seaburgh, ou mesmo perto dela, desde então.

O Freixo
por M. R. James

TODOS que já viajaram pelo leste da Inglaterra conhecem as casas de campo menores com as quais é cravejado – os prédios um pouco úmidos, geralmente, no estilo italiano, cercados de parques com cerca de 80 a 100 acres. Para mim, eles sempre tiveram uma atração muito forte: com as estacas cinzas de carvalho rachado, as árvores nobres, os lagos com seus juncos e a linha de bosques distantes. Então, gosto do pórtico em pilares - talvez preso a uma casa da Rainha Ana, de tijolos vermelhos, que foi exposta com o estuque para alinhá-la ao gosto "grego" do final do século XVIII; o salão dentro, indo até o telhado, cujo salão deve ser sempre provido de uma galeria e um pequeno órgão. Eu gosto da biblioteca, também, onde você pode encontrar qualquer coisa desde um Saltério do século XIII até um Shakespeare. Gosto das fotos, é claro; e, talvez, acima de tudo, gosto de imaginar como era a vida em tal casa quando ela foi construída, nos tempos de prosperidade dos proprietários de imóveis e não menos agora, quando o dinheiro não é tão abundante, o gosto é mais variado e a vida tão interessante. Desejo ter uma destas casas, dinheiro suficiente para mantê-la em ordem e entreter os meus amigos nela.

Mas, isto é uma digressão. Tenho que falar de uma série curiosa de eventos que aconteceram em uma casa como a que tentei descrever. Fica em Castringham Hall, em Suffolk. Acredito que um bom negócio foi feito para o prédio desde o período da minha história, mas as características essenciais que esbocei ainda estão lá – italiano, pórtico, bloco quadrado de casa branca, mais velho por dentro do que por fora, parque com bordas de madeira e lago. A única característica que marcou a casa positivamente de outras, desapareceu. Quando olha para ela, do parque, você vê à direita um grande freixo velho crescendo dentre meia dúzia de metros da parede e quase ou bem próximo ao edifício com seus galhos. Suponho que ele estivesse ali desde que Castringham deixou de ser um lugar fortificado, desde que o fosso foi preenchido e a casa de morada elizabetana foi construída. Em qualquer taxa de crescimento, no ano de 1690, atingiu quase todas as suas dimensões.

Naquele ano, o distrito em que a casa está situada era a cena de uma série de julgamentos de bruxas. Será longo, acho, antes de chegarmos a uma justa estimativa da quantidade de razão sólida - se houver - que estivesse na raiz do medo universal das bruxas nos velhos tempos. Se as pessoas acusadas deste delito realmente imaginassem que possuíam um poder incomum ou se tivessem a vontade, se não o poder, de fazer maldades aos seus vizinhos; ou se todas as confissões foram extorquidas pela mera crueldade dos caçadores de bruxas - estas são perguntas que ainda não estão resolvidas. E a presente narrativa me dá uma pausa que não posso varrer como mera invenção. O leitor deve julgar por si mesmo.

Castringham contribuiu com uma vítima para o *auto de fé*. Sra. Mothersole era seu nome, ela se diferenciava das bruxas comuns do vilarejo apenas por estar muito melhor e em uma posição mais influente. Esforços foram feitos para salvá-la por vários agricultores respeitáveis da paróquia. Deram o seu melhor para testemunhar seu caráter e mostraram considerável ansiedade quanto ao veredicto do júri.

Mas, o que parece ter sido fatal para a mulher foram as provas do então proprietário da Casa de Castringham - Sir Matthew Fell. Ele depôs por tê-la observado em três ocasiões diferentes de sua janela, na lua cheia, juntando galhos "do freixo perto da minha casa". Ela tinha subido nos ramos vestida apenas em sua camisola e estava cortando pequenos galhos com uma faca peculiarmente curvada, parecia estar falando consigo mesma. Em cada ocasião, Sir Matthew tinha feito o seu melhor para capturar a mulher, mas ela sempre se alarmou com algum barulho acidental que ele tinha feito, e tudo o que podia ver quando desceu ao jardim era uma lebre correndo pelo caminho na direção da vila.

Na terceira noite, ele tinha se preparado para seguir em sua melhor velocidade e foi direto para a casa da Sra. Mothersole; mas teve que esperar um quarto de hora batendo na porta dela, então, ela atendeu muito contrariada e, aparentemente, muito sonolenta, como se estivesse fora da cama e ele não tinha uma boa explicação a dar sobre sua visita.

Principalmente sobre esta evidência, embora houvesse muito mais de algo menos marcante e incomum do que outros paroquianos, Sra. Mothersole foi considerada culpada e condenada à morte. Ela foi enforcada uma semana após o julgamento com mais cinco ou seis infelizes criaturas, em Bury St Edmunds.

Sir Matthew Fell, o então Xerife Adjunto, esteve presente na execução. Era uma manhã de março, úmida e chuvosa, quando o carrinho subiu o morro da grama áspera fora de Northgate, onde a forca ficava de pé. As outras vítimas estavam apáticas ou arrasadas, mas a Sra. Mothersole estava, assim como na vida, com um temperamento muito diferente. Sua "raiva envenenada", como o repórter da época publicou: "funcionou sobre os expectadores - sim, até sobre o Carrasco que, constantemente, tem afirmado que tudo o que viu apresentava o aspecto vivo de um diabo louco. Ela não ofereceu resistência aos oficiais da lei; somente olhou para aqueles que lhe impuseram as mãos com tão terrível e venenoso aspecto que - como um deles me assegurou depois – o mero pensamento disso molestou sua mente por seis meses depois."

No entanto, tudo o que ela disse foram, aparentemente, palavras sem sentido: "Haverá convidados para a casa". Que ela repetiu mais de uma vez em um tom inferior.

Sir Matthew Fell não ficou impressionado com a conduta da mulher. Ele teve uma conversa sobre o assunto com o vigário de sua paróquia, com quem voltou para casa após o desfecho da sentença estar acabado. Suas provas no julgamento não tinham sido muito de livre vontade; ele não foi especialmente infectado com a mania de caça às bruxas, mas declarou, então e depois, que não poderia dar qualquer outro relato sobre o assunto além do que já tinha dado e que não poderia ter se enganado sobre o que viu. Todo o processo tinha sido repugnante para ele, pois era um homem que gostava de estar em termos agradáveis com aqueles que o rodeiam; mas viu um dever a ser feito nesta situação e tinha feito isso. Esse parece ter sido o cerne da questão de seus sentimentos e o vigário o aplaudiu, como qualquer outro razoável homem deveria ter feito.

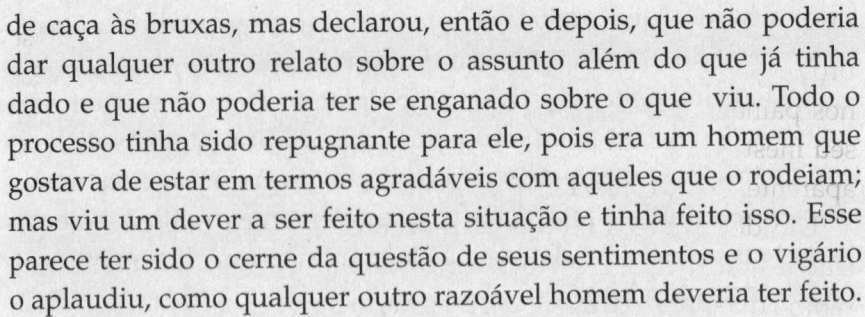

Algumas semanas depois, quando a lua de maio estava cheia, o vigário e o senhor se encontraram, novamente, no parque e caminharam juntos até a casa. Lady Fell estava com sua mãe, que estava perigosamente doente e Sir Matthew estava sozinho em casa; então, o vigário, Sr. Crome, foi facilmente persuadido a jantar com ele.

Sir Matthew não foi muito boa companhia nesta noite. As conversas se centravam, principalmente, em assuntos familiares e paroquiais e, como a sorte o faria, Sir Matthew fez um memorando por escrito de certos desejos ou intenções em relação às suas propriedades, que depois provou ser extremamente útil.

Quando o Sr. Crome pensou na partida, cerca das nove horas, Sir Matthew e ele fizeram uma curva preliminar no passeio de cascalho na parte de trás da casa. O único incidente que o Sr. Crome sofreu foi esse: eles estavam à vista do freixo que descrevi como crescendo perto das janelas do prédio, quando Sir Matthew parou e disse:

"O que é isso que sobe e desce do caule do freixo? Não pode ser um esquilo? Todos eles já estão em seus ninhos agora".

O vigário olhou e viu a criatura em movimento, mas não podia ver nada devido sua cor ao luar. O contorno afiado, mas, visto por um instante, foi impresso em seu cérebro e poderia ter jurado, disse, embora parecesse tolice, que esquilo ou não, tinha mais de quatro pernas.

Ainda assim, não se gravou muito com a visão momentânea e os dois homens se separaram. Eles podem ter se encontrado desde então, mas não o fizeram por alguns anos.

No dia seguinte, Sir Matthew Fell não estava lá embaixo, às seis da manhã, como era seu costume, nem às sete, nem ainda às oito.

O Freixo

Então, os criados foram e bateram na porta do seu quarto. Não preciso prolongar a descrição de suas escutas ansiosas e novas pancadas nos painéis. A porta foi, finalmente, aberta por fora, encontraram seu mestre morto e negro. Não havia qualquer marca de violência aparente, mas a janela estava aberta.

Um dos homens foi buscar o pastor e, depois, passou suas instruções para avisar o médico legista. O próprio Sr. Crome foi o mais rápido que pôde para a casa e foi levado para o quarto onde o morto jazia. Ele deixou algumas notas entre seus papéis que mostram como foi genuíno o respeito e a tristeza para Sir Matthew, e há também esta passagem, que transcrevo por causa da luz que lança sobre o curso dos acontecimentos e sobre as crenças comuns da época:

"Não havia o menor vestígio de uma entrada forçada no quarto: mas o caixilho ficou aberto, como o meu pobre amigo sempre o deixava nesta estação do ano. Ao cair da noite, ele bebeu um pouco de cerveja em um recipiente de prata de cerca de um quartilho e, no restante dele, não havia bebido nada. Esta bebida foi examinada pelo médico de Bury, um Sr. Hodgkins, que não pôde, depois de declarar após seu juramento e antes da busca do legista, descobrir que qualquer coisa de tipo venenosa estivesse presente nele. Pois, como era natural ao grande inchaço e a negritude do corpo, houve conversas entre os vizinhos de envenenamento. O corpo estava muito desordenado enquanto estava deitado na cama, tendo se retorcido depois de tanto extravasamento, dando uma espécie de conjectura demasiadamente provável de que o meu digno amigo e patrono tinha expirado em grande dor e agonia. E o que ainda é inexplicável para mim é o argumento de algum horrível e artificial projeto nos perpetradores deste bárbaro assassinato, era isto, que as mulheres que eram encarregadas de arrumar o cadáver sendo ambas pessoas melancólicas e muito bem respeitadas em sua fúnebre profissão, vieram até mim em uma grande dor e angústia dizendo o que de fato foi confirmado à primeira vista, que elas mal tocaram o peito do cadáver com as mãos nuas e sentiram um ordinário sofrimento e uma dor violenta mais do que comuns em suas palmas e em seus antebraços, em pouco tempo, aumentou tanto, durante muitas semanas, foram forçadas a deitar pelo exercício de seu chamado, mesmo sem nenhuma marca na pele".

Ao ouvir isso, mandei chamar o médico que ainda estava na casa e fizemos uma prova tão cuidadosa quanto pudemos com a ajuda de uma pequena lupa sobre a pele nesta parte do corpo, mas não conseguimos detectar nada com o instrumento que tínhamos além de um par de pequenas punções ou furos os quais, então, concluímos ser as manchas pelas quais o veneno poderia ter sido introduzido, lembrando o anel do *Papa Borgia*, com outras espécimes conhecidas da arte horrível dos envenenadores italianos da última era.

Muito há para se dizer dos sintomas vistos no cadáver. Quanto ao que estou para acrescentar, é muitíssimo da minha própria experiência e é para ser deixado à posteridade para julgar se há algo de valor contido nele. Havia na mesa, ao lado do leito, uma bíblia de tamanho pequeno, na qual meu amigo – pontual nesses assuntos em pequenos momentos, nesse maior então – usava todas as noites e em seu primeiro levante, para ler um pedaço. E a pego para mim - não sem uma lágrima devidamente derramada a ele que a investigação deste pobre prognóstico que foi agora passado à contemplação de algo genuinamente grande - veio em meus pensamentos, como em tal momentos de desamparo a que estamos propensos e, por muitos, contabilizados como prática supersticiosa de desenhar a sorte, da qual uma instância dominante, no caso da sua falecida Sagrada Majestade o Beato Rei Mártir *Charles* e meu Senhor *Falkland*, agora se falava muito. Devo admitir que por meu julgamento não me foi dada muita assistência, ainda assim, como a causa e a origem desses eventos terríveis pode ser pesquisada a partir de agora, eu estabeleço os resultados, no caso de se descobrir que eles apontaram o verdadeiro bairro do mal para uma inteligência mais rápida do que a minha.

Fiz, então, três provas, abrindo o livro e colocando o meu dedo sobre certas palavras, que deram nestas primeiras palavras: de Lucas XIII. 7, *corta-o*; na segunda, Isaías XIII. 20, *Ele não deve ser habitado*; e na terceira, Jó XXXIX. 30, *Os seus filhos também sugam sangue*."

O Freixo

Isto é tudo o que precisa ser citado dos papéis do Sr. Crome. Sir Matthew Fell foi devidamente colocado no caixão e na terra, e o seu sermão fúnebre, pregado pelo Sr. Crome no domingo seguinte, foi impresso sob o título de "O Caminho Inseparável; ou, O perigo da Inglaterra e os acordos maliciosos do anticristo". Isto sendo a visão do vigário, assim como a mais comumente defendida na vizinhança, que o senhor foi vítima de um recrudescimento de uma praga papal.

Seu filho, Sir Matthew Segundo, conseguiu o título e propriedades. E assim termina o primeiro ato da tragédia de Castringham. É para ser mencionado, embora o fato não seja surpreendente, que o novo Baronete não ocupava o quarto em que seu pai havia morrido. E nele, na verdade, ninguém dormiu, além de um visitante ocasional durante toda a sua ocupação. Ele morreu em 1785 e não achei que nada em particular marcou seu reinado, salvo uma curiosa mortalidade constante entre seu gado e a pecuária em geral, que mostrou tendência a aumentar ligeiramente com o passar do tempo.

Quem estiver interessado nos detalhes encontrará uma análise estatística em uma carta à Revista Gentleman, de 1772, que extraiu os números e fatos das próprias anotações do Baronete. Ele pôs um fim a isso por um expediente muito simples, o de trancar todos os seus animais em galpões à noite. Tinha notado que nada era atacado quando passava a noite dentro deles. Depois disso, a desordem se limitou às aves silvestres e bestas da perseguição. Mas, como não temos um bom relato dos sintomas e como a observação durante toda a noite foi bastante improdutiva de qualquer pista, não me detenho no que os fazendeiros Suffolk chamavam de "a doença de Castringham".

O segundo Sir Matthew morreu em 1785, como eu disse, e foi devidamente sucedido por seu filho, Sir Richard. Foi em seu tempo que o grande banco da família foi construído no lado norte da igreja paroquial. Tão grandes eram as idéias do senhor que várias das sepulturas naquele lado desconsagrado do prédio tiveram que ser perturbadas para satisfazer suas exigências. Entre elas estava a da Sra. Mothersole, o local da qual era conhecido com precisão, graças a uma nota sobre uma planta da igreja e do pátio, ambos feitos pelo Sr. Crome.

Um certo interesse foi despertado quando se tornou conhecido que a famosa bruxa, que ainda era lembrada por uns poucos, estava para ser exumada. E a sensação de surpresa, de fato inquietante, foi muito forte quando se descobriu que, embora o caixão dela fosse bastante sólido e inquebrável, não havia vestígios do que quer que estivesse dentro dele, do corpo, dos ossos ou do pó. De fato, é um fenômeno curioso, pois, no momento em que ela foi enterrada, essas coisas não eram sonhadas como homens da ressurreição e é difícil conceber qualquer motivo racional para roubar um corpo que não seja para os usos da dissecação.

O incidente reavivou, por um tempo, todas as histórias de julgamentos de bruxas e das façanhas delas adormecidas durante 40 anos, e as ordens de Sir Richard para que o caixão fosse queimado foram questionadas por um bom número de pessoas por serem um pouco imprudentes, embora fossem devidamente realizadas.

Sir Richard foi um inovador pestilento, é certo. Antes de sua vez, a casa tinha tido um belo bloco de tijolo vermelho muito suave; mas Sir Richard tinha viajado para a Itália e ficado infectado com o gosto italiano e, tendo mais dinheiro que seus antecessores, resolveu deixar um palácio italiano onde se encontrava uma casa inglesa. Então, estuque e pedras de cantaria mascararam o tijolo; alguns mármores romanos indiferentes foram instalados nas entradas e jardins da casa; uma reprodução do templo da Sibila em Tivoli foi erguida na margem oposta do lago e Castringham tomou um aspecto totalmente novo e, devo dizer, menos envolvente. Mas, foi muito admirada e serviu de modelo para muitas da vizinhança aristocrata, no fim dos anos.

Uma manhã (foi em 1754), Sir Richard acordou depois de uma noite de desconforto. Estava ventando e sua chaminé estava esfumaçando persistentemente e, mesmo assim, estava tão frio que ele precisava manter um fogo. Também, alguma coisa tinha se agitado tanto sobre a janela que nenhum homem poderia ter um momento de paz. Ademais, havia a perspectiva de vários convidados de ocasião chegando no decorrer do dia, que previam algum tipo de esporte e as incursões das revoltas tinham sido tão sérias ultimamente que temia por sua reputação como um preservador de jogos. Mas, o que realmente o tocou mais foi a outra questão da sua noite de insônia. Ele, certamente, não poderia dormir naquele quarto novamente.

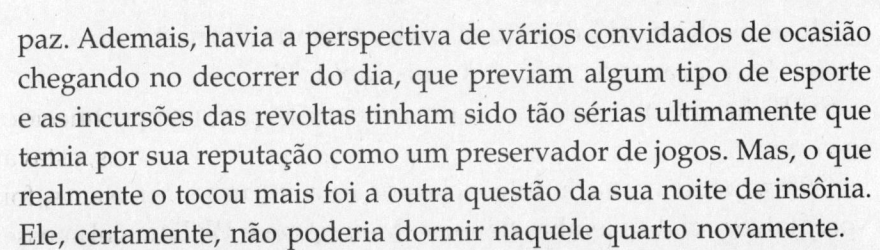

Esse foi o assunto principal de suas meditações no café da manhã e, depois disso, iniciou um exame sistemático dos quartos para ver o que se adequaria melhor às suas necessidades. Demorou muito antes dele encontrar um. Este tinha uma janela com um aspecto oriental e apontada para o norte; em sua porta, os criados estariam sempre passando e ele não gostava da cama nele. Não, ele deve ter um quarto com um olhar ocidental, para que o sol não o acordasse cedo e deve estar fora do caminho dos serviços da casa. A governanta estava no fim de seus recursos.

"Bem, Sir Richard", disse ela, "você sabe que há apenas um quarto como aquele na casa".

"Que pode ser?", disse Sir Richard.

"E esse é o de Sir Matthew - da câmara oeste".

"Bem, me coloque lá dentro, pois lá vou me deitar hoje à noite", disse seu mestre. "Para que lado é isso? Aqui, para ter certeza" e ele apressou-se.

"Oh, Sir Richard, mas ninguém dormiu lá durante estes 40 anos. O ar mal mudou desde que Sir Matthew morreu lá". Assim ela falava e corria atrás dele.

"Venha, abra a porta, Sra. Chiddock. Eu vou ver o quarto, pelo menos".

Então, foi aberto e, de fato, o cheiro estava muito profundo e terrestre. Sir Richard cruzou para a janela e, impacientemente, como era o seu costume, jogou as persianas para trás e abriu o caixilho. Nesta parte, no final da casa, estava uma das coisas em que mal havia tocado, crescido como se fosse o grande freixo e estava de outra forma, escondido da vista.

"Areja isso Sra. Chiddock, tudo hoje, e mude minha mobília de cama à tarde. Coloque o Bispo de Kilmore no meu antigo quarto".

"Reze, Sir Richard", disse uma nova voz, entrando nesta conversa, "posso ter o prazer de uma conversa rápida?"

Sir Richard deu a volta e viu um homem de preto na porta, que se curvou.

"Devo pedir a sua indulgência por esta intrusão, Sir Richard. Você, talvez, mal se lembre de mim. Meu nome é William Crome e meu avô foi vigário aqui no tempo do seu avô".

"Bem, senhor", disse Sir Richard, "o nome de Crome é sempre um passaporte para Castringham. Tenho o prazer de renovar uma amizade viva durante duas gerações. Em que posso servi-lo? Pois a sua hora de chegada - e, se eu não o confundir, sua atitude - mostram que você tem pressa."

"Isso não passa de verdade, senhor. Estou indo de Norwich a Bury St. Edmunds com a pressa que posso e parei o meu caminho para deixar com você alguns papéis que temos, mas acabamos de examinar o que meu avô deixou quando morreu. Pensa-se que você pode encontrar alguns assuntos de interesse da família neles."

"O senhor é muito amável, Sr. Crome e, se o senhor achar bom e quiser me seguir até a sala e beber um copo de vinho, vamos dar uma primeira olhada nesses mesmos papéis juntos. E você, Sra. Chiddock, como eu disse, é sobre arejar esta câmara... Sim, é aqui que o meu avô morreu... Sim, a árvore, talvez, faça o lugar um pouco úmido... Não; eu não quero ouvir nenhum mais. Não crie dificuldades, imploro. Você tem suas ordens - vá. Will você me segue, senhor?"

Eles foram para o escritório. O pacote que o jovem Sr. Crome tinha trazido - ele se tornou, então, apenas um Companheiro de Clare Hall em Cambridge, posso dizer e, posteriormente, trouxe à tona uma respeitável edição de *Polyænus* – continha, entre outras coisas, as notas que o velho vigário tinha feito por ocasião da morte de Sir Matthew Fell. Pela primeira vez, Sir Richard foi confrontado com a enigmática *Sortes Biblicæ* que você já ouviu. Ela o divertiu, muito.

"Bem", disse ele, "a Bíblia do meu avô deu um prudente conselho - *Corte-o*. Se isso representa o freixo, ele pode ficar descansado que não o negligenciarei. Tal ninho de catarros e febre aguda nunca foi visto".

A sala continha os livros da família que, enquanto se aguardava a chegada de uma coleção que Sir Richard tinha comprado na Itália e a construção de uma sala própria para recebê-la, não eram muitos em número.

Sir Richard olhou para um livro na estante.

"Eu me pergunto", diz ele, "se o velho profeta já chegou? Fantasio que o vejo".

Atravessando a sala, ele pegou uma velha Bíblia que, com certeza, era suficiente, abriu na página da inscrição: "Para Matthew Fell, de sua Madrinha Amorosa, Anne Aldous, 2 de setembro de 1659".

"Não seria um mau plano testá-la novamente, Sr. Crome". Aposto que recebemos alguns nomes nas Crônicas. Humm! O que temos aqui? 'Tu me buscarás de manhã e não serei'. Ora, ora! Seu avô teria feito um presságio disso, hein? Chega de profetas para mim! Eles estão todos em um conto. E, agora, Sr. Crome, estou infinitamente agradecido a você por seu pacote. Você vai, temo, ficar impaciente para continuar. Reze para mim - aceita outro copo?".

Assim, com ofertas de hospitalidade que foram genuinamente destinadas (pois o Sir Richard pensou bem nas atitudes e nos modos do jovem) eles se separaram.

À tarde, vieram os convidados - o Bispo de Kilmore, Senhora Mary Hervey, Sir William Kentfield, etc. Jantar às cinco, vinho, cartas, jantar e dispersão para a cama.

Na manhã seguinte, Sir Richard não estava inclinado a pegar sua arma com o resto. Ele conversou com o Bispo de Kilmore. Este prelado, ao contrário de muitos dos bispos irlandeses de sua época, havia visitado sua sede e, de fato, residiu lá, por algum tempo considerável. Esta manhã, enquanto os dois caminhavam pelo terraço e conversavam sobre as alterações e melhorias na casa, o Bispo disse, apontando para a janela da sala oeste:

"Você nunca conseguiria que um do meu rebanho irlandês ocupasse aquele quarto. Sir Richard."

"Por que é isso, meu senhor? É, na verdade, meu próprio."

"Bem, nosso campesinato irlandês sempre terá que trazer o pior da sorte de dormir perto de um freixo e você tem um bom crescimento de freixo a menos de dois metros da janela do seu quarto. Talvez", o bispo continuou, com um sorriso, "deu-lhe um toque de suas qualidades já, pois você não parece, se me permite dizê-lo, com disposição do seu descanso noturno, como seus amigos gostariam de vê-lo".

"Isso, ou algo mais, é verdade, custou-me o sono de 12 para 4 hs, meu senhor. Mas, a árvore vai descer amanhã, por isso não ouvirei muito mais disso."

"Eu aplaudo a sua determinação. Dificilmente, pode ser saudável ter o ar que você respira tenso, por assim dizer, através de toda essa folhagem."

"Vossa Senhoria está bem ali, eu acho. Mas, não tinha minha janela aberto ontem à noite. Foi antes o barulho que ficou - sem dúvida dos galhos a varrer o vidro - que me mantinha de olhos abertos."

"Acho que, dificilmente, pode ser isso, Sir Richard. Aqui - você vê isso deste ponto. Nenhum destes galhos mais próximos pode, sequer, tocar no seu caixilho, a menos que houvesse um vendaval e não houve nada disso ontem à noite. Eles se mexem por um pé."

"Não, senhor, é verdade. O que, então, será, pergunto-me, que arranhou e enferrujou então - e cobriu o pó do meu peitoril com linhas e marcas?"

Finalmente, eles concordaram que os ratos devem ter vindo através da hera. Essa foi a ideia do Bispo e Sir Richard agarrou-se a isso.

Então, o dia passou tranquilo e a noite chegou, as pessoas dispersaram para seus quartos e desejaram a Sir Richard uma noite melhor.

Agora, estamos em seu quarto, com a luz apagada e o senhor na cama. O quarto é sobre a cozinha, a noite lá fora imóvel e quente, assim a janela ficou aberta.

Há pouca luz sobre a cama, mas há um estranho movimento lá; parece que Sir Richard estava movendo sua cabeça, rapidamente, de um lado para o outro com apenas o menor som possível. Agora, você adivinharia, tão enganosa é a meia-escuridão, que ele tinha várias cabeças, redondas e acastanhadas, que se afastam e avançavam, mesmo tão baixo quanto seu peito. É uma ilusão horrível. E não é mais nada? Lá! Algo cai da cama com um suave gordo, como um gatinho e está fora da janela num instante; outro - quatro - e depois disso há silêncio, novamente.

"Tu me buscarás de manhã e não serei."

Assim como o Sir Matthew, assim com Sir Richard – morto e negro em sua cama!

Uma pálida e silenciosa plateia de convidados e criados reunidos sob a janela quando a notícia foi conhecida. Venenosos italianos, emissários papais, ar infectado - todos esses e mais palpites foram arriscados, o Bispo de Kilmore olhou para a árvore, nos galhos cujos ramos inferiores um gato branco estava agachado, olhando para o buraco que os anos tinham roído no tronco. Estava observando algo dentro da árvore com grande interesse.

De repente, aquilo se levantou e gritou sobre o buraco. Então, um pouco da borda em que se encontrava cedeu e deslizou para dentro. Todos olharam para cima para o barulho da queda.

É sabido pela maioria de nós que um gato pode chorar; mas poucos de nós ouvimos, espero, um grito tal como saiu do tronco do grande freixo. Dois ou três gritos estavam lá - as testemunhas não têm certeza de que – e, depois, um leve e abafado barulho de alguma agitação ou luta foi tudo o que veio. Mas, Lady Mary Hervey desmaiou, a governanta tampou seus ouvidos e fugiu até ela cair no terraço.

O Bispo de Kilmore e Sir William Kentfield ficaram. Ainda mesmo, eles estavam assustados, embora fosse apenas o grito de um gato; Sir William engoliu uma ou duas vezes antes de poder dizer:

"Há algo mais do que nós sabemos naquela árvore, meu senhor. Sou por uma busca instantânea".

E isto foi acordado. Uma escada foi trazida e um dos jardineiros subiu, e, olhando para o buraco, não pôde detectar nada além de alguns poucos indícios de algo em movimento. Eles pegaram uma lanterna e soltaram-na por uma corda.

"Temos que chegar ao fundo disto. Minha vida corre risco, meu senhor, mas o segredo dessas mortes terríveis está lá."

Subiu o jardineiro novamente com a lanterna e a deixou cair no buraco, cautelosamente. Eles viram a luz amarela em seu rosto, quando ele se curvou e viram seu rosto ser atingido por um terror incrédulo e uma repugnância antes de gritar com uma voz horrível e cair da escada - onde, felizmente, ele foi pego por dois dos homens - deixando a lanterna cair dentro da árvore.

Ele estava em um desmaio morto e passou algum tempo antes que qualquer palavra pudesse ser obtida dele. Até lá, eles tinham outra coisa para procurar. A lanterna deve ter se quebrado no fundo e a luz se espalhou em folhas secas e lixo que lá estavam, pois em poucos minutos uma fumaça densa começou a surgir, depois a chama; e, para ser breve, a árvore estava em chamas.

Os expectadores fizeram um anel a algumas jardas de distância e o Senhor William e o Bispo enviaram homens para pegar armas e ferramentas com as quais poderiam se proteger; pois, claramente, o que quer que estivesse usando a árvore como seu covil, seria forçado a sair pelo fogo.

Assim foi. Primeiro, no garfo, eles viram um corpo redondo coberto com fogo - o tamanho da cabeça de um homem - aparece muito de repente, então, parece colapsar e recuar. Isto, cinco ou seis vezes; depois, uma bola semelhante saltou para o ar e caiu sobre a relva, onde, depois de um momento, ficou parado. O bispo aproximou-se o máximo que poderia ousar e viu - mais que restos de uma enorme aranha, venosa e queimada! E, à medida que o fogo ardeu mais baixo, mais terrível corpos como este começaram a sair do tronco e estes estavam cobertos de cabelos grisalhos.

Todo aquele dia o freixo queimou, até cair em pedaços. Os homens ficaram lá e, de vez em quando, matavam os animais enquanto eles se atreviam a sair. Finalmente, houve um longo intervalo quando nenhum apareceu. Cautelosamente, aproximaram-se e examinaram as raízes da árvore.

O Freixo

"Eles encontraram", diz o Bispo de Kilmore, "abaixo dela, um lugar redondo, oco, na terra, onde estavam dois ou três corpos dessas criaturas que tinham sido claramente sufocadas pela fumaça; e, o que para mim é o mais curioso, ao lado desta toca, contra a parede, estava agachada na anatomia ou no esqueleto de um ser humano, com a pele seca sobre os ossos, tendo alguns restos de cabelos negros, o que foi pronunciado por quem o examinou ser, sem dúvida, o corpo de uma mulher, claramente morta por um período de cinquenta anos".

Conde Magnus
por M. R. James

DE QUE maneira os papéis a partir dos quais fiz uma história conectada chegaram às minhas mãos é o último ponto que o leitor aprenderá com estas páginas. Mas, é necessário prefixar minhas certidões a partir de uma declaração do formulário que possuo.

Consistem, então, em parte de uma série de coleções para um guia de viagens, um livro que era um produto comum nos anos 40 e 50. O *Journal of a Residence in Jutland and the Danish Isles* de Horace Marryat é um exemplo justo da classe a que me refiro. Estes livros, geralmente, tratam de algum distrito desconhecido no continente. Foram ilustrados com xilogravuras ou chapas de aço. Davam detalhes de acomodações em hotéis e de formas de comunicação, como agora esperamos encontrar em qualquer comunicação nesses guias e eles se basearam, em grande parte, em conversas com estrangeiros inteligentes, hospedeiros enérgicos e camponeses prolixos. Em uma palavra, eles eram tagarelas.

Começou com a ideia de fornecer material para tal guia, meus trabalhos, ao progredir, assumiram o caráter do registro de uma única experiência pessoal e este registro foi continuado por um período muito curto desde o seu término.

O escritor era um Sr. Wraxall. Para meu conhecimento sobre ele tenho que depender inteiramente das provas que seus escritos oferecem e, destes, deduzo que ele era um homem de meia-idade, possuidor de alguns meios privados e muito sozinho no mundo. Aparentemente, ele não tinha residência fixa na Inglaterra, mas era um habitante de hotéis e pensões. É provável que tenha entretido a ideia de se fixar em algum tempo futuro que nunca chegou; acredito, também, que, provavelmente, o incêndio do *Pantechnicon*, no início dos anos 70, deve ter destruído muita coisa que teria jogado luz em seus antecedentes, pois ele se refere uma ou duas vezes à sua propriedade que foi armazenada naquele estabelecimento.

É ainda aparente que o Sr. Wraxall tinha publicado um guia e que tratou de um feriado que ele, uma vez, havia tirado na Britânia. Mais do que isso, não posso dizer sobre seu trabalho, porque uma diligente pesquisa em seus trabalhos bibliográficos me convenceu de que deve aparecer anonimamente ou sob um pseudônimo.

Quanto ao seu caráter, não é difícil formar alguma opinião superficial. Ele deve ter sido um homem inteligente e culto. Parece que estava perto de ser um bolsista de sua faculdade em Oxford - Brasenose, como julgo pelo calendário. Sua culpa foi, muito claramente, o excesso de curiosidade, possivelmente, uma boa falha em um viajante, certamente, uma falta pela qual nosso viajante pagou caro o suficiente no final.

No que se mostrou ser sua última expedição, ele estava traçando outro guia. Escandinávia, uma região não muito conhecida pelos ingleses há 40 anos, tinha imaginado como um assunto interessante. Ele deve ter se informado em alguns livros antigos da história sueca ou em memórias e teve a ideia de que havia espaço para um guia de viagens no país intercalado com episódios da história de algumas das grandes famílias locais. Ele adquiriu cartas de apresentação de algumas pessoas importantes da Suécia e partiu para lá no início do verão de 1868.

De suas viagens pelo Norte, não há necessidade de falar, nem de sua residência de algumas semanas em Estocolmo. Eu só preciso mencionar que algum morador sábio de lá o colocou na pista de um importante acervo de papéis familiares pertencentes aos proprietários de uma antiga casa senhorial em Vestergothland e obteve permissão para que ele os examinasse.

A casa senhorial em questão, ou *herrgåard*, deve ser chamada de Råbäck (pronuncia-se algo como Roebeck), embora esse não seja o

Conde Magnus

seu nome. É uma das melhores construções de seu tipo em todo o país e a foto dela na *Suecia antiqua et moderna* de Dahlenberg, datada de 1694, mostra-a muito como o turista pode vê-la hoje. Ela foi construída logo após 1600 e é, grosso modo, muito parecida com uma casa inglesa desse período em relação ao material - tijolo vermelho com fachadas de pedra - e estilo. O homem que a construiu foi um herdeiro da grande casa de De la Gardie e seus descendentes ainda a possuem. De la Gardie é o nome pelo qual irei designá-los quando a menção dos mesmos se tornar necessária.

Eles receberam o Sr. Wraxall com muita gentileza, cortesia e o pressionaram a ficar na casa enquanto suas pesquisas durassem. Mas, preferindo ser independente e desconfiando de seus poderes de conversação em sueco, ele se instalou na pousada da aldeia, que se mostrou bastante confortável, de qualquer forma, durante os meses de verão. Este arranjo implicaria em uma pequena caminhada diária de e para a casa senhorial, algo em torno de uma milha. A casa em si, estava em um parque e estava protegida – deveria dizer amadurecia - com grandes madeiras velhas. Perto dela, encontrava-se o jardim amuralhado e, depois, entrava em um cercado de madeira próximo dos pequenos lagos com os quais o país inteiro é marcado. Depois, vinha a parede dos campos e você escalava um outeiro íngreme – uma saliência de rocha levemente coberta com terra - no topo desta ficava a igreja, cercada com árvores altas e escuras. Era uma construção curiosa aos olhos de ingleses. A nave da igreja e os corredores estavam baixos, cheios de bancos e galerias. Na galeria oeste estava o belo órgão antigo, pintado alegremente e com tubos prateados. O teto era plano e tinha sido adornado por um artista do século XVII com estranheza e hediondez. "O Último Julgamento", cheio de chamas de escárnio, cidades em queda, navios queimando, almas chorando e demônios marrons e sorridentes. Bonitas coroas de cobre penduradas no telhado; o púlpito era como uma casa de boneca, coberto com um pouco de tinta, querubins e santos de madeira; uma bancada com três ampulhetas estava articulada à mesa do pregador. Cenas como estas podem ser vistas em muitas igrejas na Suécia agora, mas o que distinguiu isso foi um acréscimo ao edifício original. No extremo leste do corredor norte, o construtor do casarão havia erguido um mausoléu para si e sua família. Era um amplo edifício de oito lados, iluminado por uma série de janelas ovais, tinha um telhado abobadado, coberto por uma espécie de objeto em forma de abóbora subindo em uma torre, uma forma em que os arquitetos suecos se deleitavam. O telhado, externamente, era de cobre e foi pintado de preto, enquanto as paredes, como as da igreja, eram brilhantemente brancas. Não havia acesso a este mausoléu a partir da igreja. Ele tinha um portal e degraus próprios no lado norte.

Passando o adro da igreja, o caminho vai para a vila e, não mais do que três ou quatro minutos, levam você até a porta da pousada.

No primeiro dia de sua estadia em Råbäck, o Sr. Wraxall encontrou a porta da igreja aberta e fez suas anotações do interior, as quais tenho resumidas. No mausoléu, no entanto, ele não poderia fazer dessa forma. Ele poderia, olhando através do buraco da fechadura, apenas descrever que havia efígies de mármore fino, sarcófagos de cobre e um rico ornamento de armamento, o que o tornou muito ansioso para passar algum tempo nessa investigação.

Os papéis que ele viera examinar na mansão provaram ser, exatamente, o tipo que ele queria para seu guia. Havia correspondências da família, jornais e livros contábeis dos primeiros proprietários cuidadosamente guardados e claramente escritos, cheios de detalhes divertidos e pitorescos. O primeiro De la Gardie apareceu neles como um homem forte e capaz. Logo após a construção da mansão, havia um período de angústia no distrito, os camponeses tinham se levantado, atacado vários châteaux e feito alguns danos. O dono do Råbäck teve um papel de liderança na supressão do problema, houve referência a execuções dos mandatários e de punições infligidas sem misericórdia.

O retrato deste Magnus de la Gardie foi um dos melhores na casa e o Sr. Wraxall estudou-o com pouco interesse depois de seu dia de trabalho. Ele não dá uma descrição detalhada do mesmo, mas percebo que o rosto o impressionou mais pelo seu poder do que por sua beleza ou bondade; na verdade, ele escreve que o Conde Magnus foi um homem quase fenomenalmente feio.

Neste dia, o Sr. Wraxall jantou com a família e caminhou de volta no final da noite, que ainda brilhava.

"Devo lembrar-me," ele escreve, "de perguntar ao sacristão se ele pode me deixar entrar no mausoléu da igreja. Ele, evidentemente, tem acesso ao mesmo, pois o vi em pé nas escadas e, como imagino, trancando ou destrancando a porta".

Acho que no dia seguinte, o Sr. Wraxall teve uma conversa com o seu senhorio. Ele o colocou para baixo em tal extensão como ele me surpreende no início; mas, logo percebi que os papéis que estava lendo eram, pelo menos no início, os materiais para o guia que ele estava elaborando e que era para ter sido uma daquelas produções quase jornalísticas que admitem a introdução de um misto de conversa.

Seu objetivo, diz ele, era descobrir se alguma tradição do Conde Magnus de la Gardie permaneceu nas cenas das atividades do cavalheiro e se a estima popular sobre ele era favorável ou não. Ele descobriu que o Conde não era, decididamente, um favorito. Se seus trabalhadores chegassem atrasados nos dias que lhe deviam como Senhor da Mansão, eram colocados no pau de amarrar cavalo e marcados ou açoitados no quintal da casa senhorial. Em um ou dois casos, aconteceu de homens que ocuparam terras no domínio do senhor terem suas casas, misteriosamente, queimadas em uma noite de inverno, com toda a família dentro. Mas, o que parecia habitar na mente do hospedeiro - pois ele voltou ao assunto mais de uma vez - foi que o Conde tinha estado na Peregrinação Negra e tinha trazido algo ou alguém de volta com ele.

Você, naturalmente, perguntará como fez o Sr. Wraxall, o que era a Peregrinação Negra. Mas, a sua curiosidade sobre esse assunto deve continuar insatisfeita por enquanto, assim como a dele. O senhorio não estava, evidentemente, disposto a dar uma resposta completa ou mesmo, qualquer resposta sobre o assunto e, sendo chamado por um momento, saiu rapidamente com óbvia alacridade, apenas colocando sua cabeça na porta poucos minutos depois para dizer que foi chamado para ir para Skara e que não deveria voltar antes do anoitecer.

Então, o Sr. Wraxall teve que ir insatisfeito com o seu dia de trabalho na casa senhorial. Os papéis em que ele estava envolvido logo colocaram seus pensamentos em outro canal, pois tinha que se ocupar pesquisando sobre as correspondências entre Sophia Albertina, em Estocolmo e sua prima casada, Ulrica Leonora, em Rábäck, nos anos 1705-1710. As cartas eram de excepcional interesse pois lançaram luz sobre a cultura daquele período na Suécia, como qualquer pessoa que tenha lido a edição completa delas nas publicações da Comissão Sueca de Manuscritos Históricos podia testemunhar.

À tarde, tinha acabado com estas e, depois de voltar as caixas em que foram guardadas para seus lugares na prateleira, ele procedeu, muito naturalmente, para retirar alguns dos volumes mais próximos delas, a fim de determinar qual deles era melhor para seu principal assunto de investigação no dia seguinte. A prateleira que atacou era ocupada, principalmente, por uma coleção de livros de contabilidade na redação do primeiro Conde Magnus. Porém, um entre eles não era um livro de contabilidade, mas um livro de outros trajetos alquímicos em outro lado do século XVI. Não estando muito familiarizado com literatura alquímica, o Sr. Wraxall gastou boa parte de seu tempo em estabelecer os nomes e início dos vários tratados: O livro da Fênix, livro das Trinta Palavras, livro do Sapo, livro de Miriam, Turba Philosophorum e assim por diante; então, anuncia com uma boa circunstância seu deleite em encontrar, em uma folha originalmente deixada em branco, perto do meio do livro, alguma escrita do próprio Conde Magnus intitulada a *"Liber nigræ peregrinationis"*. É verdade que apenas algumas linhas foram escritas, mas havia o suficiente para mostrar que o senhorio tinha, naquela manhã, identificado uma crença tão antiga quanto o tempo do Conde Magnus e, provavelmente, compartilhada por ele. Isto é o que foi escrito:

"Se algum homem deseja obter uma vida longa, se ele obtiver um mensageiro fiel e vir o sangue de seus inimigos, é necessário que ele deva, primeiro, entrar na cidade de Chorazin e, lá, saudar o príncipe...". Aqui, houve um apagamento de uma palavra, não muito bem feito, de modo que o Sr. Wraxall sentiu que estava lendo algo como *aëris* ("do ar"). Mas, não havia mais do texto copiado, apenas uma linha em latim: "*Quære reliqua hujus materiei inter secretiora*" (Veja o resto deste assunto entre as mais privadas coisas).

Não se podia negar que isso lançava uma luz um tanto exuberante sobre os gostos e crenças do Conde; mas, ao Sr. Wraxall, separado dele por quase três séculos, o pensamento de que poderia acrescentar contundência à sua alquimia geral, só fez dele uma figura mais pitoresca; e, quando, após uma contemplação bastante prolongada do seu retrato no corredor, o Sr. Wraxall partiu para o seu caminho de casa, sua mente estava cheia de pensamentos do Conde Magnus. Ele não tinha os olhos para o seu entorno, sem percepção dos odores noturnos do bosque ou da luz da noite sobre o lago; quando, de repente, voltou a si, ficou surpreso de já se encontrar na porta do adro da igreja, a poucos minutos de seu jantar. Os olhos dele caíram sobre o mausoléu. Ah", disse ele, "Conde Magnus, aí está você. Eu gostaria muito de ver você".

"Como muitos homens solitários", escreve, "tenho o hábito de falar a mim mesmo em voz alta; e, ao contrário de algumas das partículas gregas e latinas, não espero uma resposta. Certamente e, talvez, felizmente neste caso, não havia voz nenhuma que considerasse: apenas da mulher limpando a igreja e derrubando algum objeto metálico no chão, que me assustou. Conde Magnus, acho, dorme o suficiente".

Naquela mesma noite, o senhorio da pousada que tinha ouvido o Sr. Wraxall dizer que desejava ver o escriturário ou diácono (como seria chamado na Suécia) da paróquia, apresentou-o àquele funcionário no salão da pousada. Uma visita à casa tumular de De la Gardie foi logo agendada para o dia seguinte e seguiu-se uma pequena conversa geral.

Sr. Wraxall, lembrando que uma função dos diáconos escandinavos é ensinar os candidatos à Confirmação, pensava ele refrescar sua própria memória em um ponto bíblico.

"Você pode me dizer," ele disse, "alguma coisa sobre Chorazin?"

O diácono parecia assustado, mas lembrou-lhe, prontamente, como aquela aldeia já tinha sido condenada.

"Com certeza", disse o Sr. Wraxall; "é, suponho, uma ruína e tanto agora?"

"Então, eu espero", respondeu o diácono. "Eu ouvi alguns de nossos velhos sacerdotes dizerem que o Anticristo vai nascer ali; e há lendas..."

"Ah! Que lendas são essas?", o Sr. Wraxall colocou.

"Lendas, ia dizer, das quais me esqueci", disse o diácono; logo depois disso, ele disse boa noite.

O senhorio estava agora sozinho e à mercê do Sr. Wraxall; e o inquiridor não estava inclinado a poupá-lo.

"Caro Nielsen", disse ele, "descobri algo sobre a Peregrinação Negra. Você pode muito bem me dizer o que sabe. O que o Conde trouxe de volta com ele?"

Os suecos são, habitualmente, lentos em responder ou, talvez, o senhorio tenha sido uma exceção. Não tenho certeza; mas o Sr. Wraxall observa que o senhorio gastou pelo menos um minuto antes que dissesse qualquer coisa. Então, ele se aproximou do seu convidado e, com muito esforço, falou:

"Sr. Wraxall, posso contar-lhe esta pequena história e nada mais – nada mais. Você não deve perguntar nada quando eu terminar. No tempo do meu avô, ou seja, 92 anos atrás – havia dois homens que disseram: 'O Conde está morto; nós não nos importamos com ele. Nós iremos, esta noite, e teremos uma caçada livre em seu bosque' - o longo bosque na colina que você já viu atrás de Råbäck. Bem, isso é o que ouviram em resposta: 'Não, não vão; temos certeza de que vocês vão se encontrar com pessoas caminhando que não deveriam estar caminhando. Elas deveriam estar descansando, não caminhando'. Estes homens riram. Lá, não existiam homens da floresta para manter o bosque, porque ninguém desejava morar lá. A família não estava aqui na casa. Estes homens poderiam fazer o que eles desejassem.

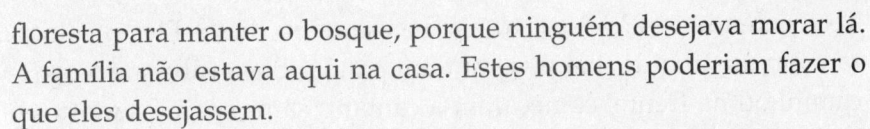

Muito bem, eles foram para o bosque naquela noite. Meu avô estava sentado aqui nesta sala. Era verão e uma noite clara. Com a janela aberta, ele podia ver o bosque e ouvir.

Então, ele sentou-se ali, dois ou três homens com ele e ouviram. No início, não ouviram nada; depois, ouvem alguém - você sabe o quão longe está - eles ouvem alguém gritar, apenas como se a parte mais interior de sua alma estivesse torcida fora dele. Todos eles na sala estão segurando um ao outro e eles se sentaram assim por três quartos de hora. Então, eles ouvem outra pessoa, apenas cerca de 300 *ells* longe. Eles o ouvem rir: não era um desses dois homens que riam, e, na verdade, todos eles disseram que não era homem algum. Depois disso, eles ouvem uma grande porta se fechar.

Quando amanheceu, todos eles foram para o padre. Eles disseram:

'Padre, veste sua batina, sua estola e vem para enterrar estes homens, Anders Bjornsen e Hans Thorbjorn.'

Você entende que eles tinham certeza de que estes homens estavam mortos. Então, eles foram para o bosque - meu avô nunca se esqueceu disso. Disse que todos eles eram como muitos homens mortos. O padre, também, estava branco de medo. Ele disse que, quando vieram até ele:

'Ouvi um grito durante à noite e ouvi um riso depois. Se não conseguir me esquecer disso, não poderei dormir novamente.'

Então, eles foram para o bosque e encontraram estes homens na beirada. Hans Thorbjorn estava de pé, de costas contra uma árvore e, todo o tempo, estava empurrando com as mãos - empurrando para longe dele algo que não estava lá. Então, ele não estava morto. Eles o levaram embora, o levaram para a casa em Nykjoping e ele morreu antes do inverno; mas, continuou empurrando com as mãos. Também, Anders Bjornsen estava lá, mas estava morto. E digo que Anders Bjornsen era um homem bonito, mas, agora, seu rosto não estava lá, porque a carne tinha sido sugada dos ossos.

Você entende isso? Meu avô não se esqueceu disso. Eles o colocaram em um ataúde, lhe puseram um pano sobre a cabeça e o padre caminhou na frente; começaram a cantar o salmo para os mortos o melhor que eles puderam. Então, quando estavam cantando o fim do primeiro verso, um caiu, o que carregava a frente do ataúde, os outros olharam para trás, viram que o tecido tinha caído e que os olhos de Anders Bjornsen estavam olhando para cima, porque não havia nada para fechar sobre eles. E isto, eles não poderiam suportar. Por isso, o sacerdote colocou-lhe o pano, mandaram buscar uma pá e o enterraram naquele lugar."

No dia seguinte, o Sr. Wraxall registrou que o diácono pediu por ele logo após seu café da manhã, levou-o para a igreja e para o mausoléu. Ele notou que a chave deste último estava pendurada em um prego apenas junto ao púlpito e ocorreu-lhe que, como a porta da igreja parecia ser deixada destrancada como regra, não seria difícil que fizesse uma segunda e mais privada visita aos monumentos se houvesse mais interesse. O prédio, ao entrar nele, não se fazia imponente. Os monumentos, em sua maioria grandes construções dos séculos XVII e XVIII, eram exuberantes, os epitáfios e a heráldica eram copiosos. O espaço central da sala abobadada era ocupado por três sarcófagos de cobre cobertos com ornamento finamente gravado. Dois deles tinham, como é comum no caso da Dinamarca e da Suécia, um grande crucifixo metálico na tampa. O terceiro, o do Conde Magnus, como parecia, tinha, ao invés disso, uma efígie inteira gravada sobre ele e as bordas redondas eram várias faixas de ornamentos similares representando várias cenas. Uma delas era uma batalha com a fumaça dos canhões saindo, cidades muradas e tropas de piqueiros. Outra, mostrava uma execução. Em uma terceira, entre as árvores, estava um homem correndo a plena velocidade, com cabelos esvoaçantes e mãos estendidas. Depois dele, seguia uma forma estranha; seria difícil dizer se o artista havia destinado a um homem e não foi capaz de dar a similitude necessária ou se ela tinha sido feita intencionalmente tão monstruosa quanto parecia. Tendo em vista a habilidade com que o resto do desenho foi feito, o Sr. Wraxall sentiu-se inclinado a adotar esta última ideia. A figura era demasiadamente baixa e, em sua maioria, foi abafada numa roupa com capuz que varria o chão. A única parte da forma que se projetou a partir daquele abrigo não teve a forma de nenhuma mão ou braço. O Sr. Wraxall comparou-a ao tentáculo de um peixe-diabo e continuou: "Ao ver isto, disse para mim mesmo: Isto, então, que é, evidentemente, uma representação alegórica de algum tipo de demônio perseguindo uma alma caçada - pode ser a origem da história de Conde Magnus e seu misterioso companheiro. Vamos ver como o caçador é mostrado: sem dúvida, será um demônio soprando sua buzina". Mas, como acabou, não havia tal figura sensacional, apenas o semblante de um homem camuflado em um morro, em pé, apoiado em um bastão e observando a caça com interesse que o artista havia tentado expressar em sua atitude.

O Sr. Wraxall notou cadeados de aço finamente trabalhado e maciço – três, ao todo – que trancavam o sarcófago. Um deles, ele viu, foi aberto e deixado no pavimento. Então, não querendo atrasar mais o diácono ou desperdiçar o seu tempo de trabalho, ele seguiu para a casa senhorial.

"É curioso", observa ele, "como, ao refazer um caminho familiar, o pensamento de cada um absorve a exclusão absoluta dos objetos envoltos. Hoje à noite, pela segunda vez, havia falhado, completamente, em reparar para onde estava indo (tinha planejado uma visita particular ao túmulo para copiar os epitáfios) quando, de repente, por assim dizer, acordei à consciência e me encontrei (como antes) entrando no portão do adro da igreja e, acredito, cantando ou cantarolando *Nome* tais palavras como: 'Você está acordado, Conde Magnus? Você está dormindo, Conde Magnus?' e, depois, algo mais de que eu não me recordo. Parecia que devia estar me comportando dessa forma absurda por algum tempo".

Ele encontrou a chave da casa senhorial onde esperava encontrá-la e copiou a maior parte do que gostaria; na verdade, ficou até que a luz começou a falhar.

"Devo ter me enganado", escreve ele, "ao dizer que um dos cadeados do sarcófago do meu Conde foi destravado; vejo, hoje à noite, que dois estão soltos. Peguei os dois, os coloquei, cuidadosamente, na janela depois de tentar fechá-los, sem sucesso. O restante ainda está firme e, apesar de eu achar que é uma fechadura de mola, não consigo adivinhar como ela é aberta. Se tivesse conseguido ao desfazê-la, quase temo que deveria ter tomado a liberdade de abrir o sarcófago. É estranho, o interesse que sinto na personalidade disso, temo, um tanto feroz e sombrio nobre antigo".

O dia seguinte foi, como se veio a saber, o último da estadia do Sr. Wraxall em Råbäck. Ele recebeu cartas ligadas a certos investimentos que fizeram com que voltasse à Inglaterra; seu trabalho entre os papéis estava praticamente feito e a viagem foi lenta. Decidiu, portanto, fazer suas despedidas, dar alguns toques finais em suas anotações e desligar-se.

Esses toques finais e despedidas, como aconteceram, levaram mais tempo do que ele esperava. A família hospitaleira insistiu na sua estadia para o jantar - eles jantaram às 15:00 hs - e eram quase 18:30 hs quando ele estava fora dos portões de ferro de Råbäck. Ele se fixou em cada passo de sua caminhada junto ao lago, determinado a saturar-se agora que ele pisava, pela última vez, no sentimento daquele lugar. Quando alcançou o cume do adro da igreja, ficou por muitos minutos contemplando a perspectiva ilimitada de bosques próximos e distantes, todos escuros sob um céu de verde líquido. Quando, finalmente se virou para ir, o pensamento lhe tocou que, certamente, deveria despedir-se do Conde Magnus, assim como o resto dos De la Gardies. A igreja ficava a umas 20 jardas de distância e ele sabia onde a chave do mausoléu estava pendurada. Não demorou muito para que ele ficasse em pé, ao lado do grande caixão de cobre e, como sempre, falando sozinho. "Você pode ter sido um pouco canalha em seu tempo, Magnus", estava dizendo, "mas, por tudo, gostaria de ver você, ou melhor..."

"Naquele instante", diz ele, "senti um golpe em meu pé. Apressadamente, me virei e algo caiu no pavimento com um choque. Foi o terceiro, o último dos três cadeados que estavam prendendo o sarcófago. Abaixei-me para pegá-lo e – o céu é minha testemunha que estou escrevendo apenas a verdade nua - antes de me levantar, havia um som de dobradiças de metal rangendo, vi a tampa, nitidamente, deslocando-se para cima. Posso ter me comportado como um covarde, mas não pude, por um momento, permanecer. Estava fora daquele prédio horrível em menos tempo do que posso escrever; e o que me assustou ainda mais, não consegui girar a chave na fechadura. Como estou sentado aqui no meu quarto anotando estes fatos, me pergunto (não foram 20 minutos atrás) se aquele barulho de metal rangendo continuou e não posso dizer se aconteceu ou não. Só sei que que havia algo mais do que eu escrevi que me alarmou, mas se era som ou visão, não sou capaz de me lembrar. O que é isso que eu fiz?".

Pobre Sr. Wraxall! Ele partiu em sua viagem para a Inglaterra no dia seguinte, como havia planejado, e chegou em segurança; no entanto, como me recordo de sua escrita mudada e inconsequentes anotações, um homem quebrado. Um dos vários pequenos cadernos de anotações que veio até mim com seus papéis dá não uma pista para, mas uma espécie de indício de suas experiências. Grande parte de sua jornada foi feita por uma barca e acho que, não menos de seis dolorosas tentativas de enumerar e descrever os seus companheiros-passageiros. As anotações são deste tipo:

"24. Pastor de aldeia em Skåne. Casaco preto comum e chapéu preto suave."
"25. Viajante comercial de Estocolmo indo para Trollhättan. Capa preta, chapéu marrom."
"26. Homem de longo manto preto, chapéu de abas largas, muito antiquado."

Esta anotação está alinhada e uma nota adicionada:

"Talvez, idêntico ao nº 13. Ainda não vi sua face". Ao me referir ao nº 13, descubro que ele é um sacerdote romano de batina."

O resultado líquido do cálculo é sempre o mesmo. Vinte e oito pessoas aparecem na enumeração, sendo um sempre um homem em um longo manto preto e chapéu largo, o outro, uma "figura curta com capa e capuz escuro". Por outro lado, sempre se observa que apenas 26 passageiros aparecem nas refeições e que o homem com o manto, talvez, esteja ausente e a figura curta, certamente, está ausente.

Ao chegar à Inglaterra, parece que o Sr. Wraxall desceu em Harwich e resolveu, de imediato, sair do alcance de alguma pessoa ou pessoas que ele nunca especificou, mas a quem ele, evidentemente, tinha vindo a considerar como seus perseguidores. Assim, pegou um veículo - era uma carruagem fechada - não confiando na ferrovia - e atravessou o país até a aldeia de Belchamp St Paul. Eram, aproximadamente, 9:00 hs da noite ao luar de agosto quando ele se aproximou do local. Ele estava sentado em frente, observando os campos e a mata pela janela - pouco mais havia para ser visto – passando por ele. De repente, ele chegou a uma encruzilhada. Na esquina, duas figuras estavam em pé, sem movimento; ambas estavam em capas escuras; o mais alto usava um chapéu, o mais baixo, um capuz. Ele não teve tempo de ver seus rostos, nem fizeram nenhum movimento que ele pôde discernir. No entanto, o cavalo foi, violentamente, atacado e saiu em um galopar, o Sr. Wraxall afundou de volta em seu assento em algo como desespero. Ele já os tinha visto antes.

Chegando em Belchamp St Paul, ele teve a sorte de encontrar uma hospedagem decente e, pelas próximas 24 horas, viveu comparativamente falando, em paz. Suas últimas notas foram escritas neste dia. Elas estão muito desajustadas e jogadas para serem dadas aqui na íntegra, mas a substância delas é suficientemente clara. Ele está esperando uma visita de seus perseguidores - como ou quando, não sabe - e seu grito constante é "O que ele fez?" e "Não há esperança?". Os médicos, ele sabe, o chamariam de louco, os policiais ririam dele. O pastor está fora. O que ele pode fazer senão trancar sua porta e clamar a Deus?

As pessoas ainda se lembravam, no Belchamp St Paul, como um estranho cavalheiro veio numa noite em julho, anos atrás; e, na manhã seguinte, foi encontrado morto e havia um inquérito; o júri que viu o corpo desmaiou, sete deles fizeram isso, nenhum deles quis falar o que viu e o veredicto final foi a visitação de Deus; e como o povo pegou seus cavalos e se mudou naquela mesma semana, e se afastou daquela área. Mas, eles não sabem, acho, que qualquer vislumbre de luz já foi jogado ou poderia ter sido jogado sobre o mistério. Aconteceu que, no ano passado, a casinha veio para as minhas mãos como parte de uma herança. Estava vazia desde 1863 e parecia não haver perspectiva de arrendá-la; então, mandei derrubá-la e os papéis dos quais dei um resumo, foram encontrados em um esquecido armário, embaixo da janela do melhor quarto.

O Pesquisador da Casa Final
por William Hope Hodgson

AINDA era noite, como me lembro, e nós quatro, Jessop, Arkright, Taylor e eu olhamos desapontados para Carnacki, que se sentou em silêncio em sua grande cadeira.

Tínhamos vindo em resposta ao habitual convite, que - como você sabe - viemos a considerar como um prelúdio seguro de uma boa história; agora, depois de nos contar o pequeno incidente das Três Travessas de Palha, ele tinha caído em um silêncio contente.

No entanto, como por acaso, algum destino piedoso correu sobre Carnacki ou sua memória e ele começou de novo, em seu jeito esquisito:

"O negócio das 'Travessas de Palha' me faz lembrar o caso do 'Pesquisador' que, às vezes, pensei que poderia interessá-los. Foi há algum tempo, na verdade, com um duque de muito tempo atrás que a coisa aconteceu; e a minha experiência do que poderia chamar de coisas 'curiosas' era muito pequena naquela época.

Eu estava morando com minha mãe quando isso ocorreu, em uma casa pequena nos arredores de Appledorn, na Costa Sul. A casa era a última de uma fileira de moradias unifamiliares, cada uma possuía seu próprio jardim; havia lugares muito delicados, muito velhos e a maioria deles sufocados com rosas; todas com aquelas velhas e pitorescas janelas de chumbo e portas de carvalho genuíno. Você deve tentar imaginar para o bem de sua completa gentileza.

Agora, devo lembrá-lo que minha mãe e eu havíamos vivido naquela casinha por dois anos e, em todo aquele tempo, não houve um único acontecimento peculiar com que nos preocupar.

E então, algo aconteceu.

Eram cerca de duas horas da manhã, eu estava terminando algumas cartas, quando ouvi a porta do quarto da minha mãe ser aberta e ela chegou ao topo da escada, bateu no corrimão.

'Tudo bem, querida', chamei; pois estava supondo que ela estivesse apenas me lembrando que deveria estar na cama há muito tempo; então, a ouvi voltar para quarto e apressei o meu trabalho por medo de que ela ficasse acordada, até me ouvir indo ao meu quarto.

Quando terminei, acendi minha vela, apaguei a lâmpada e subiu as escadas. Quando cheguei em frente à porta do quarto da minha mãe, vi que estava aberta, disse boa noite para ela e, muito suavemente, perguntei se deveria fechar a porta. Como não havia resposta, sabia que ela tinha caído no sono novamente, fechei a porta gentilmente e fui para o meu quarto, do outro lado do corredor. Enquanto o fazia, experimentava uma sensação momentânea, semiconsciente de um odor tênue, peculiar, desagradável no corredor; mas não era nada, até que, na noite seguinte, percebi um cheiro que me indignou. Você me entendeu? É tão frequente assim – um conhecimento repentino de uma coisa que realmente se registra na consciência, talvez um ano antes.

Na manhã seguinte, no café da manhã, mencionei, casualmente, à minha mãe que ela tinha 'apagado' e eu tinha fechado a porta para ela. Para minha surpresa, ela me assegurou que nunca havia saído de seu quarto. Lembrei-a das duas batidas que havia dado no corrimão; mas, ela ainda estava certa de que devia estar enganado; no final, a provoquei, dizendo que tinha se acostumado tanto com o meu mau hábito de ficar acordado até tarde, que tinha vindo me chamar dormindo. Claro, ela negou isso, e deixei o assunto diminuir; mas estava mais do que um pouco confuso, não sabia se devia acreditar na minha própria explicação ou na de minha mãe, que culpou os ratos pelos ruídos e a porta aberta pelo fato que ela não poderia tê-la fechado corretamente quando foi para a cama. Suponho que longe, no meu subconsciente, tive uma agitação de pensamentos menos razoáveis; mas, certamente, não tinha nenhum mal-estar real naquela época.

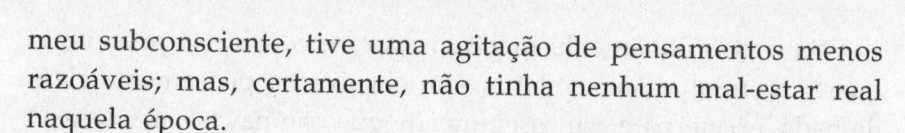

Na noite seguinte, houve um novo avanço. Por volta das 2:30 da manhã, ouvi a porta da minha mãe aberta, assim como na anterior noite e, logo em seguida, ela bateu bruscamente no corrimão, como me pareceu. Parei meu trabalho e avisei que não demoraria muito. Como ela não deu resposta e não a ouvi voltar para a cama, tinha uma rápida sensação de que ela poderia estar fazendo isso durante o sono, afinal, como havia dito.

Com o pensamento, levantei-me e peguei a lâmpada da mesa, comecei a ir em direção à porta, que estava aberta para o corredor. Foi então que tive uma emoção repentina e desagradável; pois veio para mim, tudo de uma vez, que minha mãe houvera batido quando estava acordado até tarde; ela sempre chamava. Você vai entender que não estava, realmente, assustado, apenas vagamente inquieto e com muita certeza de que ela estava fazendo a coisa durante o sono.

Subi as escadas rapidamente e, quando cheguei ao topo, minha mãe não estava lá; mas a porta dela estava aberta. Eu estava desnorteado em acreditar que ela deveria ter voltado, calmamente, para a cama, sem ouvi-la. Entrei no quarto e a encontrei dormindo silenciosa e naturalmente; pois a vaga sensação de problemas em mim era o suficiente forte para me fazer olhar para ela.

Quando tinha certeza de que ela estava perfeitamente certa, em todos os sentidos, ainda estava um pouco incomodado; mas muito mais inclinado a pensar que minha suspeição estava correta e que ela tinha voltado, calmamente, para a cama no sono dela, sem saber o que estava fazendo. Isto foi a coisa mais razoável para se pensar, como você deve ver.

E, então, veio a mim, de repente, aquele vago, esquisito cheiro de mofo no quarto; foi nesse instante que tomei consciência de que tinha o mesmo cheiro estranho e incerto da noite anterior, no corredor.

Estava definitivamente inquieto agora e comecei a procurar o quarto da minha mãe; embora, sem objetivo ou pensamento claro de nada, exceto para me assegurar de que não havia nada nele. O tempo todo, você sabe, nunca esperei, realmente, encontrar nada; apenas o meu mal-estar tinha que ser assegurado.

No meio da minha busca, minha mãe acordou e, é claro, tinha que me explicar. Contei a ela sobre a abertura da porta, as batidas no corrimão e que tinha subido e a encontrado adormecida. Nada disse sobre o cheiro, que não era muito distinto; mas disse a ela que a coisa acontecendo duas vezes me fez um pouco nervoso, possivelmente fantasioso, e pensei em dar uma olhada ao redor, só para me sentir satisfeito.

Pensei, desde então, que a razão pela qual não fiz nenhuma menção ao cheiro, não era só porque não queria assustar a minha mãe, pois eu mesmo quase não era assim; mas, porque tinha apenas um vago meio-conhecimento de que também associei o cheiro com fantasias indefinidas e peculiares. Você vai entender que, agora, sou capaz de analisar e colocar a coisa em palavras; mas, quando aconteceu, nem sabia o meu principal motivo para não dizer nada; deixei por si só, apreciar o seu possível significado.

Afinal, era minha mãe quem tinha colocado parte das minhas vagas sensações em palavras:-

'Que cheiro desagradável!', ela exclamou, e ficou em silêncio por um momento, olhando para mim. Então: -'Você sente que há algo errado?', ainda olhando para mim, muito silenciosamente, mas com um pouco de expectativa.

'Eu não sei', disse. 'Eu não consigo entender, a menos que você tenha, realmente, andado por aí durante o sono'.

'O cheiro', disse ela.

'Sim', respondi. 'Isso é o que mais me intriga também. Vou dar uma volta através da casa; mas suponho que não seja nada'.

Acendi a vela dela, peguei a lâmpada, passei pelos outros quartos e, depois, em toda a casa, incluindo os três porões subterrâneos, o que era um pouco penoso para os nervos, vendo que estava mais nervoso do que admitiria.

Então, voltei para minha mãe e disse que não havia realmente nada com que se preocupar; no final, nos convencemos a acreditar que não era nada. Minha mãe não estava concordando que poderia ter sido sonâmbula; mas estava pronta para colocar a porta aberta corretamente na fechadura. Quanto às batidas, elas podem ser a velha madeira empenada da casa rachando um pouco ou um rato chacoalhando um pedaço de gesso solto. O cheiro era mais difícil de explicar; mas, finalmente, concordamos que poderia, facilmente, ser o esquisito cheiro noturno da terra úmida entrando através da janela aberta do quarto da minha mãe, do jardim dos fundos, ou - destaque para esse assunto - do pequeno adro da igreja além do grande muro do fundo do jardim.

Então, nos acalmamos e, finalmente, fui dormir.

Acho que esta é, certamente, uma lição sobre a forma como nós, humanos, podemos nos iludir, pois não houve em nenhuma dessas explicações algo que minha razão poderia, realmente, aceitar. Tente imaginar-se nas mesmas circunstâncias e você verá como nossas tentativas são absurdas para explicar os acontecimentos que realmente aconteceram.

De manhã, quando desci para o café da manhã, nós conversamos tudo de novo e, embora tenhamos concordado que era estranho, nós também concordamos que tínhamos começado a imaginar coisas engraçadas no fundo de nossas mentes, que agora nos sentíamos meio envergonhados de admitir. Isto é muito estranho quando você vem para olhar para ele; mas muito humano.

Então, naquela noite, novamente, a porta de minha mãe foi batida mais uma vez logo após a meia-noite. Peguei a lâmpada e, quando cheguei na porta dela, encontrei-a fechada. Eu a abri rapidamente, encontrei minha mãe deitada com os olhos abertos, nervosa, tendo sido acordada pela batida da porta. Mas, o que me aborreceu mais do que tudo foi o fato de que havia um cheiro nojento no corredor e em seu quarto.

Enquanto lhe perguntava se estava bem, uma porta deu duas batidas lá embaixo e você pode imaginar como isso me fez sentir. Minha mãe e eu olhamos um para o outro; acendi sua vela e, pegando uma haste de lareira, fui lá embaixo com a lâmpada, começando a sentir-me muito nervoso. O efeito de tantos acontecimentos estranhos estava ficando cumulativo e todas as explicações, aparentemente razoáveis, pareciam fúteis.

O cheiro horrível parecia ser muito forte no corredor do andar de baixo; também, na sala da frente e nos porões; mas, principalmente, no corredor. Fiz uma busca muito minuciosa na casa e, quando tinha terminado, sabia que todas as janelas e portas inferiores estavam devidamente fechadas e trancadas e que não havia nenhum ser vivo na casa, além de nós dois. Depois, fui novamente para o quarto de minha mãe e conversamos sobre o assunto por uma hora ou mais, no final, chegamos à conclusão de que, afinal, poderíamos estar lendo demais algumas coisas; mas, dentro de nós, não acreditávamos nisso.

Mais tarde, quando nos falamos em um estado de espírito mais confortável, disse boa noite, fui para a cama e consegui dormir.

Nas primeiras horas da manhã, enquanto ainda estava escuro, fui despertado por um barulho alto. Sentei-me na cama e escutei. Do andar de baixo, ouvi: bang, bang, bang, uma porta após a outra ser batida; pelo menos, essa é a impressão que os sons deram a mim.

Pulei da cama, com o formigamento e o tremor de um susto repentino; ao mesmo tempo, ao acender minha vela, minha porta foi aberta lentamente; eu a tinha deixado destravada, para não sentir que minha mãe estava bastante desligada de mim.

'Quem está aí?', gritei, com uma voz duas vezes mais profunda que a minha natural e com uma falta de ar estranha, que aquele susto repentino tantas vezes dá. Quem está aí?

Então, ouvi minha mãe dizer:

'Sou eu, Thomas. O que está acontecendo lá embaixo?'

Ela estava no quarto por isso, vi que tinha a haste da lareira de seu quarto em uma mão e sua vela na outra. Poderia ter sorrido para ela, não fosse pelos sons extraordinários lá embaixo.

O Pesquisador da Casa Final

Vesti meus chinelos e desci uma velha baioneta de espada da parede; então, peguei minha vela e implorei a minha mãe não vir; mas sabia que seria de pouca utilidade. Eu sei que, de certa forma, fiquei muito feliz em tê-la comigo, como você vai entender.

Por esta altura, a porta tinha parado de bater e parecia, provavelmente, por causa do contraste, estar um silêncio terrível na casa. No entanto, liderei o caminho segurando minha vela no alto e mantendo a baioneta da espada à mão. No andar de baixo, encontramos todas as portas abertas, embora as portas externas e as janelas estivessem fechadas. Comecei a me perguntar se os ruídos haviam, afinal de contas, sido feitos pelas portas. De uma coisa tínhamos certeza, não havia nenhum ser vivo na casa, além de nós mesmos, porém, em toda parte da casa havia a mácula desse odor nojento.

Claro que era um absurdo tentar fazer acreditar em algo mais. Havia algo de estranho na casa e, assim que amanheceu, preparei minha mãe para fazer as malas e, logo após o café da manhã, a vi partir de trem.

Então, me pus a trabalhar para tentar esclarecer o mistério. Fui primeiro ao senhorio e contei-lhe todas as circunstâncias. Descobri que há 12 ou 15 anos atrás, a casa possuía um nome curioso de três ou quatro inquilinos; com o resultado de que tinha ficado vazia por muito tempo; no final, ele tinha deixado um baixo aluguel para um capitão Tobias, com a única condição de que segurasse a língua dele se visse algo peculiar. A ideia do senhorio - como ele me disse - era liberar a casa destas histórias de 'algo estranho' mantendo um inquilino dentro dela e, depois, vendê-la pelo melhor preço que conseguisse.

Entretanto, quando o capitão Tobias saiu, depois de 10 anos de aluguel, não se falava mais sobre a casa, então, quando ofereci para aceitar um contrato de cinco anos, ele aceitou a oferta. Esta era a história toda; então, me deu um entendimento. Quando o pressionei sobre detalhes dos supostos acontecimentos peculiares da casa, todos aqueles anos atrás, disse que os inquilinos tinham falado de uma mulher que sempre se movia pela casa à noite. Alguns inquilinos nunca viram coisa alguma; mas, outros saíram no primeiro mês de contrato.

Uma coisa que o senhorio fez questão de ressaltar era que nenhum inquilino havia reclamado de pancadas ou bater de portas. Quanto ao cheiro, ele parecia positivamente indignado com isso; mas, porque, suponho, ele, provavelmente, tinha uma vaga sensação de que era uma acusação indireta da minha parte de que os drenos não estavam corretos.

No final, sugeri que ele viesse e passasse a noite comigo. Ele concordou, imediatamente, especialmente quando lhe disse tinha o objetivo de manter todo o negócio quieto e tentar chegar a fundo nesse caso curioso.

Por volta das três horas daquela tarde, ele veio e nós fizemos uma busca minuciosa na casa, que, no entanto, não revelou nada de anormal. Posteriormente, o senhorio fez um ou dois testes, o que lhe mostrou que a drenagem estava em perfeita ordem; depois disso, fizemos os nossos preparativos para sentar a noite toda.

Primeiro, pegamos emprestadas as lanternas grandes de dois policiais da estação próxima, cujo superintendente e eu éramos amigos. Assim que anoiteceu, o senhorio foi até a sua casa pegar sua arma. Tinha a baioneta de espada de que falei e, quando o senhorio voltou, nos sentamos no meu escritório, conversando até quase meia-noite.

Depois, acendemos as lanternas e subimos as escadas. Colocamos as lanternas, arma e baioneta na mesa; fechamos e trancamos as portas do quarto; tomamos nossos assentos e desligamos as luzes.

Desde então até as duas horas, nada aconteceu; mas, um pouco depois das duas, como descobri ao segurar meu relógio perto do brilho tênue das lanternas fechadas, tive um momento de extraordinário nervosismo; inclinei-me para o senhorio e sussurrei para ele que tinha um sentimento estranho de que algo estava prestes a acontecer, ele estava pronto, com sua lanterna; ao mesmo tempo, estendi a mão em direção à minha. No mesmo instante em que fiz esse movimento, a escuridão que preenchia o corredor parecia tornar-se, de repente, de cor violeta tediosa; não como se uma luz tivesse brilhado, mas como se a escuridão natural da noite tivesse mudado de cor. Então, ao passar por essa noite violeta, através desta escuridão, veio uma criança com pouca roupa, correndo. De uma forma extraordinária, a criança parecia não ser diferente da escuridão ao redor; quase como se fosse uma concentração dessa extraordinária atmosfera; como se essa sombria cor que tinha mudado a noite viesse da criança. Parece que é impossível deixar claro para você; mas tente entender.

A criança passou por mim, correndo, com o movimento natural das pernas de uma criança humana gorducha, mas de uma forma absoluta e em um inconcebível silêncio. Era uma criança muito pequena, deve ter passado debaixo da mesa; vi a criança através da mesa, como se ela fosse apenas uma sombra um pouco mais escura do que a escuridão colorida. No mesmo instante, vi que um vislumbre flutuante de luz violeta delineou o metal dos barris da arma e a lâmina da espada da baioneta, fazendo com que parecessem formas tênues de luz cintilante, flutuantes, sem suporte onde o tampo da mesa deveria ter se mostrado sólido.

Agora, curiosamente, como vi essas coisas, estava subconscientemente a par de que ouvi a respiração ansiosa do senhorio, bastante clara e trabalhada, perto do meu cotovelo, onde esperava, nervoso, com as mãos sobre a lanterna. Percebi, naquele momento, que ele não tinha visto nada; esperei na escuridão pela minha advertência ser verdade.

Mesmo quando tomava cuidado com essas coisas menores, via a criança pular para um lado ou esconder-se atrás de algum objeto. Olhei atentamente, com uma emoção extraordinária de expectativa de maravilha, com o susto arrepiando minhas costas. Mesmo quando olhava, resolvi, para mim, o problema menos importante das duas nuvens negras que estavam penduradas sobre uma parte da mesa. Acho muito curioso e interessante o duplo funcionamento da mente, muitas vezes, muito mais aparente em momentos de estresse. As duas nuvens vieram de duas formas pouco brilhantes que sabia que deviam ser as do metal das lanternas; as coisas que pareciam pretas não poderiam ser nada mais do que a visão humana normal conhecendo como luz. Este fenômeno, tenho sempre lembrado. Já vi duas vezes uma coisa um pouco semelhante; no caso Luz Negra e naquele problema do Maetheson, que vocês conhecem.

"Mesmo quando entendi essa questão das luzes, estava olhando à minha esquerda para entender por que a criança estava escondida. De repente, ouvi o senhorio gritar: - 'A mulher!' Mas não vi nada. Tinha uma sensação desagradável de que algo repugnante estava perto de mim e estava ciente, no mesmo momento em que o senhorio estava agarrando meu braço, de uma pegada dura e assustada. Então, estava olhando de volta ao local onde a criança se escondera e a vi espreitando por trás de seu esconderijo, parecendo estar olhando para o corredor; mas sem medo, não poderia dizer. Então, saiu e fugiu de cabeça através do lugar onde deveria ser a parede do quarto da minha mãe; mas, o sentido com o qual estava vendo essas coisas mostrou-me a parede apenas como vaga, sombra erguida, insubstancial. Imediatamente a criança estava perdida para mim, na tristeza do violeta. Ao mesmo tempo, senti o senhorio pressionando contra mim, como se algo tivesse passado perto dele; ele gritou novamente, uma espécie de grito rouco: 'A mulher! A mulher!' e virou a sombra desajeitada de sua lanterna. Mas, não tinha visto mulher alguma e a passagem se mostrou vazia quando ele brilhou com o feixe da sua luz, de um lado para o outro, mas, principalmente, na direção da porta do quarto da minha mãe.

Ele ainda estava agarrado ao meu braço e tinha se levantado; agora, mecanicamente e quase lentamente, peguei minha lanterna e acendi a luz. Brilhava um pouco atordoado nas vedações sob as portas, mas nenhuma se rompeu; então, direcionei a luz para cima e para baixo no corredor; não havia nada; virei para o senhorio, que estava dizendo algo de uma forma incoerente. Enquanto minha luz passava por seu rosto, notei, de uma maneira meio monótona, que estava encharcado de suor.

Então, minha perspicácia se tornou mais manejável e comecei a entender o significado de suas palavras: 'Você a viu? Você a viu?' ele dizia, uma e outra vez; então, encontrei-me mesmo dizendo a ele, em voz bem clara, que não tinha visto qualquer mulher. Ele tornou-se mais coerente e descobri que tinha visto uma mulher vir do final do corredor e passar por nós; ele não podia descrevê-la, exceto que havia parado e espreitado a parede, fechada ao lado dele, como se estivesse procurando por algo. O que parecia incomodá-lo mais era que ela não parecia vê-lo em tudo. Ele repetiu isso tantas vezes que no final disse a ele, de uma forma absurda, que deveria estar muito contente que ela não tinha lhe visto. O que tudo isso significava? Era a pergunta; de alguma forma, não estava tão assustado, nem totalmente desnorteado. O que tinha visto tinha feito me sentir à deriva do meu ancoradouro da razão.

O que isso significava? Ele tinha visto uma mulher à procura de alguma coisa. Eu não tinha visto esta mulher. Tinha visto uma criança correndo e se escondendo de algo ou alguém. Ele não tinha visto a criança ou as outras coisas - só a mulher. O que tudo isso significou?

Não tinha dito nada ao senhorio sobre a criança. Tinha sido muito perplexo e percebi que seria inútil tentar uma explicação. Ele já estava tonto com o que tinha visto e não é o tipo de homem com entendimento. Tudo isso passou em minha mente enquanto estávamos ali, brilhando as lanternas de um lado para o outro. Todo o tempo entremeado por uma série de raciocínios práticos, estava me questionando o que tudo isso significava. O que era a mulher procurando; do que a criança estava fugindo?

De repente, enquanto estava ali, desnorteado e nervoso, criando respostas aleatórias para o senhorio, uma porta abaixo foi violentamente fechada e senti o cheiro horrível do qual tenho lhes falado.

'Pronto!', disse ao senhorio, peguei o braço dele. 'O cheiro! Você sente o cheiro?'

Ele olhou para mim tão estupidamente, numa espécie de choque, chacoalhei-o.

'Sim', disse ele, com uma voz estranha, tentando iluminar da sua lanterna agitada no topo da escada.

'Vamos lá!', disse e peguei a minha baioneta; ele veio carregando sua arma de forma desajeitada. Acho que veio mais porque tinha medo de ser deixado sozinho do que porque ainda tinha alguma coragem, pobre mendigo. Nunca zombarei desse tipo de covarde, pelo menos, muito raramente; pois, quando se apodera de você, faz trapos de sua coragem.

Eu liderei o caminho lá embaixo, brilhando minha luz para a parte inferior do corredor, depois, nas portas para ver se estavam fechadas; pois as tinha fechado e trancado, colocando um canto de um tapete contra cada porta, então, deveria saber qual tinha sido aberta.

Eu vi, imediatamente, que nenhuma das portas tinha sido aberta; joguei o feixe da minha luz ao longo da escada para ver o tapete que tinha colocado contra a porta, na parte de cima da escadaria do porão. Fiquei com uma emoção horrível, pois o tapete estava intacto! Fiz uma pausa de alguns segundos, direcionando minha luz para dentro e para fora na passagem e, agarrado à minha coragem, desci as escadas.

Ao chegar ao degrau inferior, vi rastros molhados em cima e embaixo da passagem. Minha lanterna brilhava sobre eles. Foi a impressão de um pé molhado sobre o oleado da passagem; não uma normal, mas uma pegada esquisita, macia, flácida e estampada que me deu um sentimento de horror extraordinário.

Para trás e para a frente, iluminei a luz sobre as impossíveis marcas e as vi em todos os lugares. De repente, notei que elas conduziam a cada uma das portas fechadas. Eu senti algo tocar minhas costas e dei uma olhada rápida para encontrar o senhorio que tinha chegado perto para mim, quase pressionando contra mim, em seu medo.

'Está tudo bem', disse, mas num sussurro sem fôlego, que significava colocar um pouco de coragem nele; pois podia sentir que ele tremia por todo o seu corpo. Mesmo assim, enquanto tentava deixá-lo suficientemente estável para ter alguma utilidade, sua arma disparou com um tremendo estrondo. Ele pulou e gritou de puro terror; jurei por causa do choque.

'Dê-me isso, pelo amor de Deus!', disse e tirei a arma de sua mão; no mesmo instante, houve um som de passos correndo pelo caminho do jardim e, imediatamente, o feixe de uma lanterna em forma de olho de touro sobre a luz do exaustor, sobre a porta da frente. Depois, a porta estava sendo forçada e, logo em seguida, veio uma batida estrondosa, o que me disse que um policial tinha ouvido o tiro.

Fui até a porta e a abri. Felizmente, o policial me conhecia e, quando acenei, fui capaz de explicar o problema em um tempo muito curto. Ao fazer isso, o inspetor Johnstone subiu o caminho, tendo perdido o oficial e vendo luzes e a porta aberta. Disse a ele, o mais breve possível, o que tinha ocorrido e não mencionei a criança ou a mulher; isso teria parecido fantástico demais para que ele notasse. Mostrei a ele as pegadas molhadas e como elas iam em direção às portas fechadas. Expliquei, rapidamente, sobre os tapetes e como a porta do porão estava lisa, o que mostrava que tinha sido aberta.

O inspetor acenou com a cabeça e disse ao policial para guardar a porta no topo das escadas do porão. Ele, então, pediu para que eu acendesse o candeeiro do corredor, pegou a lanterna do policial e seguiu em direção à sala da frente. Ele fez uma pausa com a porta bem aberta e atirou a luz por todo o lado; depois, pulou para dentro da sala e olhou atrás da porta; não havia ninguém lá; mas, por toda parte do chão de carvalho polido, entre os tapetes espalhados, estava a marca dessas horríveis pegadas espalhadas e a sala permeou com o cheiro horrível.

O inspetor procurou, cuidadosamente, na sala e, depois, entrou na sala do meio, usando as mesmas precauções. Não havia nada lá, na cozinha na despensa; mas, em todos os lugares apareciam as marcas dos pés molhados e sempre havia o cheiro.

William Hope Hodgson

O inspetor deixou de procurar nos quartos e verificou se os tapetes, realmente, cairiam quando as portas fossem abertas ou, simplesmente, se agitariam e pareceriam intocados; mas, as esteiras caíram achatadas e permaneceram assim.

'Extraordinário!', ouvi Johnstone murmurar para si mesmo. Então, foi em direção à porta do porão. Ele tinha perguntado, no início, se havia janelas para o porão e, quando soube que não havia saída, exceto pela porta, deixou esta parte da busca para o fim.

Quando Johnstone veio até à porta, o policial fez um movimento de saudação e disse algo em voz baixa. Vi, então, que o homem estava muito branco, parecia estranho e desconcertado.

'O quê?', disse Johnstone, impacientemente. 'Fale mais alto!'

'Uma mulher veio aqui, senhor, passou por aqui na porta', disse o policial, claramente, mas com uma curiosa e monótona entoação.

'Fale mais alto!', gritou o inspetor.

'Uma mulher apareceu e passou por esta porta aqui', repetiu o homem, monotonamente.

O inspetor pegou o homem pelo ombro e, deliberadamente, farejou o seu hálito.

'Não!', ele disse. Então, sarcasticamente: 'Espero que você tenha segurado a porta aberta, educadamente, para a senhora'.

'A porta não foi aberta', disse o homem, simplesmente.

'Você está louco...' começou Johnstone.

'Não', quebrou na voz do senhorio por trás. Falando de forma constante. 'Eu vi a mulher lá em cima'. Ficou evidente que tinha recuperado seu controle.

'Tenho medo, inspetor Johnstone', disse, 'que há mais nisso do que você pensa. Eu, certamente, vi algumas coisas muito extraordinárias lá em cima'.

O inspetor parecia prestes a dizer algo; mas em vez disso, ele voltou para a porta, colocou sua luz para baixo e passou sobre o tapete. Vi que as estranhas e horríveis marcas de pé iam direto para a porta do porão; a última impressão mostrava debaixo da porta; ainda assim, o policial disse que a porta não tinha sido aberta.

De repente, sem qualquer intenção ou percepção do que estava dizendo, perguntei ao senhorio:

'Como eram os pés?'

Não recebi resposta, pois o inspetor estava ordenando ao policial para abrir a porta do porão e o homem não estava obedecendo. Johnstone repetiu a ordem e, finalmente, de uma maneira estranhamente automática, o homem obedeceu e empurrou a porta. O abominável cheiro bateu em nós em uma grande onda de horror e o inspetor deu um passo para trás.

'Meu Deus!', disse ele e foi em frente novamente, colocou sua luz, mas não havia nada visível, apenas as pegadas não naturais.

O inspetor trouxe o feixe de luz vividamente claro em cima do primeiro degrau, havia algo pequeno, em movimento. O inspetor inclinou-se para olhar, o policial e eu com ele. Eu não quero enojar-lhe; mas o que nós olhamos era uma larva. O policial recuou, repentinamente, para fora da porta:

'O adro da igreja', disse ele, '... na parte de trás da casa'.

'Silêncio!', disse Johnstone, com uma quebra estranha na palavra, sabia que, finalmente, ele estava assustado. Ele colocou sua lanterna na porta, iluminou degrau por degrau, seguindo as pegadas para a escuridão; então, recuou da porta de entrada e todos nós recuamos com ele. Olhava ao redor e tinha a sensação de que estava procurando por uma arma.

'Sua arma', disse ao senhorio, ele a trouxe e passou para o inspetor, que a levou e ejetou o cartucho vazio do cano direito. Ele estendeu sua mão por um cartucho novo, que o senhorio trouxe em seu bolso. Carregou a arma, encaixou a culatra e virou para o policial:

'Vamos lá', disse ele, e foi em direção à entrada do porão.

'Eu não vou, senhor', disse o policial, muito pálido.

Com uma súbita chama de paixão, o inspetor levou o homem pelo colarinho e o atirou para a escuridão, ele foi para baixo, gritando. O inspetor o seguiu, instantaneamente, com sua lanterna e a arma; eu fui depois do inspetor, com a baioneta pronta. Atrás de mim, ouvi o senhorio.

Ao fundo das escadas, o inspetor estava ajudando o policial a ficar em pé, ele ficou balançando por um momento, em um modo desorientado; depois, o inspetor entrou no porão da frente e seu homem o seguiu de forma estúpida; mas, evidentemente, sem tempo de fugir do horror.

Todos nós nos amontoamos no porão da frente, balançando nossas luzes para frente e para trás. O inspetor Johnstone estava examinando o piso e vi que as marcas iam ao redor do porão, por todos os cantos e do outro lado do piso. Pensei, de repente, na criança que estava correndo para longe de alguma coisa. Você enxerga a coisa que estava vendo vagamente?

Saímos do porão rapidamente, pois não havia nada para ser encontrado. No porão seguinte, as pegadas estavam por todos os lados de um modo erraticamente estranho, como de alguém procurando por algo ou seguindo algum cheiro cego.

No terceiro porão, as impressões terminaram no poço raso que tinha sido o antigo abastecimento de água da casa. O poço estava cheio até a borda e a água tão clara que o fundo do seixo estava à vista. A busca chegou a um fim abrupto e nós ficamos de pé sobre o poço, olhando um para o outro, num silêncio absoluto e horrível.

Johnstone fez outro exame das pegadas; colocou sua luz, novamente, nas águas claras e rasas vasculhando cada centímetro do fundo, mas não havia nada ali. A porão estava cheio do cheiro horrível e todos permaneceram em silêncio, exceto pela constante rotação das lâmpadas de um lado e para o outro ao redor do porão.

O inspetor olhou para cima a partir de sua busca no poço e acenou, calmamente, para mim. O cheiro no porão parecia crescer mais horrível e era, por assim dizer, uma ameaça – a expressão material de que alguma coisa monstruosa estava lá, invisível.

'Acho que...', começou o inspetor e brilhou sua luz em direção à escadaria; a contenção do policial foi total e ele correu para as escadas, fazendo um som estranho na sua garganta.

O senhorio seguiu, em uma rápida caminhada, depois o inspetor e eu. Ele esperou um único instante por mim e nós subimos juntos, pisando nos mesmos passos, com nossas luzes retidas. No topo, bati e tranquei a porta da escada, limpei a minha testa e minhas mãos estavam tremendo.

O inspetor me pediu para dar um copo de uísque para o seu homem e, então, mandou-o para sua batida. Ele ficou por pouco tempo e foi combinado que se juntaria a nós, novamente, na noite seguinte para observarmos o poço da meia-noite até o amanhecer. Então, ele nos deixou assim que o amanhecer foi entrando. O senhorio e eu trancamos a casa e fomos para a casa dele para dormir.

À tarde, o senhorio e eu voltamos para casa para fazer os preparativos para à noite. Ele estava muito quieto e senti que ele estava mais confiante, agora, que tinha 'sarado', por assim dizer, do seu susto da noite anterior.

Abrimos todas as portas e janelas, ventilamos a casa e, enquanto isso, acendemos as lâmpadas e as levamos para os porões, onde as colocamos em tudo, para ter luz em todos os lugares. Carregamos para baixo três cadeiras e uma mesa e as colocamos no porão onde o poço foi cavado. Depois disso, estendemos uma fina corda de piano através do porão, a cerca de nove polegadas do chão, a uma altura que pegaria qualquer coisa que se movesse no escuro.

Quando isso foi feito, passei pela casa com o senhorio, selamos todas as janelas e portas do local, exceto a porta da frente e a no topo da escada do porão.

Enquanto isso, um telefonista local estava fazendo algo que solicitei; quando o senhorio e eu tínhamos terminado o chá em sua casa, descemos para ver como o ferreiro estava se saindo e encontramos a coisa completa. Parecia uma gaiola de papagaio enorme, sem fundo, de arame de bitola muito pesada, tinha sete pés de altura e quatro de diâmetro. Felizmente, havia lembrado de fazê-la em duas metades ou, então, nós nunca conseguiríamos passar pelas portas e descer a escadaria do porão.

Disse ao ferreiro para trazer a gaiola até a casa, então, ele poderia encaixar as duas metades juntas. Quando voltamos, chamei em uma ferrageira, onde comprei uma corda de cânhamo fina e uma roldana de ferro, como as utilizadas em Lancashire para o transporte das estantes de teto, que você encontrará em todos os chalés. Comprei, também, um par de forquilhas.

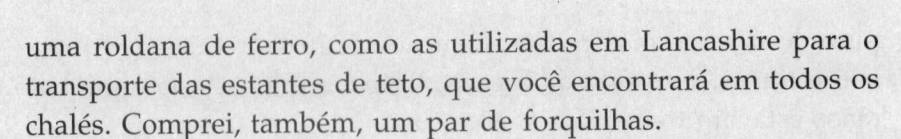

'Não vamos querer tocar', disse ao senhorio; e ele acenou com a cabeça, bastante branca, de uma só vez.

Assim que a gaiola chegou e foi montada no porão, mandei o ferreiro embora; o senhorio e eu a suspendemos sobre o poço, no qual se encaixou facilmente. Depois de muitos problemas, conseguimos pendurá-la tão perfeitamente no centro da corda sobre a polia de ferro, que quando içada até o teto e solta, caía certeiramente a cada vez que mergulhava no poço, como um extintor de velas. Quando, finalmente, a arranjamos, levantei-a mais uma vez, para uma posição pronta e fiz com que a corda ficasse amarrada a um pesado pilar de madeira, que ficava no meio do porão.

Às 10 horas, tinha tudo arranjado, com as duas forquilhas e as duas lanternas da polícia; também, um pouco de whisky e sanduíches. Debaixo da mesa, havia vários baldes cheios de desinfetante.

Um pouco depois das 11 horas, houve uma batida na porta da frente e, quando atendi, encontrei o inspetor Johnstone e um de seus homens, à paisana. Você vai entender o quanto estava feliz por ver que haveria essa adição para a nossa vigília; pois parecia um homem duro, calmo, inteligente e recolhido; um tipo ideal para nos ajudar com o trabalho horrível que tinha certeza de que teríamos naquela noite

Quando o inspetor e o detetive entraram, fechei e tranquei a porta da frente; então, enquanto o inspetor segurava a luz, selei a porta com fita adesiva e cera. À frente da escada do porão, fechei e tranquei aquela porta também, selei da mesma forma.

Ao entrarmos no porão, avisei Johnstone e seu homem para terem cuidado para não tropeçar sobre os fios; então, como vi sua surpresa nos meus arranjos, comecei a explicar minhas ideias e intenções a todos, as quais eles ouviram com forte aprovação. Fiquei satisfeito de ver que o detetive estava balançando a cabeça, demonstrando que apreciou todas as minhas precauções.

Ao colocar sua lanterna no chão, o inspetor pegou uma das forquilhas e equilibrou na mão; olhou para mim e acenou com a cabeça.

'A melhor coisa', disse ele. 'Eu só queria que você tivesse mais duas'.

Então, todos tomamos nossos assentos e o detetive foi buscar uma banqueta no canto do porão. A partir daí, até um quarto para meia noite, conversamos calmamente, enquanto fazíamos uma ceia leve de uísque e sanduíches; depois disso, limpamos tudo da mesa, exceto as lanternas e as forquilhas. Uma destas últimas, entreguei ao inspetor; a outra, eu mesmo peguei, então, tendo de colocar minha cadeira de modo a ficar com à mão na corda que abaixava a gaiola no poço, fui até o porão e apaguei todas as lâmpadas.

Eu apalpei meu caminho até minha cadeira, arranjei a forquilha e a lanterna escura perto da minha mão; sugeri que todos devessem manter um silêncio absoluto durante toda a vigília. Pedi, também, que nenhuma lanterna fosse acesa, até que desse a palavra.

Coloquei meu relógio na mesa, onde um leve brilho da minha lanterna me fez ver o tempo. Por uma hora, nada aconteceu e todos guardaram um silêncio absoluto, exceto por uns movimentos ocasionais de desconforto.

Por volta da 1:30 hs, no entanto, estava consciente do mesmo nervosismo extraordinário e peculiar que tinha sentido na noite anterior. Estendi minha mão e aliviei a corda engatada em volta do pilar. O inspetor parecia consciente do movimento, pois vi a luz fraca de sua lanterna mexer um pouco como se, de repente, ele tivesse se apoderado dela, em prontidão.

Um minuto depois, notei que houve uma mudança na cor da noite no porão, que cresceu, lentamente, manchada de violeta sobre os meus olhos. Olhava de um lado para o outro na nova escuridão até que estava consciente de que a cor violeta se aprofundava. Na direção do poço, mas parecendo estar a uma grande distância, havia, por assim dizer, um núcleo para a mudança, o qual veio, rapidamente, em nossa direção parecendo vir de um grande espaço, quase em um único momento. Chegou perto e vi, novamente, que era uma criança um pouco nua, correndo, parecendo correr da violeta da noite.

A criança veio com um movimento natural de corrida, exatamente como a descrevi anteriormente; mas em um silêncio tão peculiarmente intenso que era como se trouxesse o silêncio junto. Cerca da metade do caminho entre o poço e a mesa, a criança virou rapidamente e olhou para trás, para algo invisível para mim; de repente, ela caiu em um atitude de agachamento, parecia estar escondendo-se atrás de algo que se mostrava vagamente; mas não havia nada lá, exceto o chão vazio do porão; nada, quero dizer, do nosso mundo.

Eu podia ouvir a respiração dos outros três homens com uma maravilhosa distinção e o ticar do meu relógio sobre a mesa, que parecia soar tão alto e tão lento como o tique de um velho relógio de avô. De alguma forma, soube que nenhum dos outros viu o que estava vendo.

Abruptamente, o senhorio, que estava ao meu lado, soltou seu fôlego com um pequeno som sibilante; sabia, então, que algo era visível para ele. Veio um rangido da mesa e tive um pressentimento de que o inspetor estava inclinado para frente, olhando para algo que não consegui ver. O senhorio estendeu a mão através da escuridão e se atrapalhou para pegar meu braço:

'A mulher!', sussurrou. 'Junto ao poço'.

Olhei naquela direção; mas não vi nada, exceto que a cor violeta do porão parecia um pouco mais embotada ali.

Olhei, rapidamente, para o lugar vago onde a criança estava escondida. Vi que ela estava espreitando de volta de seu esconderijo. De, repente ela se levantou e correu direto para o meio da mesa. Enquanto a criança corria sob a mesa, os dentes de aço da minha forquilha eram vislumbrados com uma luz violeta e flutuante. Um pequeno caminho lá no alto da escuridão, o brilho vago do esboço do outro garfo, então, sabia que o inspetor tinha levantado a mão, pronta. Não havia dúvida de que ele viu algo. Sobre a mesa, o metal das cinco lanternas brilhava com o mesmo brilho estranho; sobre cada lanterna havia uma pequena nuvem de escuridão absoluta, o fenômeno natural que é a luz para os nossos olhos, veio através dos encaixes e, nesta completa escuridão, o metal de cada lanterna mostrava a planície como um olho de gato em um ninho de lã de algodão preto.

Através da mesa, a criança fez uma nova pausa e ficou em pé, parecia oscilar um pouco sobre seus pés, o que deu a impressão de que era mais leve e vago; ainda assim, nesse mesmo momento, outra parte de mim parecia saber que, além de espesso, era invisível como vidro, sujeito a condições e forças que não fui capaz de compreender.

A criança estava olhando para trás, novamente, e meu olhar foi na mesma direção. Olhei para o porão e vi a gaiola pendurada no clarão da luz violeta; acima dela havia um pequeno espaço de escuridão e o brilho do braço da polia de ferro que tinha enroscado no teto.

Olhava de forma desconcertada ao redor do porão; de repente, lembrei-me da corda de piano que o senhorio e eu havíamos esticado. Mas, não havia mais nada para ser visto, exceto que perto da mesa houve vislumbres indistintos de luz e, no final, o esboço de um revólver incandescente, evidentemente no bolso do detetive. Lembro-me de uma espécie de satisfação subconsciente quando me acomodei no ponto de uma forma estranhamente automática. Em cima da mesa, perto de mim, havia uma pequena coleção disforme de luz; e sabia, depois de um instante de consideração, ser as porções de ferros da minha vigília.

Eu tinha olhado várias vezes para a criança e ao redor do porão enquanto estava decidido sobre essas trivialidades; e ainda a tinha encontrado nessa atitude de esconder-se de alguma coisa. Mas, agora, de repente, ela correu longe e nada mais era do que um pequeno núcleo colorido mais profundo, longe, na cor estranha da atmosfera.

O senhorio deu um gritinho esquisito, virou-se contra mim como se quisesse evitar algo. Do inspetor, veio um som agudo de respiração, como se tivesse sido, de repente, encharcado com água fria. Então, a cor violeta saiu na noite e estava consciente da proximidade de algo monstruoso e repugnante.

Havia um silêncio tenso e a escuridão do porão parecia absoluta, apenas com o brilho tênue sobre cada uma das lanternas sobre a mesa. Então, na escuridão e no silêncio, lá veio um leve tilintar da água do poço, como se algo estivesse saindo da água e ela estava mexendo-se com um suave barulho. No mesmo instante, de repente, veio a mim uma baforada do cheiro horrível.

Dei um forte grito de alerta ao inspetor e soltei a corda. Vieram, instantaneamente, os salpicos da gaiola entrando na água; então, com um movimento rígido e assustado, abri o obturador da minha lanterna e brilhava a luz na gaiola, gritando aos outros para fazer o mesmo.

Quando minha luz atingiu a jaula, vi que havia algo saliente para fora da água e dentro da gaiola. Olhava, com um sentimento que reconheci a coisa e, então, como as outras lanternas estavam abertas, vi que era uma perna de carneiro. A coisa foi segurada por um punho e um braço musculoso, que a levantou da água. Eu fiquei de pé, totalmente desnorteado, olhando para ver o que estava por vir. Em um momento, apareceu um grande rosto barbado que senti, por um instante, ser o rosto de um homem afogado, há muito tempo morto. Então, o rosto mostrou-se na parte da boca, salpicou e tossiu. Outra grande mão apareceu e limpou a água dos olhos, piscou rapidamente e, depois, se fixaram em um olhar nas luzes.

Do detetive veio um grito repentino:

'Capitão Tobias!', gritou ele, e o inspector fez-lhe eco; instantaneamente, irromperam ruídos estrondosos de riso.

O inspector e o detetive correram pelo porão até a gaiola. O homem na jaula estava segurando a perna de um carneiro o mais distante possível dele e segurando seu nariz.

'Levantem a armadilha do poço, rápido!', ele gritou em voz abafada; mas, o inspector e o detetive, simplesmente, dobraram diante dele, tentaram segurar o nariz, enquanto riam, as luzes de suas lanternas ficaram balançando por todo o lado.

'Rápido! rápido!', disse o homem na gaiola, ainda segurando o nariz e tentando falar francamente.

Então, Johnstone e o detetive pararam de rir e levantaram a gaiola. O homem no poço jogou a perna através do porão, os oficiais também estavam apressados e o ajudaram a sair em um piscar de olhos. Enquanto eles o seguraram, pingando no chão, o inspetor mexeu o polegar na direção da perna arremessada e o senhorio, arpoando-a com uma das forquilhas, correu com ela lá em cima e, assim, ao ar livre.

Enquanto isso, tinha dado ao homem do poço um uísque; pelo qual ele me agradeceu com um aceno alegre e, tendo esvaziado o copo com um trago, levou sua mão para a garrafa, que ele terminou como se fosse água.

Como você deve se lembrar, o capitão Tobias tinha sido o inquilino anterior; e este era o próprio homem que tinha aparecido no poço. No decorrer da conversa que se seguiu, compreendi o motivo da saída do capitão Tobias da casa; ele era procurado pela polícia por contrabando. Ele havia sido submetido à prisão e tinha sido libertado há apenas algumas semanas.

Ele havia retornado para encontrar novos inquilinos em sua antiga casa. Ele tinha entrado na casa através do poço, cujas paredes não continuavam até o fundo (vou lidar com isso mais tarde); subido por uma pequena escadaria na parede do porão, que se abria na parte superior através de um painel ao lado do quarto da minha mãe. Este painel era aberto girando a fechadura da porta do quarto para a esquerda e o resultado é que a porta do quarto sempre ficava destravada no processo de abertura do painel.

O capitão reclamou, sem amargura alguma, que o painel tinha empenado e que cada vez que ele o abria, fazia um ruído de rachadura. Isto tinha sido, evidentemente, o que confundi com as batidas. Ele não deu sua razão para entrar na casa; mas ficou bastante óbvio que tinha escondido algo que queria resgatar. No entanto, como achou impossível entrar na casa sem o risco de ser pego, decidiu tentar nos expulsar, confiando na má reputação da casa e em seus próprios esforços artísticos como um fantasma. Vamos dizer que ele conseguisse. Ele pretendia, então, alugar a casa novamente, como antes; e teria, então, bastante tempo para pegar o que havia escondido. A casa lhe convinha admiravelmente, pois havia uma passagem - como ele me mostrou depois - conectando o poço fictício com a cripta da igreja além o muro do jardim; estes, por sua vez, estavam ligados com certas cavernas nas falésias, que desciam para a praia além da igreja.

No decorrer da conversa, o capitão Tobias ofereceu-se para tomar a casa das minhas mãos e, como isto me convinha perfeitamente, pois estava paralisado com a situação e o plano, também, adequava-se ao senhorio, estava decidido que não deveriam ser tomadas medidas contra ele e que todo o negócio deveria ser abafado.

Eu perguntei ao capitão se, realmente, havia algo de estranho sobre a casa; se já tinha visto alguma coisa. Ele disse que sim, que tinha visto duas vezes uma mulher passeando pela casa. Nós todos olhamos uns para os outros. Ele nos disse que ela nunca o incomodou e que só a tinha visto duas vezes.

O capitão Tobias era um homem observador; tinha me visto colocar os tapetes contra as portas e, depois de entrar nos quartos e caminhar sobre eles, de modo a deixar as marcas de um velho par de chinelos de lã molhados por toda parte, tinha, deliberadamente, colocado os tapetes de volta, assim como os havia encontrado.

A larva que havia caído de sua nojenta perna de carneiro tinha sido um acidente, além de seu horrível planejamento. Ele ficou enormemente encantado em saber como isso nos afetou.

O cheiro de bolor que tinha notado era da escadaria fechada, quando o capitão abriu o painel. O batente da porta foi também outra de suas contribuições.

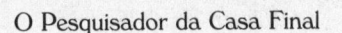

Chego, agora, ao fim da peça de fantasmas do capitão e à dificuldade de tentar explicar as outras coisas peculiares. Em primeiro lugar, era óbvio que havia algo genuinamente estranho na casa; que se manifestou como a mulher. Muitas pessoas diferentes tinham visto essa mulher, sob diferentes circunstâncias, então, é impossível colocar a coisa, de fato; ao mesmo tempo, deve parecer extraordinário que tenha vivido dois anos na casa e não tenha visto nada, enquanto o policial viu a mulher antes que ele estivesse lá por 20 minutos; o senhorio, o detective e o inspector viram-na também.

Eu só posso supor que o medo era, em todos os casos, a chave. O policial era um homem muito forte e, quando ficou assustado, pôde ver a mulher. O mesmo raciocínio se aplica a todos ao redor. Eu não vi nada até ficar realmente assustado; então vi, não a mulher, mas uma criança fugindo de alguma coisa ou de alguém. No entanto, vou tocar nisso mais tarde. Rapidamente, até que um grau de medo muito forte estivesse presente, ninguém estava afetado pela força que se fez evidente como a mulher. Minha teoria explica por que alguns inquilinos nunca tiveram conhecimento de nada estranho na casa, enquanto outros saíram imediatamente. Quanto mais sensíveis eram, menos seria o grau de medo necessário para conscientizá-los sobre a força presente na casa.

O brilho peculiar de todos os objetos metálicos do porão tinha sido somente visível para mim. A causa, naturalmente, não sei; nem sei por que é que, sozinho, fui capaz de ver o brilho.

'A criança', perguntei. 'Você pode explicar essa parte de alguma forma? Porque você não viu a mulher e porque eles não viram a criança. Será que foi apenas a mesma força parecendo diferente para as pessoas?'

'Não', disse Carnacki, 'Eu não posso explicar isso. Mas, tenho certeza de que a mulher e a criança não eram apenas duas completas e diferentes entidades, mas, que cada uma delas não estava nos mesmos planos de existência'.

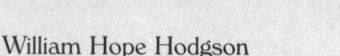

Para dar-lhe uma ideia básica, no entanto, ela é realizada na Sigsand MS. que uma criança 'natimorta' é 'sequestrada de volta pela bruxa'. Isto é grosseiro, mas pode, ainda, conter uma verdade elementar. No entanto, antes de deixar isso mais claro, deixe-me dizer-lhe um pensamento que tem sido, muitas vezes, feito. Pode ser que o nascimento físico seja apenas um processo secundário e que, antes da possibilidade, o espírito mãe procura até encontrar o pequeno elemento - o ego primordial ou a alma da criança. Pode ser que uma certa imprevisibilidade faça com que tais evitem a captura pelo espírito mãe. Pode ter sido tal coisa como esta, que vi. Eu sempre tentei pensar assim, mas é impossível ignorar a sensação de repulsa que sentia quando a mulher invisível passava por mim. Esta repulsa leva adiante a ideia sugerida na Sigsand MS, de que um natimorto é assim porque seu ego ou espírito foi arrancado de volta pelas "bruxas". Em outras palavras, por algumas das Monstruosidades do Círculo Externo. O pensamento é inconcebivelmente terrível. Deixa-nos com a concepção da alma de uma criança, à deriva, no meio do caminho entre duas vidas e correndo através da eternidade a partir de algo incrível e inconcebível (porque não entendido) aos nossos sentidos.

A coisa não se discute mais, pois é inútil tentar discutir uma coisa para qualquer propósito do qual se tenha conhecimento tão fragmentário como esta. Há um pensamento, que muitas vezes é meu. Talvez haja um espírito mãe...".

"E o poço?", disse Arkwright. "Como o capitão entrou do outro lado?"

"Como disse antes", respondeu Carnacki. "As paredes laterais dele não chegam ao fundo, de modo que você só tinha que mergulhar para baixo da água e voltar a subir do outro lado da parede, debaixo do chão do porão e subir para a passagem. Claro, a água tinha a mesma altura em ambos os lados das paredes. Não me pergunte quem fez a entrada do poço ou a pequena escadaria; pois não sei. A casa era muito antiga, como já lhe disse; e esse tipo de coisa era útil nos velhos tempos".

"E a criança", disse, voltando à coisa que principalmente me interessava. "Você diria que o nascimento deve ter ocorrido naquela casa e, desta forma, pode-se supor que a casa tenha se tornado sua relação, se puder usar a palavra dessa maneira, com as forças que produziram a tragédia?"

"Sim", respondeu Carnacki. "Isto é, supondo que pegamos a sugestão da Sigsand MS. Para dar conta do fenômeno."

"Pode haver outras casas...", comecei.

"Há", disse Carnacki; e se levantou.

"Já estão indo?", disse ele, genialmente, usando a fórmula reconhecida. E, em cinco minutos, estávamos no Aterro, indo pensativos para as nossas várias casas.

A Sala do Assobio
por William Hope Hodgson

CARNACKI sacudiu um punho amigo para mim quando entrei, tarde. Então, ele abriu a porta para a sala de jantar e entramos, quatro de nós - Jessop, Arkright, Taylor e eu - para jantar.

Jantamos bem, como sempre e, igualmente, Carnacki estava bastante silencioso durante a refeição. No final, pegamos nosso vinho e charutos e fomos para nossas posições habituais, o Carnacki – sentado confortável em sua grande cadeira - começou sem nenhuma preliminar:-

"Acabei de voltar da Irlanda", disse ele. "E achei que vocês estariam interessados em ouvir minhas novidades. Além disso, gostaria de ver a coisa mais clara, depois de contar tudo diretamente. Devo dizer-lhes isto, no entanto, no início – até o presente momento, tenho estado total e completamente perplexo. Eu caí em um dos casos mais peculiares de 'assombração' - ou alguma coisa diabólica - Agora ouçam.

Tenho passado as últimas semanas no Castelo de Iastrae, cerca de vinte milhas a nordeste de Galway. Recebi uma carta um mês atrás, de um Sr. Sid K. Tassoc, que parecia ter comprado o lugar recentemente e se mudado para lá, só para descobrir se tinha comprado uma propriedade muito peculiar.

Quando cheguei lá, ele me encontrou na estação, dirigindo um carro de passeio, levou-me até o castelo que, a propósito, chamou de uma 'favela de casa'. Descobri que ele estava 'limpando' o local com seu irmão e outro americano, que parecia ser meio-criado e meio-companheiro. Parece que todos os criados tinham deixado o lugar, em conjunto, como poderia dizer, e agora eles estavam administrando sozinhos, auxiliados por alguns diaristas.

Os três se juntaram a uma rápida refeição e Tassoc me disse tudo sobre os problemas enquanto estávamos na mesa. O castelo é, em sua maioria, extraordinário, diferente de tudo o que já tive que lidar; embora aquele zumbido também seja muito estranho.

Tassoc começou bem no meio da sua história. 'Nós temos um quarto nesta favela', disse ele, 'que tem um assobio infernal nele; tipo assombroso. A coisa começa a qualquer momento; você nunca sabe quando e continua até assustá-lo. Todos os criados foram embora, como você sabe. Não é um assobio comum e não é o vento. Espere até você ouvir'.

'Estamos todos carregando armas', disse o garoto; e deu um tapa no bolso do seu casaco.

'É tão ruim assim?', disse; e o rapaz mais velho acenou com a cabeça. 'Pode ser brando', respondeu ele; 'mas, espere até que você o tenha ouvido. Às vezes, acho que é uma coisa infernal e no momento seguinte, estou certo de que alguém está pregando uma peça em mim'.

'Por quê?', perguntei. 'O que se ganha?'

'Você quer dizer', ele disse, 'que as pessoas, normalmente, têm alguma razão boa para pregar peças tão elaboradas como esta. Bem, vou lhe dizer. Há uma jovem nesta província com o nome de Srta. Donnehue, que vai ser minha esposa, nestes dias, em dois meses. Ela é mais linda do que dizem dela e, até onde posso ver, só enfiei minha cabeça em um ninho de vespas irlandesas. Há cerca de uma dúzia de jovens irlandeses belos cortejando-a nesses dois anos e agora que apareci, eles se sentem brutos contra mim. Você começa a entender as possibilidades?'

'Sim', disse. 'Talvez faça ideia de uma forma vaga; mas não vejo, como tudo isso afeta a sala...'

'Assim', disse ele. 'Quando me enamorei da Srta. Donnehue, procurei um lugar e comprei esta casinha favelada. Depois, disse

A Sala do Assobio

a ela - uma noite durante o jantar, que tinha decidido organizar aqui. Então, ela me perguntou se não estava com medo da sala de assobios. Eu disse a ela que deve ter sido jogado de graça, pois não ouvi nada sobre isso. Havia alguns de seus amigos homens presentes e vi sorrisos ao redor. Descobri, depois de um pouco de questionamento, que várias pessoas compraram este lugar durante os últimos vinte e tantos anos. E sempre esteve no mercado novamente, depois de um julgamento.

'Bem, os rapazes começaram a me tentar um pouco, fizeram apostas, depois do jantar, dizendo que eu não ficaria seis meses no lugar. Olhei uma ou duas vezes à Srta. Donnehue, para ter certeza de que estava 'recebendo aprovação' daquele papo furado; mas pude ver que ela não levou como uma piada, de jeito nenhum. Em parte, acho que foi porque houve um pouco de combate na maneira como os homens estavam me enfrentando e, em parte, porque ela, realmente, acredita que há algo na Sala de Assobios.

Entretanto, depois do jantar, fiz o que pude para equilibrar as coisas com os outros. Preguei todas as apostas deles e as fixei com força e segurança. Acho que alguns deles vão ser duramente atingidos, a não ser que eu perca; o que não pretendo fazer. Bem, aí você tem praticamente todo o fio da história'.

'Não exatamente', disse a ele. 'Tudo o que sei é que você comprou um castelo com uma sala que, de alguma forma, é estranha e que você tem feito algumas apostas. Além disso, sei que os seus criados se assustaram e fugiram. Diga-me algo sobre o assobio?'

'Oh, isso!', disse Tassoc; 'Isso começou na segunda noite em que estávamos aqui. Tinha dado uma boa olhada na sala durante o dia, como você pode entender; a conversa em Arlestrae - a casa de Srta. Donnehue - me fez pensar um pouco. Mas, parece tão normal quanto algumas das outras salas da velha ala, talvez, só um pouco mais solitária. Mas, isso pode ser apenas por causa da conversa sobre isso, você sabe.

O assobio começou por volta das 10 horas, na segunda noite, como disse. Tom e eu estávamos na biblioteca quando ouvimos um horrivelmente estranho assobio vindo ao longo do corredor leste - a sala está na ala leste, você sabe.

'Esse é o abençoado fantasma!', disse ao Tom e nós pegamos as lâmpadas da mesa e subimos para dar uma olhada. Lhes digo, mesmo enquanto caminhávamos ao longo do corredor, secou-me um pouco a garganta, foi tão bestialmente estranho. Era uma espécie de melodia, de certa forma; porém, mais como se fosse um diabo ou como se alguma coisa podre estivesse rindo de você e indo para ficar ao redor das suas costas. É assim que você sente.

Quando chegamos à porta, não esperamos; nos apressamos em abri-la e, então, digo que o som da coisa me atingiu bastante no rosto. Tom disse que sentia da mesma forma - meio atordoado e desconcertado. Nós olhamos para todos os lados, ficamos tão nervosos, que acabamos saindo e tranquei a porta.

Sentamos ali e tínhamos uma cavilha rígida cada um. Depois, nos recuperamos e começamos a pensar que tínhamos sido bem recebidos. Então, pegamos os paus e fomos para os campos pensando que, afinal de contas, devem ser alguns desses irlandeses confusos pregando o truque do fantasma sobre nós. Mas, não havia ninguém.

Voltamos para dentro de casa e caminhamos até ele, então, fizemos outra visita ao quarto. Mas, simplesmente, não conseguimos suportar. Saímos correndo e trancamos a porta novamente. Eu não sei como colocar isso em palavras; mas, tinha a sensação de estar enfrentando algo que era podre de perigoso. Você sabe! Nós carregamos nossas armas desde então.

É claro que fizemos uma verdadeira reviravolta na sala no dia seguinte e em toda casa, até caçamos em volta dos campos; mas não havia nada de estranho. Agora, não sei o que pensar; exceto que a parte sensata de mim diz que é algum plano desses irlandeses selvagens para tentar tirar as apostas de mim'.

'Fez alguma coisa desde então?', perguntei a ele.

'Sim', ele disse -'vigiei do lado de fora da porta da sala à noite e procurei ao redor dos campos, escutei as paredes e o piso da sala. Fizemos tudo o que podíamos pensar; e está começando a nos enervar; então, mandamos chamar você'.

Com isto, tínhamos acabado de comer. Quando nos levantamos da mesa, Tassoc gritou, de repente: 'Ssh! Escuta!'.

Nós ficamos, instantaneamente, em silêncio, ouvindo. Então, eu ouvi um extraordinário assobio profundo, monstruoso e desumano vindo de longe, através dos corredores à minha direita.

'Por Deus!', disse Tassoc; 'e ainda está pouco escuro! Peguem essas velas, vocês dois e venham comigo'.

Em alguns segundos, estávamos todos fora da porta e correndo para cima, nas escadas. Tassoc virou um longo corredor e nós o seguimos, protegendo nossas velas enquanto corríamos. O som parecia preencher toda a passagem enquanto nos aproximávamos, até ter a sensação de que todo o ar pulsou sob o poder de alguma força imensa – uma sensação de uma monstruosidade real, como você poderia dizer, de monstruosidade sobre nós.

Tassoc destrancou a porta; depois, dando-lhe um empurrão com o pé, pulou para trás e sacou seu revólver. Enquanto a porta voava, o som nos espancou com um efeito impossível de explicar a alguém que não o ouviu - com uma certa e horrível nota pessoal; como se lá dentro, na escuridão, você pudesse imaginar a sala balançando e rangendo em um brilho louco e vil para suas próprias tubulações imundas, assobiar e içar. Ficar ali e ouvir era estar atordoado com a realização. Foi como se alguém mostrasse a boca de um vasto poço e dissesse: - Isso é o inferno. E você sabia que tinha falado a verdade. Você entendeu, mesmo que um pouco?

Recuei um passo para dentro da sala, segurei a minha vela acima da cabeça e olhei, rapidamente, ao redor. Tassoc e seu irmão se juntaram a mim, o homem veio atrás e todos nós seguramos nossas velas no alto. Fiquei ensurdecido com a estridência, a força do assobio; depois, claro no meu ouvido, algo parecia dizer: 'Saiam daqui! - Rápido! Rápido!'.

Como vocês sabem, nunca negligencio esse tipo de coisa. Às vezes, pode não ser nada além de nervosismo; mas, como vocês vão se lembrar, foi um aviso que me salvou no caso do 'Cão Cinzento' e nos Experimentos 'Dedo Amarelo'; assim como em outros tempos. Bem, virei-me para os outros: 'Fora!', disse. 'Pelo amor de Deus, saiam rápido'. E, num instante, eu os tinha na passagem.

Veio um grito extraordinário no meio do horrível assobio e, depois, como um estrondo de trovão, um silêncio total. Bati a porta e a tranquei. Então, pegando a chave, olhei para os outros. Eles estavam bem brancos e imagino que eu também estava. E lá ficamos por um momento, silenciosos.

'Saia daí e tome um pouco de uísque', disse Tassoc, finalmente, em uma voz que tentou ser comum e liderou o caminho. Eu era o homem de trás e sei que todos nós ficamos olhando pelos nossos ombros. Quando descemos as escadas, Tassoc passou a garrafa a todos. Ele tomou um gole e derrubou o copo na mesa. Em seguida, sentou-se com um baque.

'Isso é uma coisa linda de se ter em casa com você, não é mesmo!', disse ele. E, logo em seguida: 'O que na terra agitou todos nós assim, Carnacki?'.

'Algo parecia estar me dizendo para sair rápido', disse. 'Soa um pouco bobo, supersticioso, eu sei; mas quando você está mexendo com esse tipo de coisa, você tem que levar em conta os fatos estranhos e arriscar, talvez, ser gozado por isso'.

Contei-lhe, então, sobre o negócio do 'Cão Cinzento', ele assentiu muito a isso. 'É claro', disse, 'isso pode não ser nada mais do que aqueles que seriam seus rivais jogando um jogo engraçado; mas, pessoalmente, sinto que há algo de bestial e perigoso nesta coisa'.

Conversamos um pouco mais, então, Tassoc sugeriu jogar bilhar, que jogamos de uma forma bastante sem convicção e o tempo todo, como você pode dizer, ficamos com uma orelha na porta, por assim dizer, por algum som, mas não veio nenhum, mais tarde, depois do café, ele sugeriu ir cedo para cama e fazermos uma revisão completa do quarto no dia seguinte.

Meu quarto estava na parte mais nova do castelo, a porta aberta na galeria de fotos. No extremo leste da galeria estava a entrada para o corredor da ala leste; esta foi fechada da galeria por duas velhas e pesadas portas de carvalho, que pareciam bastante estranhas e pitorescas ao lado das portas mais modernas das várias salas.

Quando cheguei ao meu quarto, não fui para a cama; comecei a desembrulhar meu baú de instrumentos, do qual eu tinha retido a chave. Pretendia dar um ou dois passos preliminares ao mesmo tempo, na minha investigação do extraordinário assobio.

Naquele momento, quando o castelo se instalou no sossego, escorreguei fora do meu quarto e atravessei do outro lado, para a entrada do grande corredor. Abri uma das portas baixas, atarracadas e joguei o facho do holofote de bolso pela passagem. Estava vazia, fui através da porta, empurrando o carvalho atrás de mim. Depois, ao longo da grande passagem, jogando minha luz para frente e para atrás, mantendo o meu revólver à mão.

Eu tinha pendurado um 'cinto de proteção' de alho ao redor do meu pescoço, o cheiro parecia encher o corredor e me dar segurança; pois, como todos sabem, é uma maravilhosa 'proteção' contra as formas mais usuais de semimaterialização de Aeiirii, pelas quais, supostamente, o assobio poderia ser produzido; no entanto, nesse período da minha investigação, estava bem preparado para encontrar alguma causa perfeitamente natural; pois é espantoso o enorme número de casos que nada têm de anormal.

Além de usar o colar, tinha tapado meus ouvidos com alho e, como não pretendia ficar mais do que alguns minutos na sala, esperava estar seguro.

Quando alcancei a porta e coloquei minha mão no bolso para pegar a chave, tive uma repentina sensação repugnante de acovardar-me. Mas, não iria desistir, se pudesse ajudar. Destranquei a porta e girei a maçaneta. Depois, dei um forte empurrão na porta com meu pé, como Tassoc tinha feito e empunhei meu revólver, embora não esperasse ter qualquer uso para ele, realmente.

Brilhei o holofote por toda a sala e, depois, andei por dentro, com uma sensação nojentamente horrível de andar um perigo de espera. Fiquei alguns segundos, esperando, e nada aconteceu, a sala vazia se mostrava nua de canto a canto. Então, você sabe, percebi que a sala estava cheia de um silêncio abominável; você consegue entender isso? Uma espécie de silêncio proposital, tão repugnante quanto qualquer barulho imundo que as coisas têm poder de fazer. Você se lembra do que disse a você sobre aquele negócio do 'Jardim Silencioso'? Bem, esta sala tinha apenas esse mesmo silêncio malévolo - o silêncio animalesco de uma coisa que está olhando para você e não se vê, e pensa que tem você. Oh, reconheci isso instantaneamente e abri a tampa da minha lanterna de modo a ter luz sobre toda a sala.

Então, me preparei, trabalhando com fúria e mantendo o meu olhar sobre mim. Selei as duas janelas com comprimento de cabelos humanos e as lacrei em cada moldura. Enquanto eu trabalhava, uma estranha, pouco perceptível tensão, roubava o ar do lugar e o silêncio parecia, se você pode me entender, crescer mais sólido. Sabia, então, que não tinha nenhum negócio lá sem 'proteção completa'; pois, estava praticamente certo de que isso não era mero desenvolvimento Aeiirii; mas, uma das piores formas, como o Saiitii; como aquele caso do 'Homem Grunhindo' - que você conhece.

Acabei a janela e corri para a grande lareira. Neste caso, é enorme e tem um estranho cadafalso de ferro - acho que eles são ligados, projetando-se da parte de trás do arco. Selei a abertura com sete cabelos humanos de comprimento - a sétima atravessou os outros seis.

Então, quando estava terminando, um assobio baixo, zombador, cresceu na sala. Uma picada fria e nervosa subiu pela minha coluna e ao redor da minha testa, vinda das costas. O som horrível encheu toda a sala com uma extraordinária e grotesca paródia de um humano assobiando, gigantesco demais para ser humano - como se algo grande e monstruoso fizesse os sons, suavemente. Enquanto estava ali um último momento, pressionando o selo final, não tinha dúvidas de que tinha encontrado um daqueles raros e horríveis casos de *Inanimados* reproduzindo as funções dos *Animados*, agarrei a

A Sala do Assobio

minha lâmpada, fui rapidamente para a porta, olhando por cima do meu ombro e ouvindo a coisa que esperava. Veio, apenas enquanto pegava a maçaneta - um guincho de incrível raiva malévola, penetrando através do baixo içamento do assobio. Saí correndo, batendo a porta e trancando-a. Inclinei-me um pouco contra a parede oposta do corredor, sentindo-me estranho; pois havia sido um guincho estreito.... 'Não haverá segurança a ser conquistada pelos guardas da santidade, quando o monastério estiver falando com madeiras e pedras'. Assim, citei a passagem em Sigsand MS. e provei isso nesse negócio da 'Porta da Concordância'. Não há proteção contra essa forma particular de monstro, exceto, possivelmente, por um período fracionário de tempo; pois pode se reproduzir ou levar à sua finalidade o próprio material de proteção que você pode usar e tem o poder de 'forma de dentro do pentagrama'; embora, não imediatamente. Há, é claro, a possibilidade de o Última Linha Desconhecida do Ritual Saaamaaa sendo dita; mas é muito incerto para contar e o perigo é muito hediondo; mesmo assim, não tem poder para proteger por mais do que 'talvez cinco batidas do coração', como o Sigsand tem.

Dentro da sala, havia agora um constante, meditativo, assobio; mas, naquele momento, isso cessou e o silêncio parecia pior; pois há uma tal sensação de maldade oculta em um silêncio.

Pouco mais tarde, selei a porta com os fios de cabelos cruzados e, então, desobstruí a grande passagem até a cama.

Por muito tempo, fiquei acordado e consegui, eventualmente, chegar a algum sono. No entanto, por volta das duas horas, fui acordado pelo assobio da sala vindo até mim, mesmo através das portas fechadas. O som era tremendo e parecia bater através da casa inteira com um sentimento de terror. Como se (lembro-me pensando) algum gigante monstruoso estivesse em um louco carnaval no final dessa grande passagem.

Levantei-me e sentei-me na beira da cama, perguntando-me se deveria ir e dar uma olhada no selo; de repente, veio uma pancada na minha porta e Tassoc entrou, com sua roupa por cima do pijama.

'Pensei que o teria acordado, então vim para ter uma conversa', disse ele. 'Eu não consigo dormir. Que lindo! Não é!'

'Extraordinário!', Eu disse e joguei meu casaco para ele.

Ele acendeu um cigarro e nós conversamos por cerca de uma hora, por todo o tempo que aquele barulho continuou, no final do grande corredor.

De repente, Tassoc se levantou:

'Vamos pegar nossas armas e vamos examinar o bruto', disse ele, e virou-se para a porta.

'Não!', disse. 'Por Júpiter – não! Não posso dizer nada definido ainda; mas, acredito que o quarto é muito perigoso'.

'Assombrado - assombrado de verdade?', perguntou ele, com muita seriedade e sem nenhuma de suas frequentes brincadeiras.

Eu disse a ele, é claro, que não podia dizer um sim ou não definitivo a tal pergunta; mas, que esperava poder fazer uma declaração, em breve. Depois, dei-lhe uma pequena palestra sobre a Falsa Re-Materialização da Força Animada através do Inanimado-Inerte. Ele começou, então, a ver que a coisa particular na sala poderia ser perigosa, se for realmente o tema de uma manifestação.

Cerca de uma hora depois, o assobio cessou, de repente, e Tassoc saiu, novamente, para a cama. Voltei para a minha também e acabei tendo outra augura de sono.

De manhã, fui para a sala. Encontrei os selos na porta, intactos. Então, entrei. A janela selada e os cabelos estavam bem ali, mas o sétimo cabelo em toda a grande lareira tinha sido quebrado. Isso me fez pensar. Sabia que poderia, muito possivelmente, ter partido por tê-lo tensionado muito forte, mas, também, poderia ter sido quebrado por algo. No entanto, era quase impossível que um homem, por exemplo, pudesse passar entre os seis cabelos inquebráveis; pois ninguém sabia sobre eles, entrando na sala dessa maneira, você vê; mas apenas passando por eles, ignorando sua própria existência.

Eu removi os outros cabelos e os selos. Então, olhei para cima, para a chaminé e pude ver o céu azul no topo. Era uma chaminé grande, aberta e livre de qualquer sugestão de esconderijos ou cantos. Mas, é claro, não confiava em nenhum exame tão casual; depois do café da manhã, coloquei meu macacão, subi até o topo, chegando até o fim, sem encontrar nada.

Desci e passei por toda a sala - piso, teto e paredes, mapeando--os em quadrados de seis polegadas, verificando com martelo e sonda. Mas, não havia nada anormal.

Depois, fiz uma busca de três semanas em todo o castelo, da mesma forma, minuciosamente; mas, não encontrei nada. Fui ainda mais longe, então; pois à noite, quando o assobio começou, fiz um teste de microfone. Veja, se o assobio fosse mecanicamente produzido, este teste teria tornado evidente, para mim, o trabalho de algum maquinário se houvesse algum escondido dentro das paredes. Certamente, foi um método de exame atualizado, se você me permite.

Claro, não pensei que algum dos rivais da Tassoc tivesse fixado qualquer artifício mecânico; mas pensei que era possível que houvesse algo para produzir o assobio, feito nos anos atrás, talvez, com a intenção de dar à sala uma reputação que garantisse que ela estivesse livre de gente inquisitiva. Entende o que quero dizer? Bem, é claro, era apenas possível, se este fosse o caso, que alguém soubesse o segredo da maquinaria e estivesse utilizando o conhecimento para jogar esse diabo de brincadeira no Tassoc. O teste do microfone das paredes, certamente, me faria saber isso, como disse; mas não havia nada do tipo no castelo; de modo que, praticamente, não tinha dúvida, agora, que era um caso genuíno do que é popularmente chamado de 'assombroso'.

Todo este tempo, todas as noites e, às vezes, a maior parte de cada noite, o assobio da sala era insuportável. Era como se uma inteligência ali soubesse que medidas estavam sendo tomadas contra ela. Digo a você, foi tão extraordinário quanto horrível. Vez após vez, fui - na ponta dos pés, silenciosamente, com os pés cheios de meias - até a porta selada (pois sempre mantinha a sala fechada). Fui em todas horas da noite e, muitas vezes, o assobio, parecia para mudar para uma nota brutalmente maligna, como se o meio-animado monstro me visse, claramente, através da porta fechada. O tempo todo uivante, o assobio enchia todo o corredor para que me sentisse um precioso sujeito solitário, mexendo por aí com um dos mistérios do inferno.

Todas as manhãs, entrava na sala e examinava os diferentes cabelos e selos. Veja, após a primeira semana, tive cabelos paralelos esticados ao longo das paredes da sala e ao teto; mas, sobre o chão, que era de pedra polida, tinha que colocar pequenas e incolores pastilhas com o lado pegajoso para cima. Cada pastilha foi numerada e elas foram organizadas após um plano definido que deveria ser capaz de rastrear os movimentos exatos de qualquer coisa viva que atravessasse o chão.

Você pode imaginar que nenhum ser ou criatura material poderia entrar naquela sala sem deixar muitos sinais para me dizer sobre isso. Mas, nada foi perturbado e comecei a pensar que deveria ter que arriscar uma tentativa de passar à noite no quarto, no Pentáculo Elétrico. No entanto, lembre-se, sabia que seria uma coisa louca de se fazer; mas estava ficando perplexo e pronto para fazer qualquer coisa.

Uma vez, por volta da meia-noite, quebrei o selo da porta e dei uma rápida olhada lá dentro; mas, digo, a sala inteira deu um louco grito e parecia vir em minha direção, em uma grande onda de sombras, como se as paredes tivessem se dobrado em minha direção. É claro que deve ter sido extravagante. De qualquer forma, o grito foi suficiente, bati a porta e a tranquei, sentindo um arrepio pouco fraco na minha espinha. Você conhece a sensação.

Então, quando tinha chegado a esse estado de prontidão para qualquer coisa, fiz algo como uma descoberta. Foi pela manhã, quando estava andando, lentamente, ao redor do castelo, sobre a grama macia. Tinha vindo sob a sombra da frente leste e, muito acima de mim, podia ouvir o vil assobio da sala, na escuridão da asa não iluminada. Então, de repente, um pouco na minha frente, ouvi a voz de um homem falando baixo, mas, evidentemente em júbilo:

'Por George! Vocês, rapazes; mas eu não gostaria de trazer uma esposa numa casa como essa!', disse ele, no tom de um irlandês culto.

Alguém começou a responder; mas veio uma exclamação afiada e, depois, uma correria, ouvi passos em todas as direções. Evidentemente, os homens tinham me avistado.

Por alguns segundos, fiquei ali, sentindo-me um jumento horrível. Depois de tudo, eles estavam por trás da assombração! Você vê o que um grande tolo me fez parecer? Eu não tinha dúvidas, mas eles eram alguns dos rivais da Tassoc; e estava sentindo em cada osso que tinha alcançado um caso real, ruim e genuíno! Então, você sabe, lá veio a memória de centenas de detalhes que me fez duvidar muito, novamente. De qualquer forma, se fosse natural ou sobrenatural, ainda havia muito a ser esclarecido.

Contei à Tassoc, na manhã seguinte, o que tinha descoberto e, por todas as noites, durante cinco noites, nós mantivemos uma vigília ao redor da ala leste; mas nunca houve sinal de ninguém rondando e, o tempo todo, quase da noite para o amanhecer, o grotesco assobio passava incrivelmente, muito acima de nós, na escuridão.

Na manhã após a quinta noite, recebi um telegrama daqui, o que me trouxe para casa no próximo barco. Expliquei para Tassoc que estava, simplesmente, indo embora por alguns dias; disse-lhe para manter a vigília à volta do castelo. Uma coisa é certa e tive muito cuidado em fazer, fiz ele cumprir uma absoluta promessa de nunca entrar na sala entre o pôr do sol e o nascer do sol. Deixei claro que ainda não sabíamos nada em definitivo e se o quarto fosse o que havia pensado primeiro, poderia ser muito melhor para ele morrer do que entrar nele depois de escurecer.

Quando cheguei aqui e tinha terminado meu negócio, pensei que vocês, meus companheiros poderiam se interessar; também, queria que tudo se espalhasse claramente na minha mente; então, telefonei para vocês. Estou indo amanhã novamente e, quando voltar, devo ter algo bonito e extraordinário para dizer. A propósito, há uma coisa curiosa que me esquecei de dizer. Tentei obter um registro fonográfico do assobio mas, simplesmente, não produziu nenhuma impressão na cera toda. Essa é uma das coisas que tem me feito sentir estranho, posso lhes dizer. Outra coisa extraordinária é que o microfone não vai amplificar o som - nem mesmo transmiti-lo; parece não levar em conta e age como se fosse inexistente. Eu estou absolutamente e totalmente perplexo até hoje. Estou um pouco curioso para ver se alguma de suas queridas cabeças inteligentes pode trazer luz a isso. Eu não posso - ainda não."

Ele se levantou.

"Boa noite a todos", disse ele, e começou a nos conduzir, abruptamente, mas sem ofensa, até a noite.

Uma quinzena depois, ele deixou cair um convite para cada um de nós e você pode imaginar que, desta vez, não estava atrasado. Quando chegamos, Carnacki nos levou direto para o jantar e, quando terminamos e todos se fizeram confortável, ele começou de novo, onde tinha parado da última vez:

"Agora, ouçam calmamente, pois tenho algo bem estranho para lhes dizer. Voltei tarde da noite e tive que caminhar até o castelo, pois não tinha avisado que estava indo. Era um luar brilhante; então, a caminhada foi um prazer, mais do que o contrário. Quando cheguei lá, o lugar todo estava na escuridão e pensei em dar uma volta lá fora, para ver se Tassoc ou seu irmão estavam de guarda. Mas, não conseguia encontrá-los em qualquer lugar e concluí que haviam se cansado disso e tinham ido para a cama.

Ao voltar pela frente da ala leste, escutei o assobio da sala, descendo estranhamente através da quietude da noite. Tinha uma nota estranha, lembro-me que era baixa e constante, estranhamente meditativa. Olhei para a janela brilhante ao luar, tive um pensamento repentino em trazer uma escada do pátio do estábulo e tentar dar uma olhada na sala, através da janela.

Com esta noção, cacei ao redor do fundo do castelo, entre a precariedade dos escritórios e, naquele instante, encontrei uma longa e justa escada leve; embora fosse pesada, finalmente, coloquei-a muito silenciosamente contra uma parede, pouco abaixo da soleira da janela maior. Depois, ainda silenciosamente, subi a escada. Naquele momento, tinha meu rosto acima da soleira e estava olhando sozinho com a luz da lua.

É claro, o assobio estranho soava mais alto lá em cima; mas ainda transmitia aquela peculiar sensação de algo assobiando silenciosamente a si mesmo - você pode entender? Embora, para todas as meditativas sutilezas das notas, a qualidade era horrível e gigantescamente distinta - uma paródia poderosa de humanos, como se estivesse ali e escutasse o assobio dos lábios de um monstro com a alma de um homem.

Então, você sabe, vi algo. O chão no meio da sala enorme e vazia estava enrugado para cima, no centro, num estranho monte de aspecto suave, dividido no topo e que pulsava para aquele grande e suave assobio. Às vezes, enquanto observava, vi a elevação do morro recuado, a fenda através com uma sucção interna estranha, com o desenho de uma enorme respiração; então, a coisa se dilataria e murcharia, mais uma vez, para a melodia incrível. De repente, enquanto olhava, mudo, veio até mim que a coisa estava viva. Estava olhando para dois enormes, enegrecidos lábios, empolados e brutais ali ao pálido luar...

Abruptamente, eles se abatiam para um vasto e amuado monte de força e som, enrijecido e inchado, enormemente maciço e de corte limpo nos feixes da luz da lua. Um grande suor pesava sobre o vasto lábio superior. No mesmo instante, o assobio tinha estourado em uma nota gritantemente louca que parecia me atordoar, mesmo onde estava, do lado de fora da janela. Então, no momento seguinte, estava olhando, vagamente, para o sólido, imperturbável piso da sala - piso de pedra liso e polido, de parede a parede, e houve um silêncio absoluto.

Você pode me imaginar olhando para a sala silenciosa e sabendo o que sabia. Me sentia como uma criança doente, assustada, queria deslizar calmamente, descendo a escada e fugir. Mas, nesse mesmo instante, ouvi a voz de Tassoc me chamando de dentro da sala, por ajuda, ajuda. Meu Deus! Tive um sentimento tão horrível de atordoamento, tinha uma vaga e desnorteada noção de que, afinal, eram os irlandeses que o tinham colocado lá dentro e estavam tirando isso dele. Então, o chamado veio novamente, quebrei a janela e pulei para ajudá-lo. Tinha uma ideia confusa de que a chamada tinha vindo de dentro da sombra da grande lareira e corri até ela; mas, ele não estava lá.

'Tassoc!', gritei, e a minha voz ficou vazia, soando em volta do grande salão; então, num piscar de olhos, sabia que Tassoc nunca havia me chamado. Rodopiei ao redor, doente de medo, em direção à janela e, então, aconteceu, um grito assustador e exultante assobiando irrompeu pela sala. À minha esquerda, a parede do fundo tinha barrigas em minha direção, um par de lábios gigantescos, negros e totalmente monstruosos, a cerca de uma jarda do meu rosto. Atrapalhei-me por um instante, maluco, com meu revólver; não por isso, mas por mim mesmo; pois, o perigo era mil vezes pior do que a morte. Então, de repente, O Ritual da Última Linha Desconhecida do Saaamaaa foi sussurrado de forma bastante audível na sala. Instantaneamente, a coisa aconteceu da mesma forma como já conheci uma vez antes. Houve uma sensação de poeira caindo contínua e monotonamente, sabia que minha vida pendia incerta e suspensa por um flash, em uma breve e atordoada vertigem de coisas invisíveis. Então, isso acabou e sabia que podia viver. Minha alma e meu corpo misturados, novamente, vida e poder, vieram até mim. Atirei-me, furiosamente, pela janela e pulei para fora, de cabeça; pois, posso dizer que deixei de ter medo da morte. Caí na escada, deslizei agarrando e agarrando; assim, cheguei, de uma forma ou de outra, vivo lá embaixo. Lá, sentei-me na grama molhada e macia, com a luz da lua toda em mim; bem acima, pela janela quebrada da sala, havia um baixo assobio.

'Esse é o chefe da coisa. Não estava ferido, fui para a frente, acordei o Tassoc batendo na porta. Quando eles me deixaram entrar, tivemos uma longa conversa, com um bom uísque - fui sacudido em pedaços - expliquei as coisas o máximo que pude, disse a

Tassoc que a sala teria que ser derrubada e cada fragmento dela, queimado em um alto-forno, erguido dentro de um pentagrama. Ele assentiu. Não havia nada a dizer. Então, fui para a cama.

Nós montamos um pequeno exército de trabalhadores e, em dez dias, aquela coisa adorável tinha se evaporado em fumaça, o que sobrou foi calcinado e limpo.

'Quando os operários estavam retirando os painéis, tive uma noção sólida do começo daquela besta desenvolvida. Sobre a grande lareira, depois que os grandes painéis de carvalho tinham sido demolidos, descobri um pergaminho de pedra na alvenaria, com uma inscrição antiga, em antigo celta, e que dizia que naquela sala, Dian Tiansay, um bobo da corte do Rei Alzof, que fez a Canção da Loucura sobre o Rei Ernore do Sétimo Castelo, havia sido queimado.

Quando consegui a tradução clara, dei-a a Tassoc. Ele estava tremendamente animado, pois conhecia a velha história. Ele me levou até a biblioteca para ver um pergaminho antigo e que continha a história em detalhes. Depois disso, descobri que o incidente era bem conhecido no interior, porém, sempre considerado mais como uma lenda do que como uma história. Ninguém parecia, jamais, ter sonhado que a antiga ala leste do Castelo de Iastrae era o que restava do antigo Sétimo Castelo.

Do velho pergaminho, percebi que o Rei Alzof e o Rei Ernore tinham sido inimigos por direito de nascença, como você poderia dizer verdadeiramente; mas, que nada mais do que uma pequena briga tinha ocorrido em ambos os lados durante anos, até que Dian Tiansay fez a Canção de Loucura sobre o Rei Ernore e cantava-a diante do Rei Alzof; ela foi tão apreciada que o Rei Alzof deu ao bobo uma de suas senhoras como esposa.

Naquele momento, todas as pessoas da terra passaram a conhecer a canção e, assim, ela chegou, finalmente, ao Rei Ernore, que estava tão zangado que declarou guerra ao seu velho inimigo, tomou e queimou seu castelo; mas Dian Tiansay, o bobo, teve sua língua arrancada e foi aprisionado na sala na ala leste. A esposa de

Dian foi mantida como uma esposa do rei, quem mantinha uma grande atração por sua beleza.

Mas, uma noite, a esposa de Dian Tiansay não foi encontrada e, pela manhã, descobriram-na morta nos braços do marido e ele sentado, assobiando a Canção da Loucura, pois ele não tinha mais o poder de cantá-la.

Depois, queimaram Dian Tiansay na grande lareira – provavelmente, daquele mesmo 'cadafalso de ferro' que já havia mencionado. Até que morresse, Dian Tiansay não deixou de assobiar a Canção da Loucura. Depois disso, naquela sala, ouvia-se, muitas vezes, à noite, o som de alguma coisa assobiando; um poder cresceu no local para que ninguém se atrevesse a dormir nele. Perturbado com os assobios, o rei mudou-se para outro castelo."

"Aí tem tudo. É claro, isso é apenas um rascunho da tradução do pergaminho. Mas, soa extraordinariamente pitoresco. Você não acha?"

"Sim", eu disse, respondendo por todos. "Mas, como fez a coisa crescer para uma manifestação tão tremenda?"

"Um desses casos de continuidade de pensamento produzindo uma ação positiva sobre o material circundante imediato", respondeu Carnacki. "O desenvolvimento deve ter ido ao longo dos séculos para ter produzido tal monstruosidade. Foi um verdadeiro exemplo de manifestação do Saiitii, o que melhor posso explicar, comparando-o a um fungo espiritual vivo, que envolve a própria estrutura do éter-fibra em si e, claro, em assim fazendo, adquire um controle essencial sobre a 'substância material' envolvida nele. É impossível torná-lo mais claro em poucas palavras."

"O que quebrou o sétimo cabelo?", perguntou Taylor.

Carnacki não sabia. Ele achava que, provavelmente, não era nada pois estava muito tensionado. Ele também explicou que eles descobriram que os homens que tinham fugido, não tinham estado à altura da maldade; mas tinham vindo em segredo, apenas para ouvir o assobio que, de fato, tinha se tornado, de repente, a conversa de todo o interior.

"Uma outra coisa", disse Arkright, "você tem alguma ideia do que regeu o uso do Ritual da Última Linha Desconhecida do Saaamaaa? Sei, é claro, que foi usado pelos Sacerdotes Sobrenaturais no Encantamento de Raaaee; mas o que o usou em seu lugar e o que o fez?"

"É melhor você ler a Monografia de Harzan e o meu adendo a ela, em Astral e Astral Coordenação e Interferência", disse Carnacki. "É um assunto extraordinário, só posso dizer aqui que a vibração humana não pode ser isolada da astral (como sempre se acredita ser o caso, nas interferências do Sobre-humano), sem ação imediata por parte dessas forças que regem o giro do círculo externo. Em outras palavras, está sendo provado, vez após vez, que há algumas inescrutáveis Forças Protetoras que intervêm, constantemente, entre a alma humana (não o corpo, mas a mente) e as monstruosidades externas, entende"?

"Sim, eu acho que sim", respondi. "Você acredita que a sala tinha se tornado a expressão material do antigo bobo – que sua alma, apodrecida de ódio, tinha se transformado em um monstro – não é?", perguntei.

"Sim", disse Carnacki, acenando com a cabeça. "Acho que você colocou meu pensamento bastante organizado. É uma estranha coincidência que a Srta. Donnehue seja, supostamente, descendente (assim tenho ouvido desde então) do mesmo Rei Ernore. Faz-me pensar em algumas coisas curiosas, não é isso? O casamento chegando e a sala despertando para uma vida nova. Se ela tivesse entrado naquela sala, alguma vez... não é? Isso tinha esperado um longo tempo. Pecados dos pais. Sim, já pensei nisso. Eles vão se casar na próxima semana e vou ser padrinho, o que é uma coisa que odeio. E ele ganhou suas apostas! Apenas pense, se alguma vez ela tivesse ido para aquela sala. Bastante horrível, não é?"

Ele acenou com a cabeça, assustadoramente, e nós quatro acenamos de volta. Depois, ele levantou-se e nos levou para a porta, nos empurrou adiante, de forma amigável, no aterro e no frescor ar noturno.

"Boa noite", todos nós respondemos de volta e fomos para nossas casas. Se ela tivesse, não é? Se ela tivesse? Isso é no que eu não parava de pensar.